주역사주

간지역학원론

(下)

이산 박규선

철학박사

주역사주연구원

干支易學原論

주역사주

이산 박규선 지음

간지역학원론(下)

발 행 | 2024년 8월 5일
저 자 | 이산 박규선
펴낸이 | 한건희
펴낸곳 | 주식회사 부크크
출판사등록 | 2014.07.15(제2014-16호)
주 소 | 서울특별시 금천구 가산디지털1로 119 SK트윈타워 A동 305호
전 화 | 1670-8316
이메일 | info@bookk.co.kr

ISBN | 979-11-410-9829-2

www.bookk.co.kr

목차

머리말

　세상의 대부분의 학문은 시공간적 한계 속에서 생로병사를 순환하며 존재하는 인간이 불확실한 삶의 변화를 예측하고자 함을 목적으로 한다. 기존의 경험칙에 통계를 내고 논리성을 부여함으로써 내일의 불확정성을 확률적으로 예측한다. 경제학, 경영학 등 대부분의 학문이 그렇다. 인간의 인생 행로를 예측할 수 있을까? 우리에게는 무속적 신앙을 통해 무당의 입을 빌려 내일을 예측하는 방법밖에 없을까? 아니면 본적도 없는 신에게 모든 해답을 맡기고 의존하는 것이 옳은 일일까? 지구 상에서 수천 년을 살아오며 인간은 자신의 삶을 통계 낸 적이 없을 뿐 더러 통계를 낸다는 것도 사실상 불가능하다. 시공간적 한계 속에서 생로병사를 거듭하며 개개인마다 살아가는 복잡다단한 삶의 양태를 어떻게 통계를 내고 논리성을 부여한단 말인가?

　그렇다고 해서 만물의 영장이라고 자부하는 인간이 막연히 강물 위를 떠가는 나뭇잎처럼 삶을 표류하기에는 너무 이성적이고 지혜롭다. 우리는 과학적으로 증명이 되지 않은 미지의 영역을 종교적 테두리를 쳐서 신(神)으로 둔갑시키는데 익숙하다. 예수가 바다 위를 걸은 것을 기적으로 신앙하면서도 지구 반대편에 사는 사람과 영상 통화하는 것은 당연시한다. 만일 예수 시대 사람에게 영상통화를 하게한다면 어떤 일이 벌어질까? AI 신인류가 그들 앞에 나타난다면 아마도 AI는 그들의 신으로 등극하게 될 지도 모른다. 우리는 눈 앞에서 벌어지고 있는 과학이 만들어 낸 기적 같은 수많은 사건들을 너무나도 당연시한다.

　무지는 종교의 탈을 쓰고 우리의 눈앞에서 신으로 둔갑한다. 귀신이란 믿는 자에게 나타나는 믿음의 영역이라 할 수 있다. 신비는 신의 이름으로 포장되어 종교라는 논리적 틀을 걸치고 우리 앞에 나타난다. 그러나 신비가 과학으로 증명되면 신비는 기적이 아닌 물리적 현상이 된다. 우주 삼라만상 중에 그 어느 것도 물리법칙을 벗어나는 것은 없다. 귀신이 존재한다면 아마도 그 역시 물리법칙 안에서 존재하는 물리체에 불과할 것이다. 인간은 다른 동식물과 마찬가지로 자연의 일부에 불과하다. 춘하추동 사계절의 순환을 따라 생로병사를 거듭하는 존재일 따름이다.

사시순환의 이치를 밝혀 천간(天干)과 지지(地支)라는 문자로 논리화된 사주 명리학은 인간이 현세에 태어난 생년월일시를 간지로 전환한다. 즉, 생년월일시를 간지(干支)로 전환함으로써 자연의 일부인 개개인의 특성을 문자로 표상한 것이 사주팔자(四柱八字)이다. 우리는 사주 여덟 글자를 분석함으로써 자연으로서의 인간의 특성을 판단할 수가 있다.

태어난 날 이래, 시간은 흐르고 공간은 변해간다. 저마다 태어날 때부터 가지고 있는 사주 여덟 글자를 변화해가는 시공간에 대입함으로써 우리는 개인의 과거와 미래를 확률적으로 판단할 수 있다. 사주 명리학은 천간과 지지로 표현한 자연학이자 인간학이다. 공자님은 『주역』 「계사전」에서 "易與天地準역여천지준"이라고 하여 역(易)은 천지 만물을 준거하여 만들었음을 밝히고 있다. 보이지 않는 근원에서 작용하는 음양은 오행생극 시스템에 의해 현상의 세계에서 상(象)과 문자(文字)로 드러난다. 상은 『주역』 팔괘(八卦)가 담당하고, 문자는 천간(天干)이 담당한다. 그러므로 천간을 기반으로 구성된 사주팔자는 음양이라는 근원을 함께 공유하고 있는 『주역』 팔괘를 만날 때 비로소 완전체를 이룬다. 본서는 만물의 근원에서 작용하는 음양을 탐구한 양자물리학, 그리고 음양이 상으로 표상된 『주역』의 팔괘(八卦), 문자로 표현된 사주 명리학이 함께 어우러져 길흉의 해석을 넘어 지적 갈증의 해소라는 지식을 선물한다. 그리고 사주팔자는 개인의 자유의지 발현에 따라 얼마든지 변화시켜 나갈 수 있다는 사주 디자이너의 개념을 도입하여 설명한다.

프롤로그

인간(物)은 사시(四時)를 순환하는 변화의 과정 속에서 사계절의 영향을 받으며 살아간다. 사주팔자를 연구하는 명리학은 생로병사(生老病死), 생장성쇠(生長盛衰), 생장수장(生長收藏)의 이치를 밝혀 순환의 고리 속에서 윤회하고 있는 나의 존재를 확인하고자 하는 학문이다. 명리(命理)는 지구가 순환하는 이치를 음양과 오행을 통해 내적 원리를 밝히고, 천간과 지지로 인문학적 이치를 드러내어 그 속에서 살아가고 있는 인간의 인사적인 길흉을 알아내고자 하는 노력의 산물이다. 시공(時空)이라는 장벽에 갇혀 생로병사의 사슬에 묶여 있는 존재로서 사색과 탐구를 통하여 존재의 의미를 궁구하는 도구로서 명리학은 더할 나위 없는 훌륭한 공부라 할 수 있다. 그러나 단순히 추명의 수단에 그쳐 개인의 길흉화복에 활용하는 술수적 도구로만 인식한다면 술사들의 언어유희와 그들 만의 혹세무민하는 도구가 될 수도 있다. 사주명리학은 지구가 사시를 순환하고 이에 순응하며 생로병사를 거듭하는 존재로서의 인간의 이치를 탐구하는 학문이니, 그 깊이를 더한다면 홀로선 존재로서의 나를 각(覺)할 수 있을 것이다.

음양오행이 지구순환의 내적 원리라면, 그것이 펼쳐낸 천간(天干)은 외적 결과로서 인사적인 문제에 간여한다. 천간은 십신(十神)으로 표현되어 지구가 사시를 순환하며 인간에게 영향을 미치는 인사적인 문제를 밝힌다. 지지(地支)는 지구가 사시를 순환하며 계절이 변화하는 과정을 시공간(時空間)으로 표현한 개념이다. 그러므로 천간과 지지가 서로 만난다는 것은 내가 지금 어디쯤 서있는 것인지, 어느 과정 속에서 어떤 영향을 받으며 살아가고 있는 것인지, 앞으로 어떻게 살아가는 것이 좋을지를 파악할 수 있게 한다.

사주명리는 단순히 인간의 명을 추론하고 길흉을 알고자 하는 학문이 기전에 지구의 사시순환을 원리적이고 철학적으로 궁리(窮理)하는 학문이다. 사주명리는 지구가 생장수장(生長收藏), 흥망성쇠(興亡盛衰)로 순환하는 이치에 음양과 오행이라는 형이상학적 원리를 도입하고, 이를 간지(干支)라는 현실적 개념으로 전화(轉化)하여 인간에게 적용, 길흉화복을 판단하는 이론이다.

간지는 단순히 나열된 용어가 아니라 글자 하나하나가 깊은 의미를 가지고 있다. 천간은 지구의 순환을 표현한 『주역』의 후천 문왕팔괘에 대입되어 그 뜻을 부여받는다. 예를 들어 천간 甲은 震☳(木)의 성질을 갖고 있다. 그러므로 木의 성질을 부여받게 된다. 지구의 12개월간의 순환을 표시하는 12지지 중의 하나인 寅은 지장간에 천간 甲木이 들어오게 됨으로써 木의 성질을 부여받는다. 인궁(寅宮)의 지장간에는 己丙甲이라는 3개의 천간이 들어있으므로 寅은 단순히 甲木의 성질만이 아니라 복합적인 성질을 띠게 된다. 이러한 과정을 통해 천간과 지지는 인문 철학적인 의미를 부여받는다.

지장간은 하늘을 유행하는 천간이 땅의 환경(지지)을 만나면서 지지궁에 들어가 현실적으로 작용하는 기운이다. 天氣(天干)와 地氣(地支)가 작용하여 생한 만물로서 인(人)이 된다. 지장간은 지구가 자전하며 태양을 공전하는 순환과정을 인문학적으로 분석한다. 지장간의 원리를 통해 사시순환의 흐름이 어떤 과정을 통해 지구 위를 살아가는 인간에게 영향을 주고받는지를 규명한다.

우주삼라만상은 시간의 흐름에 따라 생장수장의 이법(理法)으로 흥망성쇠, 생로병사를 끝없이 순환한다. 사시의 순환은 12지지로 나누어 그 계절을 분류한다. 그리고 그 계절의 영향을 받으며 생로병사를 겪는 인생의 순환과정을 12운성이라는 기(氣)의 파동에 대입한다. 12운성은 생멸을 반복하는 생명의 흐름을 12궁에 대입하여 인사(人事)를 추명하는 방식이다. 지장간의 순환원리는 생왕사절(生旺死絶)이라는 12운성의 순환과 맞물려 돌아간다.

▷ 12운성의 파동과 순환

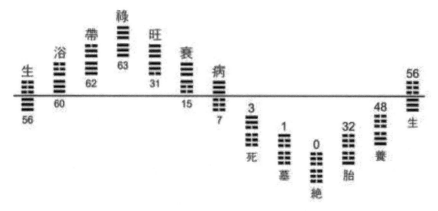

生	浴	帶	祿	旺	衰	病	死	墓	絶	胎	養
寅	卯	辰	巳	午	未	申	酉	戌	亥	子	丑

12지지와 12운성의 순환/火오행 기준

지지(地支)는 12개월이라는 시간의 변화를 표현하며, 춘하추동 사계를 통해 12운성이라는 생장수장의 시간표를 만든다. 만물은 타고난 명국(命局)이라는 탑승권을 가지고 인생운행시간표에 의해 12운성을 따라 흘러가는 배에 올라타 12단계 변화의 과정을 거쳐간다. 그 과정 속에서 생극제화(生剋制化)와 합충형파해(合衝刑波害)라는 수많은 파도를 만나게 된다.

음양(陰陽)이 사상(四象)으로 펼쳐지고, 중앙의 오토(五土)가 음양작용으로 사상을 돌려 10천간(天干)을 펼쳐낸다. 천간은 지구의 순환시간표인 지지를 만나 상호작용한다. 천간과 지지는 음양오행의 내적작용으로 펼쳐진 외적결과물로서 음양과 오행의 성질을 기본적으로 품고 있다. 작용이란 천간과 지지가 음양오행의 상호작용으로 상생과 상극을 통하여 그 의미를 펼쳐내는 것을 말한다. 그러므로 인간은 지구상에 생명을 드러낼 때 기본적으로 천간과 지지를 부여받으며, 음양과 오행의 상호작용이라는 원리 속에 들어가게 된다. 이 간지(干支)의 상호작용을 통하여 자연의 일부로서 개개인을 분석하고자 하는 것이 바로 여덟 글자로 표현된 사주명리학(四柱命理學)의 목적인 것이다.

일간(나)을 중심으로 펼쳐진 천간과 지지 여덟 글자는 음양오행의 편재 또는 편중을 통해서 중화를 이루기 위한 상호작용을 통해 일간인 내가 생존하기위한 최적의 환경을 만들어내고자 사용하는 도구라 할 수 있다. 즉, 팔자(八字)는 나를 구성하는 기운을 문자로 시각화한 것으로서 일생을 통하여 내가 사용하여야 할 생존 인자(因子)인 셈이다.

우주의 생성과 순환, 그리고 만물의 변화에 대한 정보를 함축하여 저장하고 있는 천간, 지지, 지장간, 12운성 등은 서로 지기(至氣)의 그물망으로 연결되어 개인이라는 통일체를 형성한다. 하나의 개인은 수많은 정보가 복합된 존재이지만 매우 정밀하게 시스템화된 하나의 프로세스와 같다. 그러므로 정보를 함유하고 있는 8개의 문자가 서로 관계를 맺고 있는 각각의 위치에서 상호작용을 통해 정보를 교환하면서 일어나는 갖가지 사건들의 가능태를 조합하여 정보를 취합 분석하는 것이 사주팔자(四柱八字)로 구성된 사주명리학의 본질이라 할 수 있다.

사주명리학은 거친 자연 앞에 서있는 인간이 자신이 누구인지, 지구의 시공간 속에서 자신의 좌표가 어디인지, 그리고 스스로의 길을 탐색해 나갈 수 있도록 안내하는 내비게이션, 즉 [운명학 개론서]이라 할 수 있다.

인간은 생로병사라는 정해진 틀 속에서 12地支의 흐름을 따라 12運星이라는 출렁이는 배를 타고 망망대해로 나아가는 존재이다. 캄캄한 바다 속 거친 풍랑에 올라 배의 방향키를 움켜쥔 나 자신을 보라. 운명의 키잡이는 스스로 쥐라. 남에게 맡기지 마라.

태어나는 순간 부여된 우주 부호(符號)인 천간과 지지를 제대로 이해할 수만 있다면 나는 지금 어디쯤 가고 있는 것인지, 어떻게 나아가는 것이 현명한 선택인지를 알 수 있으리라.

명리(命理)를 탐구하는 것은 명리(明理)를 궁구(窮究)하는 것이다. 한치 앞도 보이지 않는 캄캄한 인생이라는 바다, 거친 파도 위에서 한줄기 빛을 만나는 것이다.

2024년7월

이산 박규선
철학박사

20. 주역 64괘로 보는 육십갑자 일주론

천간과 지지의 상호작용을 통한 생조(生助) 생설(生洩) 극제(克制) 등 상호 생극제화 작용을 통해 나와 나의 기세, 나를 둘러싼 환경 등을 분석한다.

천간오행이 계절의 기운(지지조후)을 만나 천간오행의 역량을 제대로 발휘할 수 있는가, 또는 저지, 방해받는가를 분석한다.

천간과 지지 사이에서는 상생과 상극이 일어나지 않는다. 그러므로 천간과 지지 사이의 작용에서 십신도 발생하지 않는다. 왜냐하면 천간은 일월성신(해, 달, 28수)이 상호작용을 통해 발화하는 기운으로서 하늘(우주)를 유행하는 생기(오행)이지만, 지지는 지구가 자전과 공전을 통해 일어나는 사계절의 한난조습에 의해 발화하는 오행과 같은 기운으로 오행이 아닌 조후이기 때문이다. 즉, 지지는 천간과의 작용으로 12운성, 지장간, 합충형파해 등을 일으키는 조후로서 한난조습에 의해 발생되는 오행과 같은 기운일 뿐이다. 엄밀히 말해 오행이 아닌 오행과 같은 기운으로서 지상에서 오행의 뜻을 실현시켜주는 역할을 한다.

천간오행이 지상의 땅으로 내려와 내면에 암장됨으로써 지지의 오행 기운이 규정된다. 천간에 의해 지지의 기운이 오행과 같은 기운으로 규정될 뿐이지 오행 그 자체가 될 수는 없다. 즉 인(寅)은 지장간 정기인 甲에 의해 양목으로 규정된다. 갑(甲)이 양(陽)으로서 목기(木氣)이기 때문에 인(寅)은 갑목(甲木)의 성질을 가지게 되어 인목(寅木)으로 칭하게 되는 것이다. 그러나 천간 甲은 오행(氣)으로 陽木의 성질이 있지만, 지지 寅은 寅卯辰과 함께 지상에서 봄이라는 계절의 시작을 나타내며, 암장된 甲木에 의해 甲木의 성질을 부여받게 되는 것이다. 그러므로 寅은 봄이라는 계절이 발생시키는 조후가 되어 천간 갑목의 생기(生氣)가 품은 뜻과 역량이 지상에서 형질(形質)로서 실현되도록 도와주는가, 또는 방해하는가의 관계를 살펴 인사길흉을 분석하게 된다.

지지는 그 자체가 오행은 될 수 없지만 지장간에 암장된 3개의 천간이 복합적으로 작용하는 오행의 기운이다. 그러므로 천간과 같은 오행은 아니지만 오행의 기운로서 작용한다. 천간오행은 본질적이고 동적인 순수오행 그 자체이지만, 지지는 암장된 천간이 복합적으로 작용하는 계절적인 기운으로 12개월에 고정되어 생하고 사라지는 오행으로서 지지오행이라 별칭으로 구분한다. 그러므로 일간(나)과 작용하는 지지에 의해 발생되는 십신은 천간십신과 달리 지지십신이라 별칭한다.

12지지와 지장간 정기

지지		巳	午	未		
	장간	丙	丁	己		
辰	戊	夏			庚	申
卯	乙	春 土 秋			辛	酉
寅	甲	冬			戊	戌
		己	癸	壬		
		丑	子	亥		

20.1.천간의 기질론(氣質論)

천간 甲木은 양으로서 기(氣)적인 성질이 강하고, 천간 乙木은 음으로서 질(質)적인 성질이 강하다. 갑목은 양기(陽氣)로서 상(象)의 시작이 되고, 을목은 음기(陰氣)로서 형(形)의 완성을 의미한다. 다른 천간도 같은 방식으로 이해한다.

甲	陽	상기(象氣)	木性
乙	陰	형질(形質)	
丙	陽	상기(象氣)	火性
丁	陰	형질(形質)	
戊	陽	상기(象氣)	土性
己	陰	형질(形質)	
庚	陽	상기(象氣)	金性
辛	陰	형질(形質)	
壬	陽	상기(象氣)	水性
癸	陰	형질(形質)	

『자평진전』에서는 목(木)의 예를 들어 천간 甲乙과 지지 寅卯를 다음처럼 표현하고 있다.

以甲乙寅卯而統分陰陽　則甲乙爲陽寅卯爲陰

木之在天成象而在地成形者也

甲乙行乎天　而寅卯受之　寅卯存乎地　而甲乙施焉

是故甲乙如官長　寅卯如該管地方

甲祿於寅　乙祿於卯

如府官之在郡　縣官之在邑　而各施一月之令也

"갑을인묘(甲乙寅卯)를 한데 묶어서 음양으로 구분하면 甲乙은 陽이 되고, 寅卯는 陰이 된다. 木은 하늘에서 상(象)을 이루고, 땅에서는 형(形)을 이룬다. 甲乙이 하늘에서 행하면 寅卯가 그것을 받아 시행하고, 寅卯가 땅에 있으면 甲乙이 거기에 베푼다. 그러므로 甲乙은 장관과 같고, 寅卯는 맡아서 다스리는 지방과 같다. 갑(甲)의 록(祿)은 인(寅)에 있고, 을(乙)의 록(祿)은 묘(卯)에 있으니, 이는 부관이 군에 있고, 현관이 읍에 있으면서 각기 한 달 동안 영(令)을 집행하는 것과 같다."

20.2. 천간과 지지의 기질론(氣質論)

천간은 우주를 유행하는 기운으로 生氣(五行)가 되고, 지지는 계절이 순환하면서 발생하는 조후(한난조습)로서 천간오행이 노니는 시공간이 된다. 천간이 양이라면 시시는 음이다. 甲乙은 木이라는 오행이 하늘에서 음양으로 나뉜 것으로 甲은 陽이 되고 乙은 陰이 되며, 寅卯는 계절적인 조후(調喉)가 지상에서 음양으로 나뉜 것으로 寅은 陽이 되고 卯는 陰이 된다. 甲乙寅卯를 총괄적으로 음양으로 나누면 천간 甲乙은 양이 되고, 지지 寅卯는 음이 된다. 木의 오행은 하늘에서 상(象)을 이루고 땅에서 형(形)을 이룬다. 甲乙이 하늘에서 유행(流行)하면 寅卯는 땅에서 이를 받아드려 시행한다. 『주역』「계사전」에서는 이를 "乾(양)은 큰 시작을 주장하고 坤(음)은 물건을 만들어 완성한다"라고 정의하고 있다.

천간(甲乙)	양	象 (氣)	오행(五行)	在天成象
지지(寅卯)	음	形 (質)	한난조습(寒暖燥濕)	在地成形

木오행은 하늘에서는 상(象)을 이루고 땅에서는 형(形)을 이루니, 하늘에서의 象은 오행의 본원적인 기운인 생기(生氣)가 되고, 땅에서 形을 이룬다 함은 生氣(오행)가 지상을 순회하면서 사계절이 순환하며 발생시키는 조후에 따라 형질(形質)을 갖추며 사물(事物)을 이루는 것을 의미한다.

▷천간의 氣(陽)와 質(陰)

庚金이 甲木을, 辛金이 乙木을 해(害)할 수 있는 것은 동종의 氣와 質이기 때문이니 칠살이 되는 이유이다. 나무는 금속의 칼로 베어진다. 경금(氣)이 을목(質)을 해(害)하지 못하는 것은 氣와 質이라는 차이 때문이다. 형체 없는 기운인 甲木(氣)을 금속의 칼 辛金(質)으로 휘두른들 베어질 리 만무하다. 칼로 물을 베는 것이니 영향이 크지 않다. 을목(質)이 숙살지기 경금(氣)를 만났을 때는 잎이 떨어질 뿐 오히려 뿌리는 견고해지는 것이니 정관이 되는 이유이다.

20.3. 육십갑자 일주의 해석

육십갑자는 천간과 지지가 짝을 이루어 만든다. 만물의 근원이 되는 생기(生氣)로서의 천간오행과 계절적 기운의 특성을 가진 지지오행이 서로 빔을 이룬다. 천간오행이 하늘을 행하면 계질의 기운인 지지가 이를 받아드려 그 뜻을 이룬다. 그러므로 60개의 짝을 이루는 60갑자의 뜻을 이해하는 것은 '천간오행이 지지오행(한난조습)과 어떻게 작용하여 자신의 뜻을 수행하는가?'를 이해하는 것이다. 지기(地氣)인 地支의 협조를 받아 천기(天氣)인 天干이 어떻게 땅에서 자신의 품은 뜻을 이루는가? 협조를 받아 천간의 역량을 강화시킬 수 있는가? 아니면 계절의 기운인 지지오행의 간섭를 받아 험난한 길을 가야만 하는가?

일간(日干)은 사주명국에서 생극을 일으켜 인사(人事)를 구성하는 주체가 되므로 일간과 일지의 관계를 살펴보는 것이 중요하다.

일간 (나의 천성, 본성, 성향, 특성, 능력 등 형이상, 정신적인 것)
↕
일지 (나의 배경, 부부, 가정, 형이하, 나를 둘러싼 현실적 환경)

-통근: 일간과 일지가 같은 기운인가를 살핀다.
-지장간: 유근(有根), 투간(透干) 관계를 살핀다.
-12운성: 지지와 작용하는 천간의 기세(氣勢)를 살핀다.
-지지십신: 천간과의 작용을 통해 인사(人事)를 살핀다.

▷일주 분석의 이해

-일간이 일지와 통근하면 일간의 기세와 뜻이 강화된다.

-지장간의 유근(有根), 투출(透出)을 통한 일간의 강약을 분석한다.

-지지조후와 일간의 협력관계를 분석하여 일간의 활동성을 판단한다.

-지지와의 통근(通根), 생조(生助), 생극(生剋), 생설(生泄), 극설(剋泄), 협력, 방해, 저지 등을 분석한다.

-12운성을 통한 천간의 기세와 역량을 분석한다.

-사주명국의 주인인 일간은 계절적 기운인 월지와의 관계가 중요하다.

지지는 오행이 아니라 오행을 닮은 계절적 기운으로서 조후이므로 천간과 지지의 관계에서 십신은 발생하지 않는다. 십신은 오행생극을 통해 발현되므로 천간오행의 생극작용에 해당되며, 지지와의 관계에서는 생극이 일어나지 않는다. 다만 지지는 천간오행의 기운을 닮은 환경적인 기운으로서 지지오행이 되므로 천간과의 작용에서 발생하는 것은 십신이 아니라 십신의 기운, 즉 지지십신(地支十神)이 발생하는 계절적인 기운으로서 일간과의 현실적 관계성이라 할 수 있다.

(1) 천간이 유근(有根)이거나, 지장간이 투출(投出)하면 천간의 품은 뜻이 강화된다.

천간은 형이상학적인 음양오행으로 추상적이고 본질적이다. 지장간은 천간이 지상으로 내려와 실제로 작용하는 땅의 천간, 즉 人(物)을 의미한다. 하늘의 천간은 땅의 천간을 만나 도움을 받거나 방해를 받을 수 있다. 그러므로 지장간이 하늘에 투출하였다는 것은 천간이 지장간에 뿌리를 두고 있다는 것으로서 추상적인 천간이 지지의 도움을 받아 구체적이고 실질적인 상호작용을 할 수 있음을 의미한다.

 (2) 12운성으로 천간의 기세를 판단한다.
 12운성은 천간오행의 기세와 역량을 판단하는 척도가 된다. 천간오행의 왕쇠강약은 천간이 지지로부터 얼마나 힘을 받는가 또는 저지를 당하는가에 달려있기 때문이다.

-천간이 침체기인 절태양(絶胎養)에 해당되면 절(絶)에서 모든 생의 순환이 끊어지면서 동시에 생(生)의 뜻을 품으며 순환을 시작하는 태동기가 된다.
-천간이 성장기인 생욕대(生浴帶)에 해당되면 상승기로서 천간은 지지의 도움이 커지면서 기세가 상승한다.
-천간이 록왕쇠(祿旺衰)에 해당되면 왕성기로서 천간은 지지의 도움을 받아 기세가 강왕하다.
-천간이 병사묘(病死墓)에 해당되면 쇠퇴기로서 천간은 지지의 도움이 약해지면서 기세가 쇠락해진다.

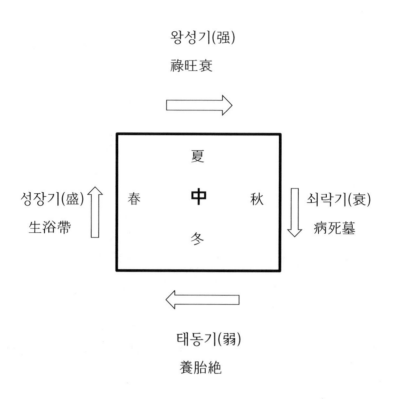

왕성기(强)

祿旺衰

성장기(盛)   쇠락기(衰)

生浴帶   病死墓

夏

中

冬

春   秋

태동기(弱)

養胎絶

(3) 천간이 동주(同柱) 좌하에 록지(祿地)나 왕지(旺地)를 두면
지지의 강한 지원을 받아 기세가 커진다.

甲　甲　　-천간

寅　卯　　-지지

록　왕

-甲과 寅은 양과 양으로 오행이 같은 비화관계로 12운성은 건록
이 된다.

-甲과 卯는 양과 음으로 오행이 다른 비화관계로 12운성은 제왕
이 된다.

-丙午, 戊午, 壬子 양인의 경우 태과한 기운을 조절할 수 있어야

한다. 그러므로 양인은 편관 칠살의 극제를 기뻐한다.

(4) 일간이 태어난 월지의 오행기운과 조후를 분석하여 계절적
기운이 일간에게 미치는 환경적 여건(사회적 여건)을 판단한
다.

▷지지는 천간오행을 담은 계절이라는 그릇이다

지지 인(寅)은 계절적으로 1월이라는 명칭에 불과하다. 그런데 寅의 지
장간 정기가 甲木이므로 寅은 甲木의 성질을 갖게 된다. 또 陽木이므로
寅은 陽木의 성질이 부여된다. 즉 寅은 오행상 木이 아니라 木의 성질로
규정된 것이다. 그러므로 계절의 호칭에 불과한 寅은 계절적으로 寅木의
성질이 있어서 천간오행의 작용에 협력하거나 저지하는 작용을 수행한다.
지지의 역할은 오행생극이 아니라 오행의 성질을 가진 계절적 기운(조후)
으로서 천간오행을 지지해주거나 저지하는 역할을 하는 것이다.

지지는 천간오행을 담은 계절이라는 그릇이다. 예를 들어 인(寅)의 지
장간에는 己丙甲이라는 천간이 암장되어 있어 寅의 성질을 규정하고 있
다. 寅의 성질을 이해하기 위해서는 암장된 己丙甲의 성질을 살펴보아야
한다.

천간오행은 우주에 가득한 만물의 생기가 되는 근원으로서 동(動)하면
서 멈추지 않고 하늘을 유행(流行)하지만, 지지오행은 계절의 흐름에 따
라 생하고 멸하는 기운으로서 각각의 계절에 고정되어 움직이지 않는다.

▷ 조후론

천간은 하늘을 유행하는 오행이만 지지는 계절에 고정된 한난조습의 기
운이다. 일간(나)은 계절의 영향을 가장 크게 받으며, 사시순환을 따라

생로병사의 수레바퀴를 돌린다. 일간은 계절의 영향을 거스르며 살아갈 수 없다. 그러므로 일간은 자신의 오행속성과 자신이 태어난 생월(월지) 과의 관계 속에서 사주의 한난조습의 상태를 파악하여 소우주로서의 일 간생존에 가장 적합한 자연환경(사회적 환경)을 추구한다. 일간과 계절의 상생적인 측면에서 자신에게 도움이 되는 오행을 찾는다.

　조후론은 형이상학적이고 추상적인 오행의 생극 논리보다 일간이 직접 적인 영향을 받는 사실적인 사계절 기후와의 관계를 비교하여 가장 시의 적절한 기운을 찾는 경험론적인 방법이다. 그러므로 조후론은 명주인 일 간이 태어난 월지의 계절적인 조후와의 생조(生助) 생설(生泄) 관계를 분 석하여 힘의 균형을 조절함으로써 자신의 운명을 개척하는 방식으로서 추상적이기보다는 현실적이고 사실적이며 과학적인 방법이라 할 수 있다.

▷ 육십갑자와 64괘 일주론

　주역 팔괘는 성인이 자연을 앙관부찰하여 괘상으로 범주화한 것이다. 만물의 기저에서 작용하는 음양을 문자를 통해 자연의 형상을 드러낸 것 이 간지(干支)이고, 괘상으로 표상한 것이 주역64괘이다. 그러므로 무수 한 물상을 문자의 의미를 통해 추론하는 것보다는 만물만상을 범주화한 괘상을 활용하는 것이 우선이라 할 수 있다.

　문자를 추론하다 보면 문자가 내포하고 있는 의미의 한계에 막히거나 언어유희에 가까운 추상적 논리의 확장으로 삼천포로 빠지는 경우가 허 다하다. 주역의 괘상은 무수한 만물만상을 8개의 괘상으로 범주화하고, 그것의 작용을 64괘로 개략화한 것으로서 만물만상의 이치를 함유하고 있다. 그러므로 간지의 물상은 괘상으로 유추하는 것이 좋다.

20.4.육십갑자(六十甲子)와 12운성 일람표

甲寅	甲辰	甲午	甲申	甲戌	甲子
祿	衰	死	絶	養	浴
乙卯	乙巳	乙未	乙酉	乙亥	乙丑
祿	浴	養	絶	死	衰
丙辰	丙午	丙申	丙戌	丙子	丙寅
帶	旺	病	墓	胎	生
丁巳	丁未	丁酉	丁亥	丁丑	丁卯
旺	帶	生	胎	墓	病
戊午	戊申	戊戌	戊子	戊寅	戊辰
旺	病	墓	胎	生	帶
己未	己酉	己亥	己丑	己卯	己巳
帶	生	胎	墓	病	旺
庚申	庚戌	庚子	庚寅	庚辰	庚午
祿	衰	死	絶	養	浴
辛酉	辛亥	辛丑	辛卯	辛巳	辛未
祿	浴	養	絶	死	衰
壬戌	壬子	壬寅	壬辰	壬午	壬申
帶	旺	病	墓	胎	生
癸亥	癸丑	癸卯	癸巳	癸未	癸酉
旺	帶	生	胎	墓	病

▶양간과 음간의 12운성원리 참조

20.5.육십갑자(六十甲子)의 괘상화 원리

　육십갑자는 하늘을 유행(流行)하는 동적(動的) 성질의 천간오행이 열두 개의 달로 나뉘어 고정된 十二地支의 계절적 조후(調喉)에 의해 어떻게 영향을 받으며 작용하는가를 살펴보는 것이다.

　명리는 오행의 생극제화(生剋制化)를 통해 인사(人事)를 적용함으로써 길흉을 살피고, 주역은 음과 양으로 구성된 여섯 개의 효가 상하괘를 이루어 중정응비(中正應比)의 원리로 상호작용(中正應比)을 함으로써 우주 만물의 변화와 인사를 드러낸다.

오행	목		화		토		금		수	
천간	갑	을	병	정	무	기	경	신	임	계
지지	인	묘	사	오	진 술	축 미	신	유	술	해
괘상	☳	☶	☲		☵	☷	☱	☰		☵
음양	양	음	양	음	양	음	양	음	양	음

20.5.1. 戊己(태극)와 문왕팔괘도(지구역)

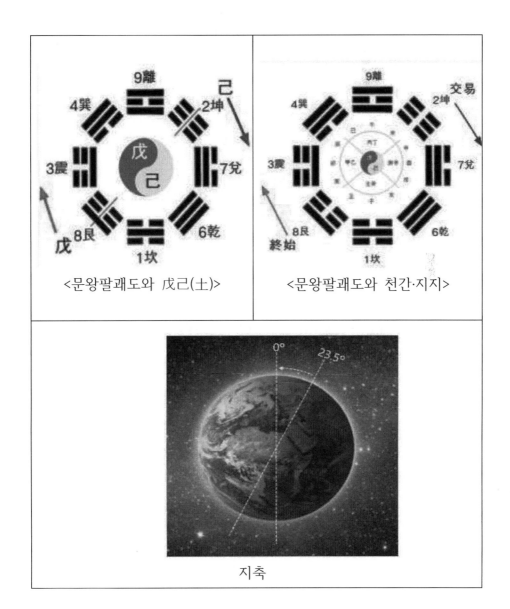

<문왕팔괘도와 戊己(土)>

<문왕팔괘도와 천간·지지>

지축

20.5.2. 戊☶·己☷는 시공간의 위치에 따라 상이 달라진다.

천간 무(戊)·기(己)와 지지 辰戌丑未의 괘상의 변화에 대한 이해

巽☴風 乙	離☲火 丙丁	坤☷土 己
震☳雷 甲	土	兌☱澤 庚
艮☶山 戊	坎☵水 癸壬	乾☰天 辛

巽☴木 卯(辰)	離☲火 巳午	坤☷土 未
震☳木 寅	土	兌☱金 申
艮☶土 丑	坎☵水 子亥	乾☰金 酉(戌)

문왕팔괘도와 천간 | 문왕팔괘도와 지지

천간으로 보면 辰戌의 지장간 정기는 戊土☶이고, 丑未의 지장간 정기는 己土☷에 해당한다. 그러나 지지로 보면 위치하는 사계절의 시공간이 달라지게 되므로 괘상의 변화가 일어나게 된다.

戊☶(艮)	辰☴(巽) 봄과 여름 간절기
	戌☰(乾) 가을과 겨울 간절기
己☷(坤)	丑☶(艮) 겨울과 봄 간절기
	未☷(坤) 여름과 가을 간절기

☞ 辰戌의 근원적인 기운은 戊土(양)가 되고, 丑未의 근원적인 기운은 己土(음)이다. 즉 辰戌의 지장간 정기는 戊土, 丑未의 지장간 정기는 己土가 된다.

20.5.3. 戊土와 己土의 기능

지구역인 문왕팔괘도에서 艮方는 戊土가 담당하고, 坤方는 己土가 담당한다. 戊土는 乾道(양) 상극시대를 돌리는 기운이고, 己土는 坤道(음)의 상생시대를 돌리는 기운이다.

동북방의 艮☶이 위치한 자리에서는 중앙의 戊土가 작용함으로써 [土克水-木克土] 상극작용이 일어나 잠자고 있는 坎水☵를 극함으로써 후천곤도 상생시대를 마치고(終) 선천건도 상극시대를 열게 된다(始). 이를 간토의 종시(終始) 작용이라 한다.

서남방의 坤☷이 위치한 자리에서는 중앙의 己土가 작용함으로써 [火生土-土生金] 상생작용이 일어나 금화상쟁(金火相爭)을 교역함으로써 후천곤도 상생시대를 열게 된다.

(1) 辰戌의 근원적인 기운은 무토☶(艮)이다.

辰은 봄과 여름의 간절기에 위치한다. 戊土☶가 ☳(辰)으로 자라 습기를 머금은 무성한 모습을 나타낸다. 戊는 무성하다는 뜻이 있다.

戌은 가을과 겨울 사이의 간절기에게 해당한다. 戌은 戊土☶가 자라 진시(辰時)에 무성☳해지고, 가을이 마무리되는 술시(戌時)에 생기 ☶(戌)로 응축된 생명의 상으로 나타난다.

(2) 丑未의 근원적인 기운은 기토☷(坤)이다.

축(丑)은 겨울에서 봄으로 전환하는 시기로서 동북방의 간토☶가 생명을 품고 있는 감수☵를 극하면서 깨어난 간절기를 표상한다. 지구의 사시순환을 표상하는 문왕팔괘도에서 艮土☶는 생명이 잠들어 있던 겨

울을 마치고(終) 깨어나 생명을 시작(始)하는 종시(終始)를 상징한다(토
극수-목극토).

未는 여름과 가을이 교역하는 간절기로서, 땅에 떨어진 씨앗을 품은
열매☲를 삭힘으로써 알갱이와 쭉정이를 선별하는 성정이 있다. 坤土
☷(未時)에 의해 선별된 알갱이(양기)는 가을 金氣에 넘겨지고 불순물
없이 선별된 생기☲는 겨울 수기☵에 저장된다. 지구역 문왕팔괘도에
서 坤土☷는 금화교역의 시기인 마시(未時)에 해당한다.

丑 ☶ 艮		辰 ☴ 巽		未 ☷ 坤		戌 ☰ 乾
생명 기상(起床)		생명 생장(生長)		생명 선별(選別)		생명 정제(淨濟)

20.5.4. 천간의 수리

양(陽)			오행	음(陰)		
낙서	괘상	천간		천간	괘상	낙서
3	☳	甲	**木**	乙	☴	8
9	☲	丙	**火**	丁	☲	4
5	☷	戊	**土**	己	☶	10
7	☱	庚	**金**	辛	☰	2
1	☵	壬	**水**	癸	☷	6

☞천간은 낙서의 수리를 활용한다. 홀수(양)와 짝수(음)를 구분한다.

20.5.5. 지지(地支)의 수리

천간 무토(5), 기토(10)는 지지에서 辰戌과 丑未로 나뉘어 사계절의 간절기에 위치하게 되므로 시간과 공간이 달라지게 된다.

지지(地支)는 1년 12개월의 생성 순서를 의미하므로 만물의 시작점인 子水☵를 1로 한다. 문왕팔괘도에서도 坎水☵가 1이고, 간지역학에서도 천간 壬水☵가 1이다. 만물의 시작은 수(水☵)에서 시작한다.

地支	子水	丑土	寅木	卯木	辰土	巳火	午火	未土	申金	酉金	戌土	亥水
數	1	2	3	4	5	6	7	8	9	10	11	12

▷간지(干支)의 괘상과 수리 종합

오행	木		火		土				金		水	
천간	甲	乙	丙	丁	戊		己		庚	辛	壬	癸
괘상	☳	☴		☲	☶		☷		☱	☰		☵
수리	3	8	9	4	5		10		7	2	1	6
지지	寅	卯	巳	午	辰	戌	丑	未	申	酉	亥	子
수리	3	4	6	7	5	11	2	8	9	10	12	1
괘상	☳	☴		☲	☶	☶	☷	☷	☱	☰		☵
음양	양	음	양	음	양		음		양	음	양	음

20.5.6. 위치에 따른 동일 괘상의 내적 성질

동일한 괘상도 내부에 품고 있는 지장간은 서로 다르다.

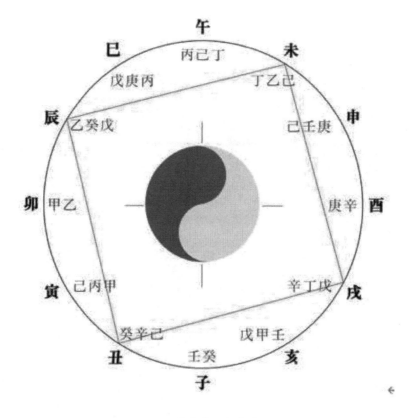

<12지지와 지장간>

卯와 辰은 같은 괘상 손풍☴을 공유하지만 卯木은 지장간이 甲乙이고 수리는 4 이다. 辰土는 지장간이 乙癸戊이고 수리는 5 로서 성질이 서로 다르다.

酉과 戌은 같은 괘상 건천☰을 공유하지만 酉金은 지장간이 庚辛이고 수리는 10이다. 戌土는 지장간이 辛丁戊이고 수리는 11로서 성질이 서로 다르다.

　巳午는 같은 괘상 離火☲를 공유하지만 巳는 지장간이 戊庚丙이고 수리는 6이다. 午火는 지장간이 丙己丁이고 수리는 7로서 성질이 서로 다르다.

　亥子는 같은 괘상 坎水☵를 공유하지만 亥水는 지장간이 戊甲壬이고 수리는 12이다. 子水는 지장간이 壬癸이고 수리는 1로서 성질이 서로 다르다.

20.5.7. 갑목(甲木)

震雷☳木

갑목(甲木)은 우레를 상징하는 진(震)☳괘의 상으로 한 개의 양기가 2개의 음을 뚫고 나오는 모습을 상징한다. 새싹이 두터운 땅을 들어올리며 뚫고 나오는 분출하는 생명력을 상징하며, 만물이 생육하는 목기(木氣)의 시작을 의미한다. 목기(木氣)는 생명을 낳고 기르는 어진 성격의 소유자로 오상(五常) 중에 인(仁)에 해당된다. 청소년기의 질풍노도와 같은 기세로 직진, 상승, 분출하는 힘이 강해 의기(意氣)가 있으나 굽힐 줄 아는 원숙함이 부족하여 부러질 수 있다. 땅을 진동시키는 우레같은 모습, 시작, 전진, 용출, 성장 등 동(動)의 의미와 앞으로 나아가는 진(進)의 의미가 있다.

(1) 갑자(甲子)

갑(甲)은 양기가 두터운 땅을 뚫고 위로 솟구쳐 분출하는 봄의 생명력을 의미하고, 자(子)는 고도로 응축된 양기가 음기에 의해 포장되어 저장되고 있는 때로 가장 추운 한 겨울, 절기로는 동지(冬至)가 된다. 갑자(甲子)는 얼어붙은 단단한 땅을 뚫고 위로 나아가려는 기운이 만물을 응축시켜 음기로 포장하는 한랭한 기운을 만나 전진이 가로막혀 있는 상이다.

자(子)는 갑의 목욕지(沐浴地)로서, 이제 자아를 인식하고 스스로를 씻을 줄 아는 청소년의 상태에 불과하여 스스로 판단하고 앞으로 나아가는 것이 쉽지 않다. 갑목이 자신의 뜻을 적극적으로 행하기에는 아직은 때가 너무 이르다. 그러나 스스로 몸을 씻으며 자아를 세워가는 목욕(沐浴)의 시기로서 앞으로 전진하기 위하여 꿈을 꾸며 변신을 시도하는 때이다.

갑자(甲子)는 추운 한겨울, 아직 때이른 시기에 양기가 딱딱한 씨앗의 껍질을 뚫고 불쑥 튀어나오듯이 동키호테 같은 엉뚱한 모습으로 비치기도 하고, 천방지축 돌출행동을 하거나 허당끼가 있는 모습이 되기도 한다. 아직 추위가 가시지도 않았는데 때이른 꽃 몽우리를 터트린 모습, 개구리가 때 이른 잠에서 깨어나 추위에 떠는 모습, 의기가 있고 분발심이 있으나, 말이 앞서고 때로 성급하게 나서는 경향이 있다.

▷괘상의 이해

雷☳(動進)　　(甲木)

水☵(險水)　　(子水)

　解

解 利西南 无所往 其來復吉 有攸往夙吉
해 이서남 무소왕 기래복길 유유왕숙길

解는 西南이 이롭도다. 나아갈 바가 없으면 돌아오는 것이 吉하고, 나아가는 바가 있으면 속히 행하는 것이 吉하리라.

하늘을 유행하는 天干甲木이 지상으로 내려와 겨울 험수(險水)를 만나 고전하고 있는 모습이다. 甲木은 만물이 생동(生動)하는 봄의 기운이 되고, 子水는 수렴된 양기를 응축하여 저장 중인 엄동설한의 계절이다. 생명은 10달의 기다림을 통해 어려움을 뚫고 밖으로 나오듯 험수==를 뚫고 생명은 10달의 기다림을 통해 밖으로 나오니== 점차 어려움이 해결된다. 갑자일주(甲子日柱)는 때가 되면 태아가 어미의 밖으로 나오듯, 누에가 고치를 벗어나 나비가 되어 나오듯, 오랜 세월 어려움==(險)을 겪은 후 때가 이르러 움직여 벗어나는 상이다==(動, 進). 아직은 험수를 벗어나 움직이기 시작하는 청소년에 불과하므로 나아갈 때와 물러설 때를 분별하는 지혜를 가져야 한다.

험함==에서 벗어났으니 正道==를 가는 것이 이롭다. 어려움에서 벗어났다 하여 正道를 벗어나 기고만장하면 다시 험함(險陷)에 갇히게 된다 (착종괘-水雷屯䷂/도전괘-水山蹇䷦). 정도(正道)가 아니라면 차라리 되돌아오라. 그러나 가는 방향과 길이 정해졌다면 망설이지 말고 가라.

(2) 갑인(甲寅)

갑(甲)은 양기가 두터운 땅을 뚫고 위로 솟구쳐 분출하는 생명력을 의미하고, 인(寅)은 양기가 땅 위로 솟구쳐 생명이 분출하는 때로서 봄의 시작을 가리킨다. 갑인(甲寅)은 생명력의 용출과 상승, 전진을 의미하는 생기천간갑(生氣天干甲)이 땅 밑에서 잠자고 있던 씨앗(생명)을 깨우고 생장시키는 따스한 봄기운을 만나 용트림하며 상승하는 상이다. 추운 겨울 꽁꽁 얼었던 두터운 땅을 뚫고 나온 새싹이 양기가 분출하는 봄기운을 만나 약진을 시작한다. 寅은 지장간에 丙火를 품고 있으므로 생장(生長)하는 기세가 강하다. 인(寅)은 丙火의 생지(生地)가 된다.

인(寅)은 甲木의 건록(建祿)이다. 12운성으로 보면 중천건(重天乾䷀)괘에 해당되며 양의 에너지는 +63으로 최대치이다. 인생의 절정기로 어떤 장애물도 뚫고 나아가는 불굴의 청년기에 해당된다. 또한 인(寅)의 지장간 정기인 갑목이 투출한 상으로 세상과 사회에서 펼쳐내고자 하는 천간 갑의 뜻과 역량이 강왕(剛旺)하다.

인(寅)이 甲木의 건록지(建祿地)라 함은 관리가 적임지에 부임한 격이니 물고기가 물을 만난 격이다. 발전적이고 긍정적이며 진취적인 기상이 있다. 주관이 뚜렷하여 쉽게 굽히지 않으며, 다른 이들을 이끌고 나아가는 리더의 기질이 있다. 성정이 곧고 바르다. 불의와 타협하지 않으며, 주변을 품을 줄 아는 어진 성정(性情)이 있다. 상승하는 기운이 내재된 자신만만한 미래지향적 사고의 소유자이다.

▷괘상의 이해

雷☳(動, 進)　　（甲木）

雷☳(動, 進)　　（寅木）

　　震

震 亨 震來虩虩 笑言啞啞 震驚百里 不喪匕鬯
진 형 진래혁혁 소언액액 진경백리 불상시창

진은 형통하다. 천둥 벼락이 오니 놀라고 두려워하다. 웃고 말하며 깔깔거리다. 천둥 벼락이 백리를 놀라게 해도 제사 숟가락과 제사술을 잃지 않는다.

양이 2개의 음 아래로 파고 들어가 뒤흔드니, 진(震)은 동(動)의 뜻이요, 또한 상향하여 나아가니 진(進)의 뜻이다. 동(動)하고 진(進)하니 강력한 힘이고, 진취적인 기상이며 나아가는 것이니 형통(亨通)하다.

천둥 벼락이 천지를 뒤흔들고 백리를 놀라게 하니, 자연의 일부가 되어 살아가고 있는 사람은 경외하고 두려워한다(震驚百里). 백리(百里)를 두려움에 떨게 하는 우레소리에 놀라 도망치는 것은 평시 중도(中道)를 잃은 소인의 모습이다. 자연은 살아있는 일체(一體)의 생명이다. 군자는 자연과 더불어 하나(一)의식으로 일통(一通)하니, 두려움에 닥쳐서도 소인처럼 경박스럽게 놀라 삶의 중심을 잃지 않는다. 그러므로 백리를 두려움에 떨게 하는 자연의 위엄에도 제사를 지내는 근본인 수저와 향기로운 술을 잃지 않음이니 과연 장자(長子☳)의 상이다(不喪匕鬯). 불상시창(不喪匕鬯)이란 어떠한 상황에 처해서도 근본을 잃어버리지 않음을 뜻한다. 상괘도 진(震)이요 하괘도 진(震)이니 나아가는 힘이 강하다.

(3) 갑진(甲辰)

갑(甲)은 양기가 두터운 땅을 뚫고 위로 솟구쳐 분출하는 생명력을 의미하고, 진(辰)은 생장하는 봄의 막바지에서 양기의 성장을 마무리하면서 열매를 맺기 위하여 본격적인 여름으로의 진입을 준비하는 때이다. 진(辰)은 지장간에 계수(癸水)를 내포하고 있으므로 물이 풍성한 옥토로서 나무의 성장을 왕성하게 하여 다음 계절인 여름으로 넘어가 열매를 맺을 수 있도록 준비하는 때가 된다. 진(辰)은 甲의 쇠지(衰地)에 해당된다. 그러므로 갑진은 왕성하게 성장하는 나무의 기운을 조절함으로써 너무 웃자라는 것을 저지하여 양기가 열매에 집중할 수 있도록 하게하는 상이다.

갑진(甲辰)은 옥토에 뿌리를 내린 강왕한 나무를 상징하며, 열매를 맺도록 하기 위하여 충분한 수기를 머금으며 준비하는 모습이다. 본격적으로 나무에 열매(결과)를 매달기 시작하는 여름으로 진입하는 계절로서 조절과 절제를 조화롭게 사용하며 결과를 만들어내기 위한 여건을 조성한다. 기세가 강왕하고 준비에 철저하며, 기운의 강약을 조절하여 열매를 만들

어내기 위한 조절자로서의 노련함이 있다. 갑진은 생장하고 확장하는 갑
(甲)의 기세와 이를 조절하는 진(辰)의 계절적인 토(土)의 기운이 서로 조
화를 이룸으로써 강왕하면서도 중화적이고, 절제와 조화를 추구하는 노
련한 기질을 품고 있다.

▷괘상의 이해
　雷☳(進)　　(甲木)

　風☴(流)　　(辰土)

　　恒

恒 亨 无咎 利貞 利有攸往
항 형 무구 이정 이유유왕

항(恒)은 형통하니 허물이 없도다. 바름이 이로우니 나아가는 바가 이로우리
라.

辰土☷는 계절이 여름을 준비하는 늦은 봄이니, 열매를 매달기 위한
준비를 하는 때이므로 문왕팔괘도의 巽木☴에 해당된다. 진토는 나무가
뿌리를 내리고 열매를 생하기에 좋은 기후와 기름진 옥토이다. ☴(木)은
☷(土)에 뿌리를 내린 장성한 나무의 상이다.
　신의 숨☴(風)이 대지☷를 어루만지며 생기☳를 불어넣으니, 巽☴(入)
의 2개의 양효가 초음 안으로 파고들어가 생명을 포태한 씨앗☳(생명)이
된다. 震☳은 천지만물의 생명을 항구(恒久)이 보존하고 세대를 지속시키
기 위한 씨앗(種子)이다. 항(恒)은 神의 숨☴(入)이 대지(☷母)로 스며들어

가 생명☰☰을 만드는 모습이니 항(恒)은 부부(夫婦)의 상이 된다(☰☰장남, ☰☰장녀).

바람☰☰은 만물에 이로우니 대지☰☰(辰土)에 숨결을 불어넣어 생명☰☰(甲木)을 심는다. 神의 숨결☰☰(神命)이 닿는 곳마다 생명☰☰(열매)이 움트니 항(恒)의 뜻이다. 바람☰☰처럼 만백성☰☰(辰土)을 어루만지고 보듬어 생명☰☰(열매)이 자라도록 이롭게 하는 것은 토성(土性)을 지닌 대인이라면 마땅히 가져야 할 도리이니, 사악한 바람이 대지 위를 스치면 닿는 곳마다 생명이 죽어 나간다.

(4) 갑오(甲午)

갑(甲)은 양기가 두터운 땅을 뚫고 위로 솟구쳐 분출하는 생명력을 의미하고, 오(午)는 계절적으로 가장 뜨거운 한여름으로서 양기의 확산이 극에 달한 때가 된다. 그러므로 갑오(甲午)는 두터운 땅을 뚫고 나온 새싹이 강한 나무로 장성하기도 전에 한여름의 뜨거운 양기를 만난 격이니 청소년기 같은 갑목의 왕성한 기운이 오(午)의 강한 기세에 눌려 제대로 뜻을 펼쳐내지 못하는 상이다. 오(午)는 갑목의 사지(死地)가 되므로 갑목으로서는 자신의 역량을 펼쳐내기에 오(午)의 환경은 너무 조열(燥熱)하다. 오(午)는 지장간에 병정(丙丁)을 품고 있어 기세가 너무 뜨겁기 때문에 원숙한 노련미가 부족한 청소년같은 갑목이 감당하기에는 너무 강왕하다. 부모의 간섭이나 기세가 크면 오히려 자식이 제 역량을 발휘하지 못하는 법이다.

오(午)는 가장 뜨거운 한여름이지만 12운성으로는 천풍구(天風姤☰)에 해당되어 음이 처음으로 생겨나는 때가 된다. 즉, 오(午)는 강왕하지만 양기의 에너지는 +31로서 내부적으로는 이미 쇠락이 이루어지고 있는 상태이다. 이것은 중천건(☰)에 해당되는 사(巳)의 에너지(+63)가 급격하게 쇠락하는 모습이지만, 오(午)는 사(巳)에서 시작된 뜨거운 열기로 인하여 스스로 양기의 쇠락을 제대로 인식하지 못한다.

보름달은 꽉 차는 순간부터 기울어지기 시작한다. 가장 밝을 때 어둠이 시작되는 것이다. 순환하는 자연의 이치는 지혜롭다. 오(午)는 계절적으로는 가장 뜨거운 여름의 한중간이지만 양기를 저지하고자 하는 가을의 음기(陰氣)는 이미 슬며시 들어오기 시작한다. 오(午)는 땅에 떨어진 열매(양기)를 받아드려 숙성시키는 기토(己土)를 내포하고 있다. 지장간에 己土를 포장하고 있다는 것은 극성한 양기의 강렬함 속에서도 음이 주도하는 곤도(坤道)의 시대를 맞이하기 위한 상생 수렴을 준비하고 있다는 것을 의미한다(己土는 金火相爭의 기운을 중재함으로써 乾道에서 坤道로의 우주적 전환이 무리 없이 이루어지도록 하는 相生의 역할을 한다. 火生土≫土生金). 가장 밝고 가장 극성할 때 다음 생을 위한 준비가 시작되는 것이니 만물은 현명하다.

갑오(甲午)는 생각이나 사상이 먼저 앞서 나가 일을 제대로 마무리 짓지 못하고 고초를 당하는 성격이다. 먼저 나서는 자가 맞바람을 먼저 맞이하는 것처럼 무슨 일이든 먼저 앞장서 스스로 어려움을 자초한다. 그러나 내면에는 미래를 내다보고 준비하는 지혜로운 성정을 품고 있어 매사 신중하게 대비하는 이면도 있다.

▷괘상의 이해

雷☳(進)　　(甲木)
火☲(明)　　(午火)
　豊

豊 亨 王假之 勿憂宜日中

풍 형 왕격지 물우의일중

풍(豊)은 형통하도다. 왕(王)이 이르도다. 마땅히 해가 중천에 있으니 근심하지 마라.

풍(豊)은 九三 양효가 끌고 初九가 밀며 떠오르던 ☲의 3효가 효변하여 음이 되니 장애물☵이 되어 갑자기 속도가 늦춰지는 상이다. 앞서 달리던 차량이 갑자기 속도를 늦추니 뒤에 차량이 밀려들어 혼잡해지고 점점 쌓인다. 병목현상이다. 돈은 흐름이 빠른 바람☴(내호괘)의 성질이 있으니 뇌화풍(雷火豊☳☲)에서 쌓이는 이치를 깨달아 돈의 사용법을 익힌다면 부자가 되지 않을까? 그러나 과욕은 금물, 풍豊의 호괘가 대과(大過☱☴)이니 시사하는 바가 크다.

하나 둘 쌓여가니 풍(豊)이다. 문명이 쌓이고, 물질이 쌓이고, 문화가 쌓이니 풍대(豊大)함을 의미한다. 해는 천리(天理)를 따라 마땅히 중천(中天)에 떠올라 천하를 이롭게 비춘다. 그러므로 천하의 이치를 걱정하지 마라. 해는 의당 중천에 떠오르기 마련이다. 그러나 쌓이기만 하고 앞으로 나아가지 않는다면 부패하고 퇴락하는 것이 자연의 이치이다. 지금은 비록 풍요로우나 기울거나 막히는 것을 대비해야 한다. 풍요(☲文明)롭지만 끊임없이 전진☳(動·進)하지 않고 멈추게 된다면 막히게 되는 것이다.

(5) 갑신(甲申)

갑(甲)은 양기가 두터운 땅을 뚫고 위로 솟구쳐 분출하는 생명력을 의미하고, 신(申)은 토기가 숙성시켜 놓은 열매(양기)를 가을의 숙살지기(肅殺之氣)가 알갱이와 쭉정이를 선별하여 수렴을 시작하는 때이다. 그러므로 갑신(甲申)은 위로 솟구쳐 상승하는 봄의 생명력이 양기를 수렴하기 시작하는 가을의 금기운에 가로막혀 서로 대립하고 있는 상이 된다.

신(申)은 갑목(甲木)의 절지(絶地)가 된다. 생기(生氣)를 수렴하는 가을의 금(金)기운에 막혀 생장이 둔화되는 환경으로서, 절(絶)은 갑목 기운의 흔적조차 사라진 때이니 현실환경에 적응하지 못하고 정신세계를 추구하는 성정을 보인다. 절(絶)은 또한 포(胞)의 뜻으로 절처봉생(絶處逢生)의 의미가 있다. 이는 모든 것이 끊어진 절처(絶處)에서 오히려 생(生)의 뜻을 품는 것을 의미하니, 현실세계에 만족하지 못하고 이상세계를 추구하는 경향이 있다.

▷괘상의 이해

雷☳(進)　　(甲木)
澤☱(安)　　(申金)
　歸妹

歸妹 征凶 无攸利
귀매 정흉 무유리

귀매, 나아가면 흉하니 이로운 바가 없도다.

귀매는 안정된 못☱을 뛰쳐나간 잉어☳처럼 양기가 떨어지면서 힘이 달려 지쳐가는 모습을 보여준다. 집☱을 나가면 개고생☳이니 잘못된 길은 고될 뿐이다. 어미 품☱을 떠난 새☳가 힘들게 날고 있는 모습이다.

안정된 못☱(安)의 물(양기)이 줄어드니 물고기☳가 몸부림(動)친다. 물이 점점 빠지는 못☱에서 밖으로 뛰쳐나온 잉어☳가 숨을 헐떡이며 몸부림치는 모습이다. 움직이면 움직일 수록 양기가 소진되니 안정이 필요하다. 밖으로 탈출했으나 오히려 되돌아와야 살 수가 있다. 나아가는 것이 잘못된 선택이니 다시 못으로 돌아가야 살 수가 있는 것이다. 집➌ 나가면 개고생➌이니 집을 떠나서는 고단할 뿐이다. 새도 둥지➌가 있고, 나그네도 고향➌이 있는 법, 지친 몸➌을 이끌고 돌아와 쉬어야 한다. 집을 떠나 개고생하던 큰 아들➌이 부모의 품➌을 찾아 다시 돌아오는 모습이다.

(6) 갑술(甲戌)

갑(甲)은 양기가 두터운 땅을 뚫고 위로 솟구쳐 분출하는 생명력을 의미하고, 술(戌)은 양기의 수렴을 완성하여 겨울의 수기(水氣)로 넘겨주는 시기이다. 그러므로 갑술(甲戌)은 양기의 분출하는 기운이 수렴을 완성하는 기운에 사로잡혀 있는 상이 된다.

술(戌)의 지장간이 신정무(辛丁戊)이니, 술은 정화(丁火)를 포장하고 있는 고지(庫地)가 된다. 丁火가 고지에서 기운을 다하기 전에 수렴된 양기(辛金➌)를 융해시켜 다음 생을 위하여 겨울의 수기(水氣➌)에 저장시키는 역할을 한다.

戊은 甲의 양지(養地)가 된다. 이는 늦가을 거친 땅 위로 솟아나오기 전 웅크린 새싹이 가을 낙엽에 쌓여 보호받고 있는 상으로서 때를 만나지 못해 아직 초목으로서의 뜻을 드러내지 못하고 있음을 의미한다. 그러나 늦가을의 거친 환경 속에서도 다음 생을 위하여 양기(생기)를 융해시켜 음기(水➌) 속에 저장하고 있는 술(戌)은 꿈과 희망의 뜻이 된다.

▷괘상의 이해

雷☳(動進)　　(甲木)
天☰(生氣)　　(戌土)
　大壯

大壯 利貞
대장 이정

대장은 바르게 함이 이롭다.

戌은 가을에서 겨울로 넘어가는 계절적 환경으로 가을의 숙살지기가 수렴한 양기의 정수만을 바르게 추출하여 바르게 모아놓은 자리이다. 丁火로 풀무질하여 불순물을 제거하여 순수농도 100%의 生氣(酉☰)만을 바르게 압축해 놓았다.

戌土는 가을의 金氣가 수렴한 陽氣(生氣)의 정수(乾金☰)를 품고 있는 암토(岩土) 이다. 丁火가 수렴한 양기(辛☰)를 뜨거운 불로 녹여 생기(生氣)를 만드니 술토는 生氣의 정수인 酉金☰(생명)을 바르게 품어 겨울의 水氣☵(藏)로 넘겨준다. 乾(☰酉)은 다음 생의 순환을 위한 생명의 씨앗이다. 그러므로 씨앗은 다음 생을 위하여 순수하고 바른 양기로 저장되어야 한다.

대장(大壯)괘는 부드러운 六五(中正)의 리더십으로 강한 九二(中正)를 끌어안으니 천하가 크게 이롭다. 六五군자는 九二대신을 이끄는 어진 지도자이다. 六五는 九二의 강건함을 이끌고 크게 나서는 상이니 상응(相應)하며 서로 통한다. 六五가 양의 자리에서 음인 것은 자기를 내세우는 독단적 리더십이 아닌 九二와 서로 상응하며 소통하는 中道의 리더십임을 말한다. 九二 양의 강함을 六五 음의 부드러움으로 끌어안는 화합형 리더십으로서 조화와 화합을 중시하는 부드러우면서도 강력한 리더십이다.

공자는 「단사」에서 대장괘를 다음처럼 풀이하고 있다.

大壯利貞 大者正也 正大而天地之情可見矣
대장이정 대자정야 정대이천지지정가견의

大壯利貞은 큰 것이 바름을 말함이로다. 바르게 커야만 천지의 실정을 가히 볼 수 있으리라.

대인이 세상으로 나아가 만물을 바르고 이롭게 하니 大壯利貞이다. 대(大)라는 것은 천하를 이끄는 대인의 우레와 같은 큰 기상(大壯)을 말하니, 大壯利貞은 우레와 같은 위엄과 결단으로 세상과 사회정의를 바르게 세우는 것을 의미한다(大壯利貞 大者正也). 이렇게 바름(正)을 크게 함으로써 천지가 운행하는 삼라만상의 참뜻을 들여다볼 수가 있다(正大而天地之情可見矣).

큰 것이 바르다(大者正也)함은 그 바탕이 바르지 않으면 큰 것이 성립될 수가 없음을 뜻한다. 큰 것은 그 기본이 바르기 때문에 바로 설 수가 있는 것이며, 바르지 않다면 사상누각에 불과하여 크게 일어날 수가 없다. 하괘 乾☰(생명)은 크고 바르다. 바르지 않다면 생명은 다음 세대로 전해질 수가 없다. 그래서 乾☰(생명)을 이끌고 나아가는 震☳은 대장(大壯)이다. 대(大)가 바르면 장(壯)이요, 大가 바르지 않으면 상(傷)이다(大傷). 큰 것이 바르지 않다면 오히려 강포하여 상(傷)하게 한다. 천지는 크고 또한 바르니, 그래서 우주만물은 존재하는 것이다.

20.5.8. 목(乙木)

巽風☴木

을목(乙木)은 땅 속을 뚫고 나온 싹이 성장하여 왕성한 기운으로 완성 단계에 달한 상태를 의미한다. 2개의 양은 땅을 상징하는 음에 뿌리를 내리고 거목으로 성장한 나무를 상징하며, 목기(木氣)의 완성을 의미한다. 을목은 성장하는 청년기의 큰 나무로서 바람이 불면 무조건 맞서는 것이 아니라 스스로를 굽힐 줄 아는 굴신(屈身)과 곡직(曲直)의 성질이 있다. 외적으로는 바람처럼 장애물을 피하고 굽히는 부드러운 면모를 보이지만 목기(木氣)의 강한 성질로 인하여 내적으로는 외부인 압력에도 굴하지 않는 강왕(康旺)하고 강성(剛性)한 성질을 품고 있다. 그러므로 강하지만 꺾이지 않는 부드러운 유연성이 있다.

(1) 을해(乙亥)

을(乙)은 목(木)의 기운이 성장을 완성하는 단계로 장성한 나무를 상징한다. 震木☳이 성장을 진행하여 巽木☴으로 성장한 것이다. 해(亥)는 수렴한 양기를 저장하기 시작하는 겨울의 초입으로 입동(立冬)이 된다. 그러므로 乙亥는 木氣(양기)가 장성하여 완성된 乙木이 木氣(양기)를 응축하여 저장하는 음기로 가득 찬 추운 겨울 입구에서 만난 상이다.

해(亥)는 乙木의 사지(死地)가 된다. 양기인 甲木에게는 생지(生地)가 되지만 음기인 乙木에는 사지(死地)가 된다. 그러므로 장성한 木氣인 乙木은 양기를 응축시키는 차가운 물을 만남으로써 자신의 역량을 제대로 발휘하지 못하고 제자리에 머물러 웅크리고 있는 모습이다.

乙木은 양기가 완성단계에 있는 장성한 나무를 상징한다. 장성한 양기인 을목이 거친 겨울 환경을 만나 자신의 뜻을 펴지 못한 채 때를 기다리고 있지만, 을목의 기세가 강왕하므로 차가운 겨울을 참고 통과하는 강한 인내심이 있다. 포기하지 않는 꿋꿋함, 한겨울의 차가운 조건을 인내하여 꽃을 피우는 강건한 인동초(忍冬草)의 기질이 있다.

▷괘상의 이해

風☴(流)　(乙木)

水☵(險)　(亥水)

渙

渙 亨 王假有廟 利涉大川 利貞

환 형 왕가유묘 이섭대천 이정

환은 형통하다. 왕이 종묘를 두어 아름답게 하도다. 대천을 건너는 것이 이로우며, 바르게 함이 이로우리라.

인동초(忍冬草)가 한겨울의 차가운 환경을 인내하여 꽃을 피우듯, 추운 겨울☵(冬)을 이겨내고 봄바람☴(春風)이 부니 만물이 소생☶(내호괘)한다. 따스한 봄바람☴(春)이 차갑게 얼어붙은 험난(險難)☵(冬)한 기운을 봄눈 녹이듯 흩어버린다.

☵(險)에서 ☴(流)이 되는 것은 험난에서 벗어남을 의미한다. 험난한 대천☵을 건너는 상이니 형통하다(渙亨). 바람☴이 물☵위를 행하여 평지풍파를 일으키니, 군자는 이러한 상을 보고 중심(廟)을 세워 인심(여

론)을 수합(收合)한다(王假有廟). 사당(廟)을 둔다는 것은 백성의 마음을 하나로 모으는 중심으로서 정신적인 구심점을 세우는 것을 은유한다.

　구오(九五)가 중정(中正)하니 이는 왕(王)의 자리로서 민심을 모으는 중심(中心)이다. 배≡≡(木)를 타고 大川≡≡(水)을 건너는 상이니, 험난(險難)을 건널 때에는 바름(正)을 잃어서는 안되고 반드시 정(貞)해야 이롭다(利涉大川 利貞). 그러므로 험한 때를 만나면 자기 중심을 바로 세워 바름(正)을 잃지 않는 것이 乙亥가 주는 지혜이다.

(2) 을축(乙丑)

　을(乙)은 木氣가 성장하여 완성된 기운으로 장성한 나무를 상징한다. 축(丑)은 응축되어 저장되고 있던 생기(양기)가 잠을 깨 기지개를 펴고 있는 상으로서 봄의 시작을 준비하는 겨울의 막바지이다. 그러므로 丑土는 하늘이 땅을 터치하여 생명을 깨우는 모습으로 간괘(艮≡≡)가 된다. 을축(乙丑)은 양기의 성장을 이룬 乙木이 생기(양기)를 밖으로 내보내기 위하여 준비하는 시기인 축(丑)의 환경을 만난 것이다.

　축(丑)은 아직은 얼어 있는 굳은 땅이지만 조금씩 물기를 머금으며 씨앗이 뚫고 나갈 수 있도록 물러지고 있는 때이다. 축(丑)은 乙木의 쇠지(衰地)이니, 엄동설한 척박한 환경을 이겨낸 인동초(忍冬草)로서 희망의 꽃을 피울 준비를 하는 때이다. 거친 환경을 버텨내느라 기운이 쇠하지만 乙木의 노련한 기질은 여전하다. 乙木은 장성한 나무의 원숙함으로 묵묵히 희망과 인내심을 가지고 목표를 향해 나아간다.

▷괘상의 이해
風☴(流)   (乙木)
山☶(止)   (丑土)
  漸

漸 女歸吉 利貞
점 여귀길 이정

점진적으로 나아감이로다. 여인이 시집가는 것이니 길하도다. 바르게 함이 이로우리라.

　山☶(止)은 땅에 붙은 고정된 덩어리이고, 風☴(流)은 고정된 것이 풀어지며 자유롭게 흐르는 것을 의미한다. ☶은 추운 겨울 굳은 땅에 습기가 돌며 풀어지기 시작하는 겨울의 막바지가 되고, ☴는 나무가 크게 성장하는 봄의 한가운데가 된다. 굳어 있던 것☶(止)이 양기를 점차 불려가며 풀어지니☴(流), 점차 막힌 도로가 뚫리고, 막힌 혈관이 뚫려 기(氣)가 돌며, 고정관념이 풀어지는 뜻이 된다. 산☶에 막혀 있던 바람☴이 산을 넘어 나아가는 모습이니, 정착☶(停止)에서 자유롭게 풀려 나아가는 모습☴(流通)으로 희망찬 출발의 의미가 있다.
　앉아있던 새(乙)가 날아가는 모습이며, 산☶(丑土)에서 나무☴(乙木)가 자라는 상이니 점진(漸進)의 의미가 있다. 괘명이 점(漸)인 것은 六二中正과 九五中正이 서로 정응하여 점진적으로 바르게 나아가며 공(功)을 이루기 때문이다(進得位 往有功也/단사).
　풍산점(風山漸 ䷴)은 양의 기운과 음의 기운이 서로 가볍게 터치하며 기운의 교환을 시작하는 단계로서, 양이 점차 자라며 점진적으로 나아가는 모습이다. 즉, 천지비(天地否☷☰)괘의 양(九四)과 음(六三)이 서로 가볍게 터치하며 음양의 교환을 시작하는 단계로서 점진(漸進)의 의미가 있으니, 천지가 서서히 이루어져 감을 말한다.

굳었던 마음이 풀리고, 막힌 길이 뚫리고, 산을 넘어 나아가니 여인이 절차를 밟아가며 시집가는 길한 모습으로 설명된다(漸之進也 女歸吉也). 산☶(HOUSE)은 가족 구성원을 보호하는 울타리가 되고, 첫딸☴(長女)이 가족의 품인 집☶을 떠나 시집가는 상이니, 천하에 이보다 더 길한 것이 어디 있으랴.

(3) 을묘(乙卯)

을(乙)은 木氣가 성장하여 완성된 기운으로 장성한 나무를 상징한다. 강왕하지만 바람이 불면 굽힐 줄도 아는 곡직(曲直)의 성질이 있으니 전형적인 외유내강(外柔內剛)의 상으로 쉽게 꺾이지 않는 기질을 품고 있다. 묘(卯)는 만물을 생장시키는 기운이 만연한 봄의 한가운데이다. 그러므로 을묘(乙卯)는 기세가 강왕하고 장성한 乙木이 양기의 성장을 고무시키는 춘풍(春風)☴을 만난 격이다. 을묘(乙卯)는 문왕팔괘도에서 동남(東南)방의 손풍(巽風)☴(木)에 해당된다.

묘(卯)는 乙木의 건록(建祿)이니 관리가 적임지에 부임한 격이다. 12운성으로는 양기가 최고로 왕성한 청년기에 해당하는 중천건(重天乾☰)으로 에너지가 +63으로 최고이니, 그 강건하고 강왕한 기세가 인생의 최고 절정기에 해당된다. 어떤 난관도 무서워하지 않고 부딪혀 넘어간다. 장애물을 만나면 몸을 숙여 지나가는 지혜로움이 있으며, 불가하면 격파하고 나아가는 기질이 있다. 외면은 부드러운 모습이지만 내면은 도도하고 고결하며 주관적 성향이 강하여 독선적이다. 자신감이 충만하여 타인을 리

드하며 이끈다.

▷괘상의 이해
風☴(流)　　(乙木)
風☴(流)　　(卯木)
　巽

巽 小亨 利有攸往 利見大人
손 소형 이유유왕 이견대인

손(巽)은 조금 형통하다. 나아가는 바가 이로우며 대인을 봄이 이로우리라.

3개의 양효로 이루어진 乾☰은 온 우주에 가득한 강양(剛陽)으로 크게 형통하지만, 2개의 양효가 한 개의 초음에 잡혀 있는 巽☴(巽順)은 그 형통함이 작다. 乾☰은 양이 온 우주를 가득 채우지만 巽☴은 음(陰)에 잡혀 있어 대지를 벗어나지 못하는 양(陽)이다. 바람은 대지 위를 대순(大巡)하며 생명을 불어넣으니 나아가는 것이 이로우며(利有攸往), 구오(九五)는 인군(仁君)의 자리로 중정(中正)하니 대인(大人)을 봄이 이롭다(利見大人).

외괘도 손풍(巽風)☴, 내괘도 손풍(巽風)☴으로 이루어지니 중풍손(重風巽☴)이다. 바람☴에 바람☴을 더하니 지상의 만물을 흔들어 가지런히 한다. 바람은 천하의 모든 사물을 어루만지며 어디든 오가는 자유로움이 있으니 절제를 수반하면 길(吉)하지만 지나치면 방종이 된다. 자유로운 만큼 공손함이 있으나 가벼움은 흉(凶)이다. 부드럽고 유순함은 공손(恭遜)함이지만, 이것이 지나치면 유약하고 나약함이 되어 우유부단, 비굴함이 된다. 공손함이 과하면 오히려 우유부단함이 되어 쉽게 흔들리니 과단성이 없어 대사(大事)를 이룰 수가 없다.

(4) 을사(乙巳)

을(乙)은 木氣가 성장하여 완성된 기운으로 장성한 나무를 상징한다. 사(巳)는 화기(火氣)가 확산하면서도 질서를 잡아가기 위하여 절제의 기운이 생겨나는 때이다. 그러므로 을사(乙巳)는 양기의 성장을 완성한 乙木이 초여름을 만나 열매를 매달기 위하여 양기의 확장을 절제하는 상이다.

사(巳)는 지장간에 양기를 수렴하는 경금(庚金)을 포태한 생지(生地)이다. 경금의 기운이 포태됨으로써 양기(乙木)의 확장을 저지하여 열매를 생하게 하고, 그 열매에 양기를 모으기 시작한다. 문왕8괘도에서 이화(離火)☲는 이음(二陰)이 확산하는 양기의 중심을 잡아 상하로 분별함으로써 질서를 잡아가는 상이다. 양기가 확장하는 모습인 巽木☴(乙木)에서 초음이 가운데로 파고들어가 두개 양의 중심을 잡은 모습이 離火☲의 상으로 질서, 열매, 완성을 상징한다.

사(巳)는 乙木의 목욕(沐浴)지가 된다. 을사(乙巳)는 장성한 나무(乙木)가 열매를 생성하기 시작하는 초여름을 만난 것이니, 양이 확장하는 기세를 멈추고 다음 생을 위하여 열매를 매달기 시작하는 때로서 나무가 새로운 변신을 시도하는 것이다. 을사(乙巳)는 새로운 변신에 능하다. 자신을 꾸밀 줄 알며, 변화에 능숙하게 적응한다. 결과를 만들어내고자 하는 욕망, 성취욕이 강하다. 그러나 을목이 기운을 조절하지 못하면 열매에 양기를 채우기도 전에 설익은 채 떨어지듯이, 욕망의 발산이 색욕으로 흐르게 되면 양기를 탕진하게 된다. 경금(庚金)의 절제가 필요한 때이다.

▷괘상의 이해

風☴(流)　(乙木)

火☲(明)　(巳火)

家人

家人 利女貞

가인 이여정

가인이로다. 여자가 바르면 이로우리라.

　불덩이☲가 바르면 불길☴이 수그러들지 않고 활활 타오른다. 불덩이와 불길은 하나의 몸이기 때문이다. 불덩이☲에서 불길☴이 활활 타오르는 모습은 火☲의 에너지가 밖으로 방출☴되고 있음을 뜻한다. 불덩이에 불길이 붙어있는 모습은 불길이 불덩이에 근거하고 있는 하나의 체(體)임을 뜻한다. 가인(家人)괘는 상하괘가 불덩이와 불길의 관계로 서로 한 지체가 되는 가정에 비유된다. 가정은 허공에 붕 떠있는 것이 아니라 근본에 정착되어 있어야 한다.

　이화(離火)☲는 음(陰)이 확산하는 양기의 중심을 잡아 상하로 분별함으로써 질서를 잡아가는 상이다. 양기가 확장하는 모습인 巽木☴(乙木)에서 초음이 가운데로 파고들어가 두 개 양의 중심을 잡은 모습이 火☲의 상이니 질서, 열매, 완성을 상징한다. 가인(家人)은 음이 중심을 잡고 양기를 기르는 때이니, 음이 바르지 않으면 열매를 거두지 못하는 법이다.

　가정☲에서는 여자가 현명함(明)과 바름(正)으로 中正을 지키고, 밖☴에서는 남자가 중심을 지키며 中正함으로 활동한다. 가정☴이 밝음으로 文明하니 불길☴이 외부로 타오르듯 그 힘은 밖으로 나가 문명한 사회를 만들고 나라를 만든다. 불길☴은 불덩이☲를 떠나서 존재할 수 없듯이 남녀도 음양의 이치를 벗어날 수 없으니 천하의 근본은 가정에 있는 것이다.

☵은 두 개의 양 가운데에서 이음(二陰)이 중심을 잡고 있는 모습이고, ☳은 양이 밖으로 나가 활동하면서도 초음(初陰)에 붙어있는 모습이다. 六二는 유순중정(柔順中正)한 아내의 상이 되고, 九五는 강건중정(剛健中正)한 남편의 상이 된다. 그러므로 ☵은 안(內)에서 밝음(明)과 바름(正)으로 가정의 중(中)을 지키는 바른 가도(家道)의 뜻이 된다. ☳은 아내☵(六二)에 뿌리를 두고 밖에서 중정(中正)함으로 활동하는 남편(外)의 상이 되니, 바로 가인(家人)의 괘가 추구하는 뜻이다. 그러므로 만물의 근원으로 비유되는 女☵(明)가 밝음으로 바르게 서야 천하가 이롭다(家人 利女貞).

(5) 을미(乙未)

을(乙)은 목기(木氣)가 성장하여 완성된 기운으로 장성한 나무를 상징한다. 미(未)는 양기가 충전된 열매를 떨구는 여름의 막바지로서 양이 주도하는 건도(乾道)를 마무리 짓는 때이다. 땅에 떨어진 열매를 받아드려 삭힘으로써 알갱이와 쭉정이를 분리하는 작업을 한다.

미(未)는 지장간에 목기(木氣)를 최종적으로 입고(入庫)시켜 건도양기(乾道陽氣)를 마무리 짓는 시기이다. 문왕8괘도에서 미(未)는 곤토(坤土☷)의 자리로서, 금화상쟁(金火相爭)의 기운을 상생으로 전환하여 가을의 금기(金氣)로 넘어갈 수 있도록 중재하는 중화적 성정이 있다(火生土-土生金). 未는 기세가 강왕한 乙木이 양기를 마무리 짓는 늦여름을 만난 자리가 된다.

미(未)는 乙木의 양지(養地)이다. 乙木은 아직 설익은 열매를 매달고 있는 기운이 왕성한 나무로서 본격적으로 열매를 숙성시키는 늦여름의 뜨거운 기운을 만난 것이다. 잘 익은 과실을 얻기 위해서는 습한 조건보다는 건조한 환경이 필요하다. 즉 열매를 익히기 위해서는 습토보다는 건토(未土)가 필요하고, 화기(火氣)를 기뻐한다. 또한 숙성된 열매가 건조한 땅에 떨어져야 쭉정이를 삭힘으로써 씨앗을 분리할 수가 있다. 열매를 매단 乙木이 자신의 뜻을 펼치기에는 뜨거운 늦여름이 적절한 타이밍이 되고, 건조한 환경이 여건에 적합하다. 또한 지장간에는 乙木이 암장되어 있어 자신의 뜻을 이루고자 하는 의지가 대단히 크다. 乙未는 건조한 땅에 뿌리를 내리고 있는 나무의 상으로서, 열매를 익혀 씨앗을 얻기 위하여 척박한 환경 속에서도 굳은 의지력으로 자신의 때가 오기를 인내하며 기다리고 있는 모습이다.

▷괘상의 이해

風☴(流)　　(乙木)
地☷(燥)　　(未土)
　觀

觀 盥而不薦 有孚顒若
관 관이불천 유부옹약

관은 손을 씻고 제를 올리기 전의 믿음으로 공경함이로다.

관이불천(盥而不薦)이란 공경의 마음이 가장 지극한 순간으로서 제사를 지내기 위해 처음 손을 씻을 때를 말한다. 불천(不薦)은 아직 제사 음식을 올리기 전으로서 관이불천이란 '처음처럼' 초심을 잃지 않는 깨끗하고 경건한 마음을 뜻한다. 관(盥)은 제사를 하는 초기에 손을 씻고 경건한 마음으로 술을 땅에 부어 신의 강림을 청하는 때를 말함이고, 천(薦)

이란 제수를 올리는 것을 의미한다. 그러므로 관이불천이란 제를 올리기 전의 경건한 초심(初心)을 뜻하는 것이다.

풍지관(風地觀䷓)은 신명(風)이 땅 위를 스치며 양이 주도하는 선천의 열매를 거두어 가을 후천을 위해 알갱이만을 모으는 때이니, 선천의 결과물인 열매를 숙성시켜 알갱이와 쭉정이를 분리하는 경건한 작업을 의미한다. 가을 후천의 개벽을 준비하는 시기로서 농부가 들판에 널린 곡식을 기도하는 마음으로 추수하듯이 껍질과 쭉정이 등 불필요한 것을 구분하여 거친 환경을 견뎌낸 순수 알갱이만을 추수하는 것이니 경건한 종교적 마음과 행위가 요구된다.

(6) 을유(乙酉)

을(乙)은 목기(木氣)가 성장하여 완성된 기운으로 장성한 나무를 상징한다. 유(酉)는 경금(庚金)☰이 수렴한 양기의 정수만을 모아 놓은 상태로서 결실을 마무리한 때이다. 괘상으로는 순수한 양기가 모인 乾☰(生氣)이 된다. 그러므로 을유(乙酉)는 양기의 확장이 극에 달한 乙木이 양기를 수렴 응축하는 가을기운을 만나 성장이 멈춘 상이다.

유(酉)는 乙木의 절지(絶地)이다. 유(酉)는 자장간이 경신(庚辛)으로 목기(木氣)를 극하는 金기운이 가득하여 乙木의 성장을 가로막고 있는 상황이다. 강왕한 乙木이 나뭇잎을 떨구는 가을의 金氣에 가로막혀 전혀 힘을 쓰지 못하고 있는 것이다. 하고자 하는 일이 막혀 답답한 상황이다.

▷괘상의 이해

風☴(流)　　(乙木)

天☰(生氣)　　(酉金)

　小畜

小畜亨 密雲不雨 自我西郊

소축형 밀운불우 자아서교

소축은 적게 쌓으며 베푸는 상이니 형통하다. 내가 서변(西邊)을 바라보니 구름은 가득해도 비를 만들지는 못하니 멀리 떨어진 탓이로다.

구름이 많음에도 불구하고 비구름이 만들어지지 못함은 구름이 새어 나가 바람에 흩어지기 때문이다. 六四 혼자서 양이 빠져나가는 것을 저지하고 있으나 힘이 부족하다. 결국 2개의 양이 새어 나가 바람☴이 되어 흩어지니 소축(小畜)의 뜻이다.

　분위기는 무르익었는데 막상 행함은 없고, 비구름은 만들어져 바람은 불어오는데 막상 비는 내리지 않는다. 주왕의 폭정 아래, 백성은 문왕의 혁명을 목빠지게 기다리고 있는데 막상 문왕은 유리옥에 갇혀 백성들이 있는 서변(西邊) 기주를 바라만 보고 있으니 답답할 뿐이다. 변혁의 기운은 움트고 있는데 실제로는 아무 일도 일어나지 않는 답답한 현실을 가리킨다.

20.5.9. 병화(丙火)

離火☲火

병화(丙火)는 장성한 목기(木氣)가 양기의 성장을 무한한 확장을 멈추고 질서를 잡기 시작하는 때이다. 서서히 다음 생을 위한 열매(씨앗)을 매달기 위하여 양기를 열매에 모으기 시작하는 때가 된다. 손풍(巽風)☴(乙木)의 초음이 두 개 양의 가운데에 들어가 좌우로 질서를 잡는 모습이 이화(離火)☲로서, 분별, 질서(COSMOS), 완성, 열매 등을 상징한다. 만물이 질서를 세우는 것은 서로에 대한 예를 갖추는 것이므로 오상(五常) 중에 예(禮)에 해당된다.

음기(陰氣)가 중앙에서 중심을 잡은 이화(離火)☲의 상(象)은 양이 극성한 여름에 이미 가을의 수렴기운인 음기가 서서히 들어와 자리하기 시작함을 의미한다. 여름의 초입(立夏)인 사(巳)월의 지장간에 이미 경금(庚金)이 내포되어 화기(火氣)를 제어하기 시작함으로써 양기를 모아 다음 생의 씨앗이 되는 열매를 매달기 시작하는 것이다.

(1) 병자(丙子)

병(丙)은 확산하는 양기의 질서를 세우며 열매를 생하기 시작하는 기운으로 양기가 비로소 아름다움으로 빛나기 시작한다. 양기가 발산 확장하는 乙木은 아직 열매를 생하기 전으로서 양기의 기세가 왕성함을 의미하지만, 丙火는 양기의 질서를 잡아 씨앗(양기)을 저장하는 열매를 만들기 시작하는 기운이다. 생명은 씨앗을 품을 때가 가장 아름다운 것이며, 열매를 생하지 못한다면 우주생명의 순환에 참여하지 못하니 존재로서의 의미가 없다.

자(子)는 음기로 양기를 강하게 응축하여 저장하고 있는 때이니, 병자
(丙子)는 만물의 생명을 생하여 아름다움의 극치를 이루고자 하는 丙火
의 기운이 음기로 가득한 때를 만나 저지당하고 있는 상이다. 태양(丙)이
물속(子)에 잠겨 빛을 내지 못하고 있는 상황이다.

子는 丙火의 태지(胎地)이다. 그러므로 丙火는 뱃속의 태아처럼 스스로
기운을 발할 수가 없다. 丙火는 기운이 미약하고 아직 때가 이르지 않았
으니 시간을 두고 힘을 길러야 한다.

▷괘상의 이해

火☲(明)　　(丙火)
水☵(險)　　(子水)
　未濟

未濟 亨 小狐汔濟 濡其尾 无攸利
미제 형 소호홀제 유기미 무유리

미제는 형통하도다. 어린 여우가 거의 건널 즈음에 꼬리를 적시니 이로울 바
가 없도다.

小狐汔濟 濡其尾는 어린 여우가 물☵(險)을 건너려고 겁 없이 뛰어 들
었다가 거의 건널 즈음에 꼬리를 적시게 됨을 의미한다. 물을 완전하게
건너지 못한 것이니 세상에는 완성이란 있을 수가 없다는 것을 상징한다.
모든 사물은 완성된 상태에 계속해서 머물러 있을 수는 없으며 완성(既
濟)되었다고 하는 순간 또 다시 만물은 다시 작용을 시작(未濟)하니 아무

리 진화하고 발전해 나가도 끝은 여전히 미완성인 미제(未濟)로 남는다. 未濟는 어린 여우가 처음 내를 건너듯이, 사회에 진출하는 초년생처럼 할 일이 무궁무진함을 말하니 이보다 형통(亨通)한 것도 없다(未濟 亨). 형통함이란 완성이 아니라 미완성에서 완성으로 나아가는 것을 의미한다.

자(子)는 음기로 양기를 강하게 응축하여 저장하고 있는 때이니, 병자(丙子)는 丙火의 기운이 음기로 가득한 때를 만나 저지당하고 있는 뜻이 있다. 태양(丙)이 물속(子)에 잠겨 빛을 내지 못하고 있는 상황이니, 그러므로 丙火는 어린 여우처럼 기운이 미약하고 아직 때가 이르지 않았음이니 시간을 두고 더 힘을 길러야 할 것이다.

(2) 병인(丙寅)

병(丙)은 확산하는 양기의 질서를 세우며 열매를 생하기 시작하는 기운으로 비로소 아름다움으로 빛나기 시작하는 단계이다. 인(寅)은 양기가 용출하여 상승하는 기운으로 만물이 화생하는 따스한 봄이 시작하는 때이다. 그러므로 병인(丙寅)은 열매를 맺기 시작하며 아름다움으로 빛나기 시작하는 丙火가 만물을 화생시키는 분기탱천한 따스한 봄(寅木)의 기운을 타고 상승, 의욕과 정열이 넘쳐흐르는 상이 된다.

인(寅)은 丙火의 장생지(長生地)이다. 丙寅은 나무에 양기를 담기 위한 열매가 열리기 시작하는 상으로 새로운 것을 이루고자 하는 기세가 강하다. 또한 寅은 丙火를 암장하고 있어 세상을 밝히고자 하는 丙火의 뜻과 새로움을 만들어내고자 하는 의욕이 넘쳐흐르는 환경을 조성한다.

▷괘상의 이해

火☲(明)　　　(丙火)
雷☳(動·進)　(寅木)
噬嗑

噬嗑 亨 利用獄
서합 형 이용옥

서합은 형통하도다. 옥(獄)을 씀이 이롭다.

　병인(丙寅)은 생장하는 나무에 열매가 맺는 뜻을 품고 있다. 나무에 열
매를 맺기 위해서는 새싹이 두터운 땅을 뚫고 나와 나무로 성장하는 과
정이 필요하며, 수많은 장애를 극복해야 한다. 병(丙)은 열매가 되고, 인
(寅)은 새싹이 땅을 뚫고 나오는 봄의 시작을 가리킨다.
　하괘 초구☳(進)가 음2개를 짊어지고 움직이며 수고로이 나아가고 있
다. 음2개는 전진을 막고 있는 장애물로서, 3효가 효변하면서 ☲가 되어
상향하게 된다. 장애물을 돌파하여 나아가는 모습으로 화뢰서합(火雷噬
嗑☲☳)이 만들어진다.
　서합은 장애물을 제거함으로써 열매로 상징되는 문명을 이루기 위한
도를 의미한다. 서합(噬嗑)이란 입안의 음식을 씹어서 융합하는 뜻이니,
사회로 보면 사람과 사람 사이를 나누고, 분열시키는 걸림돌을 제거하여
하나로 통합하는 도(道)를 말한다. 아무리 험한 물건이라도 부수어 녹이
면 결국 하나로 화합되니 서합지도(噬嗑之道)는 형통하다. 사회의 암적인
걸림돌은 옥(獄)을 활용하여 엄하게 교도(敎道)☳(動)함으로써, 밝음☲(明)
으로 교화(敎化)하니 서합(噬嗑)의 道로써 옥(獄)을 쓰는 것은 세상의 이

로움을 위함이다. 호괘가 수산건(水山蹇☵☶)으로 물에 빠져 꼼짝 못하는 상이니 옥(獄)의 뜻이다. 걸림돌을 씹어 부수어 하나로 융합시키듯이, 옥(獄)을 이용하여 교화시킴으로써 걸림(죄인)을 제거하니 서합이 품은 뜻이다.

(3) 병진(丙辰)

병(丙)은 확산하는 양기의 질서를 세우며 열매☵를 생하기 시작하는 기운으로 비로소 아름다움이 빛나기 시작하고, 진(辰)은 癸水를 머금고 있는 옥토로서 乙木이 뿌리를 내려 열매를 맺을 수 있도록 최적의 환경을 제공하는 때이다. 목기(木氣)의 상승이 마무리되고 양기가 질서를 잡아 열매를 맺기 위한 꽃을 피우기 시작하는 火氣☲로의 진입을 준비하는 때이다. 그러므로 병진(丙辰)은 양기의 질서를 세우며 꽃을 피우는 丙火가 물을 머금고 있는 풍요로운 진(辰)을 만나 크게 변화하는 상이다.

진(辰)은 丙火의 관대지(冠帶地)가 된다. 괘상은 양기가 극에 달해 결단(決斷)의 때를 나타내는 택천쾌(澤天夬☱☰)에 해당되고, 양의 에너지는 +62로 절정에 다다른다.

병진(丙辰)은 풍요로운 늦봄의 대지 위에 떠오른 밝은 태양으로 거칠 것이 없는 호방한 성정를 지녔으며, 세상의 이치에 밝고, 앞에서 사람을 이끄는 지도력이 있다. 진(辰)은 계수를 암장하고 있어 그 속을 드러내지 않으며 꾀가 많다. 천하를 밝게 비추고 있으니 거칠 것이 없고 자신만만하다.

▷괘상의 이해

火☲(明)　　(丙火)
風☴(長)　　(辰土)
　鼎

鼎 元吉 亨

정 원길 형

정(鼎)은 마땅하면 크게 길하고 형통하리라.

辰土는 늦은 봄이니, 장성한 나무에 열매를 맺기 시작하는 초여름으로 진입하는 때로서 巽風☴(乙木)의 상이다. 목기(木氣☴)의 상승이 마무리되고 양기가 질서를 잡아 꽃☲(문명)을 피우기 시작한다.

정(鼎)은 하괘 九二☴ 양이 초육 안으로 파고 들어 적절하게 결실☲을 이루는 상이다. ☴(木)이 ☲(明)으로 변하는 과정에서 현재의 순간을 포착한 것이 화풍정(火風鼎☲☴)이니 정(鼎)은 바로 현재의 모습이다. ☲(明)는 나무☴에 핀 꽃이나 열매의 모습으로 결실☲을 뜻한다. 병진(丙辰)이 나타내는 정(鼎)은 바람(☴入)이 안으로 파고들어 결실☲을 위한 꽃을 피우기 시작하는 모습이다.

솥(鼎)은 삶아서 익히는 역할을 한다. 정(鼎)이란 솥 안의 곡식에 불을 피워 열기☲를 주입하니 양기가 적절하게 파고들어 음식☲으로 완성되게 하는 뜻이 있다. 솥이란 새롭게 고쳐서 만들어내는 기능, 변화(變化)를 이끌어내는 시스템이다. 솥의 위치가 바르고 불의 강도가 적절하면 열이 골고루 전달돼 맛있는 밥이 되듯이, 시스템이 올바로 작동되면 좋은 인재가 길러지니 정(鼎)의 뜻이 크게 형통하다. 원(元)은 만물의 시작으로

善之長(仁)의 뜻이 있으니 솥의 시스템이 마땅해야 길하다는 조건부 길(吉)을 의미한다.

(4) 병오(丙午)

병(丙)은 확산하는 양기가 질서를 잡으면서 서서히 열매를 생하기 시작하는 기운으로 비로소 아름다움이 빛나기 시작하는 상태를 의미한다. 오(午)는 강렬한 양기가 절정을 이루는 한여름(夏至)으로 열매에 양기를 채우기 위하여 음이 생겨나는 시기로서 열매가 최고로 커지는 때이다. 병오를 12운성으로 보면 괘상은 음이 처음으로 생겨나는 천풍구(天風姤☴☰旺)에 해당되며, 기운은 최고 +63(祿)에서 +31(旺)로 쇠락하면서 열매를 맺기 위한 작용이 시작된다. 양기가 줄어드는 것은 그만큼 음기가 커지는 것을 말하며, 이는 음기가 양기를 포장하며 숙성시키며 응축하는 것을 의미한다. 그러므로 병오(丙午)는 丙火가 오(午)월 한여름의 뜨거운 기운을 받으면서 다음 생을 위하여 머금은 열매(양기)를 익히며 생애 최고의 아름다운 자태를 뽐내는 상이다.

무질서하게 확장하는 양기의 중심을 잡아 상하를 분별하고 질서를 세우는 것은 서로 간에 예를 갖추는 것을 의미한다. 병오(丙午)는 양기의 질서를 잡아 열매를 매단 상으로서 인간 관계나 사회적 활동에서 예의가 바르며 밝고 반듯하다. 또한 활동적이고 정열적이지만 스스로 절제함으로써 목적을 이루는 지혜로움이 있다.

오(午)는 지장간에 己土☷를 품음으로써 丙丁의 뜨거운 양기를 조절하여 숙성시키는 기운이다. 己土는 열매의 꼭지가 떨어지는 미(未)월에 이를 받아드려 알갱이와 껍질을 삭혀 분리시키는 역할을 한다.

오(午)는 병화의 왕지(旺地)이다. 가장 뜨거운 한여름(夏至)이지만, 이 때가 오히려 음이 처음 생겨나는 때로서, 이는 가장 절정일 때 다음 세대를 위하여 양기를 저장하는 만물의 지혜로움을 뜻한다. 한여름의 작열하는 뜨거운 기운을 받아 태양이 하늘 높이에서 천하를 비추고 있는 상이니 생애 최고의 절정기로서 기상이 당당하고 거칠 것이 없다.

丙午는 양인(羊刃)의 상이다. 병오양인의 12운성은 일음(一陰)이 생한 천풍구☰(旺)의 상으로 수리적 에너지는 +31이다. 이는 한 개의 음이 +63의 에너지를 가진 중천건괘☰(祿)의 목을 쳐 +31로 쇠락시킨 것이니 그 한 개 음의 괴력은 무시무시한 것이다. 양인은 칼을 든 격인데, 칼을 잘 쓰면 사람을 살리는 활인도(活人刀)가 되고, 칼을 잘못 쓰면 사람을 죽이는 살인도(殺人刀)가 된다.

▷괘상의 이해

火☲(明)　　(丙火)

火☲(明)　　(午火)

　　離

離 利貞亨 畜牝牛吉
리 이정형 휵빈우길

리(離)는 바르게 함이 이롭고 형통하도다. 암소를 기르면 길하리라.

병오(丙午)는 丙火가 오(午)월 한여름의 뜨거운 기운을 받으면서 다음 생을 위하여 머금은 열매(양기)를 숙성시키며 생애 최고의 아름다운 자태를 뽐내는 상이다. 병화가 오화의 기운을 타고 그 힘이 비화되니 기세가 강왕하다. 병오는 양인(羊刃)으로 칼을 든 격이니, 칼의 용도에 따라 활인도(活人刀)가 되기도 하고 살인도(殺人刀)가 되기도 한다. 그러므로 양인은 강왕한 힘의 사용을 절제해야 길하다. 두 개의 양의 중심에서 음은 중도로써 조절자 기능을 한다. 2효와 5효는 음효로서 중정(中正)하며 조절자의 성정을 지녔으며, 인내와 절제의 상징인 암소를 의미한다.

음을 중심으로 양(陽)효가 양쪽에 위치한 모습☲은 만물이 분별되고 질서가 바르게 잡힌 완성의 의미가 있다. 사물이 분화(分化)되고 만물이 분별(分別)되니 우주 삼라만상의 질서(COSMOS)가 바르게 잡힌 모습이다. 상하괘가 서로 화기(火氣)로 그 힘이 비화되어 강왕하니 암소로 상징되는 이효와 오효가 바르게 자리를 지켜야 질서가 바로 서게 된다. 그러므로 암소를 기르는 것이 길하다 하는 것이다.

중지곤(重地坤☷)을 상징하는 물상(物象)은 땅(土)이며, 동물은 소(牛)가 되고 음유(陰柔)이니 유순한 암소(牝牛)가 된다. 축빈우길(畜牝牛吉)의 암소는 바로 곤坤괘에서 나온 것이다.

六二와 六五 음(陰)이 中의 자리에서 두 개 양(陽)의 중심을 잡아 치우침 없이 바르게 하늘에 거니 태양(日)이 되어 만천하를 이롭게 비춘다. 밝음(剛)은 어두움(柔)을 태우며 빛난다. 암소란 바로 유(柔)을 비유한다. 암소를 기름이 길(吉)하다는 것은 암소는 유순(柔順)한 물건이니, 바로 암소의 상징인 유순한 음덕(陰德)을 기름으로써 오히려 밝음이 빛을 내는 것을 뜻한다.

(5) 병신(丙申)

병(丙)은 확산하는 양기가 질서를 잡으면서 서서히 열매를 생하기 시작하는 기운으로 비로소 아름다움이 빛나기 시작하는 상태이고, 신(申)은 미(未)월에 己土가 나무에서 꼭지가 끊어져 땅에 떨어진 열매를 받아드려 삭힘으로써 껍질과 분리시킨 알갱이를 본격적으로 수렴하기 시작하는 때이다. 신(申)은 경금(庚金)이 작용하는 가을의 초입(立秋)으로 숙살지기로써 만물을 거두어 드린다. 껍질과 쭉정이를 분리하여 순수한 알갱이(양기)를 분별하니 가을 들녘을 수확하는 농부의 낫질이다. 그러므로 병신(丙申)은 확산하는 양기를 저지하여 열매를 생하기 시작하는 丙火의 활력이 서릿발 같은 숙살지기의 낫질에 의해 저지되고 있는 상이 된다.

신(申)은 丙火의 병지(病地)에 해당된다. 그러므로 아름다움으로 빛나기 시작하는 丙火의 기상이 金기운이 가득한 음기에 의해 기세가 꺾이니 매사 활력이 줄어들고 일의 진행이 난관에 부딪힌다. 태양☲(明)이 서산☱(西)에 넘어가는 격이니 빛을 잃어가는 모습이다. 자기의 역량을 제대로 발휘하기가 어렵다.

▷괘상의 이해

火☲(明)　　(丙火)

澤☱(斂)　　(申金)

睽

睽 小事 吉

규 소사 길

규(睽)는 작은 일에 길하다.

☱(申金)이 ☲(丙火)를 저지하는 것은 澤☱ 안에 알갱이☲를 수렴하고자 함이니, 태양☲이 바다☱를 떠나 서로 어긋남은 천하를 비추어 일의 완성을 이루고자 함이다. 火☲가 金☱을 만나 수렴되는 것은 생명의 완

성을 위함이고. 태양이 바다와 어긋나 하늘로 올라감은 밝음으로 천하를 비추어 만물을 완성하여 천하를 이롭게 하고자 함이다.

만물은 원래 하나인 태극(一)에서 시작하여 음양(二)으로 어긋나 서로 작용하면서 萬化萬象(三)을 펼쳐내는 것이니, 太極과 萬物은 본래가 하나(一)의 존재이다. 하나에서 시작된 어긋남은 만물을 키우고 기르는 만유(萬有)의 법칙이다. 규(睽)는 어긋남을 통해서 일의 완성을 이루고자 함이니 작은 일에 길하다.

(6) 병술(丙戌)

병(丙)은 확산하는 양기가 질서를 잡으면서 서서히 열매(씨앗)를 생하기 시작하며 비로소 아름다움이 빛나기 시작하는 기운이다. 술(戌)은 양기의 수렴을 완전히 마무리한 때이니, 양기를 모아 열매를 만들기 시작하는 丙火가 양기의 수렴을 마무리한 늦가을을 만난 상으로 양기가 기운을 잃은 모습이다.

술토(戌土☷)는 丙火☲의 고지(庫地)로서 양기☰가 압축되고 정화된 순수한 정기인 乾☰(生氣)을 품고 있다. 술(戌)은 丁火를 암장하고 있어 수렴된 양기를 녹여 불순물을 제거하여 순수한 생기(生氣☰)를 겨울의 음기로 수장(收藏)하려는 뜻이 있다. 병술(丙戌)은 火氣☲가 정제되어 生氣☰로 저장된 상이다.

그러므로 丙火의 관점에서 보면 丙火는 화기(火氣)를 잃어버리고 묘고에 갇힌 모습이니 활력을 잃어 사회적 활동을 멈추고 집안에 틀어박혀 있는 상으로 의욕상실, 은둔, 도피, 정신세계 탐구, 종교적 성향을 보인다. 서산☲(北西)에 해☰가 완전히 기운 상으로 고요한 정신세계를 추구한다. 술(戌)은 지장간에 정화(丁火)를 암장하고 있으니, 성정이 불같고,

꽉 막힌 현실에 불만을 품고 폭발하면 제어하기 어렵다.

▷괘상의 이해

火☲(明)　　　(丙火)

天☰(生氣)　　(戌土)

　大有

大有 元亨

대유 원형

대유(大有)는 크게 이룸이니 크게 형통하다.

병술(丙戌)은 火氣☲가 순수하게 정제되어 生氣☰(생명)로 저장된 상이다. 그러므로 술토(戌土☷)는 丙火☲의 고지(庫地)로 압축되고 정화된 순수한 정기인 乾☰(生氣)을 품고 있다. 술(戌)은 丁火를 암장하고 있으므로 수렴된 양기를 녹여 불순물을 제거하여 순수한 생기(生氣☰)만을 겨울의 음기로 수장(收藏)하려는 뜻이 있는 것이니 형통하다. 병술은 다음 세대의 생을 위한 생명☰을 축적하고 있는 것이니 또한 대유(大有)의 뜻이다.

하늘☰ 위에 불☲이 있으니 크게 성취하여 천하를 이롭게 한다(火在天上 大有). 대유(大有)는 六五가 양(上九)하나를 내어줌으로써 안정적으로 양 4개를 축적한다. 적절하게 나눔의 도를 행함으로써 오히려 안정적인 축적이 이루어진다. 음 2개(六四와 六五)가 물샐틈없이 저지하는 대축(大畜)은 오히려 양 3개를 축적할 뿐이다.

20.5.10. 정화(丁火)

離火☲火

정화(丁火)는 양기(陽氣)를 분별하여 질서를 세움으로써 열매를 매달아 밖으로 화려하게 펼쳐내는 기운이다. 양기를 모은 열매를 크게 매달은 모습으로 양기(陽氣)의 완성, 질서의 완성, 건도(乾道)의 완성을 의미하며, 화려, 절정, 밝음, 아름다움의 뜻을 함유하고 있다.

丙火는 巳월부터 열매를 생하기 시작하고, 丁火는 午월에 열매를 완성하여 크게 매단 모습이다. 여름의 절정인 오화(午火)는 절기상 하지(夏至)로 지장간에 己土☵를 내포함으로써 열매(양기)를 숙성시킨다. 己土☵는 丁火가 맺은 열매☳를 숙성시킴으로써 쭉정이와 껍질을 삭혀 알갱이(양기)를 분리하는 작용을 한다.

(1) 정해(丁亥)

병(丙)은 화기(火氣)의 시작을 의미하고, 정(丁)는 丙火가 시작한 화기의 완성을 의미한다. 丁火는 丙火가 생하여 매달기 시작한 열매를 완성시키는 기운이다. 정화(丁火)는 양기(陽氣)의 질서를 세움으로써 밖으로 화려하게 펼쳐지는 기운이다. 해(亥)는 수렴된 양기를 씨앗으로 응축하여 저장하기 시작하는 겨울의 초입(立冬)에 해당된다. 확장 분열하는 양기의 질서를 잡으며 완성시키는 丁火가 양기를 응축시키는 음기로 가득한 스산한 겨울의 초입(立冬)에 들어선 것으로 옷깃을 여미고 웅크리니 힘을 얻지 못하고 기운이 미약하다. 겨울바람이 옷깃을 여미게 하는 초겨울☵

이니 모랫 바람으로 부터 모닥불☷을 잘 다독여야 한다.

해(亥)는 丁火의 태지(胎地)이다. 태중의 아이처럼 겨울 바닷가의 모닥 불은 바다로부터 불어오는 겨울바람을 버티기에는 힘이 미약하므로 태아 는 모친의 보살핌을 받아야 한다. 스산한 겨울바다의 모닥불이니 주변을 따스하는 정도로서 삶의 행동반경은 그다지 크지 않은 소시민이다.

▷괘상의 이해
火☲(明)   (丁火)
水☵(險)   (亥水)
　未濟

未濟 亨 小狐汔濟 濡其尾 无攸利
미제 형 소호홀제 유기미 무유리

미제는 형통하다. 어린 여우가 거의 건널 즈음에 꼬리를 적시니 이로울 바가 없다.

여섯 효 모두 자리가 바르지 못해 不正位이지만, 上下괘는 음과 양이 서로 상응(應)하고 있다. 자리가 바르지 않아 안정되지 못하므로 상하괘 의 음양이 서로 응하며 자기 자리를 찾기 위한 효의 부단한 이동이 활발 해진다. 이로운 바가 없다 함은 아직 완성되지 않았음을 의미한다. 그러 므로 완성☷을 향해서, 아직은 완성되지 않은 물건(어린 여우)이 인생이 라는 시공(時空)의 내☵를 건너는 부단(不斷)한 행함이 있으니 미제(未濟) 는 형통하다. 양기의 질서를 잡으며 완성시키는 丁火☲가 음기로 가득한 겨울☷의 초입(立冬)에 들어선 것으로 옷깃을 여미고 웅크리니 힘을 얻지 못하고 기운이 미약하다. 그러므로 초겨울☷(險水) 옷깃을 여미게 하는 매서운 모래바람으로부터 배속의 태아를 보호하듯 모닥불☰☰(小狐)을 다독여 잘 보호해야 한다.

미성숙한 물건으로 상징되는 어린 여우가 인생이라는 삶의 내를 건너면서 만나게 되는 난관(難關)☰☰은 성숙해지는 과정에서 당연히 부닥트리는 일이다. 험수(險水)☰☰에 빠지는 실수를 거듭하며 완성☰☰을 향해 스스로를 발전시켜 나간다. 내를 거의 다 건너기 전에 꼬리를 적시게 됨으로써 모든 것이 물거품이 되는 일이야 인생에서 다반사로 겪는 일이니, 그것이 두려워 발을 내딛지 않는다면 앞으로 나아갈 수가 없다. 인생이라는 내를 건너는 징검다리에서 벗어나지는 못했지만, 나아갈 길이 있기에 인생이란 형통한 것이다.

(2) 정축(丁丑)

정(丁)은 가장 뜨거운 한 여름의 화기(火氣)로서 丙火가 생한 열매를 완성시켜 생명의 씨앗을 품는 기운이고, 축(丑)은 응축 저장되어 있던 양기가 밖으로 나갈 준비를 하고 있는 겨울의 막바지에 해당된다. 축(丑)은 아직은 얼어붙은 땅 속이고 어둠이 덮여 있는 상태이지만 씨앗이 나갈 수 있도록 조금씩 물기를 머금으며 물러지고 있다. 정축(丁丑)은 서로 상반되는 기운이 만나는 것으로 차가운 땅(丑土) 위에 지펴진 모닥불(丁火)은 올라오는 습기로 인하여 크게 피워 오르지 못한다.

축(丑)은 丁火의 묘고(墓庫)로서 정화의 기세가 약화된 상태를 의미한다. 모닥불이 차가운 땅을 녹이고 있는 상이니 언 발에 오줌을 누는 격으로 성정은 소박하다. 그러나 지장간에 辛金을 암장하고 있어 겉으로는 온유하고 촌스러워 보여도 내면은 냉정하고 침착하며, 추상적이기보다는 보다 현실적이다.

火☲(明)　　(丁火)
山☶(險)　　(丑土)
　旅

旅 小亨 旅貞吉

여 소형 여정길

여(旅)는 형통함이 작다. 여(旅)는 바르게 해야 길하다.

六三☵이 외괘☲의 中을 얻으니, 내괘는 그쳐서 ☶(止)이 되고 외괘는
하늘에 걸린 ☲(明)이 된다(止而麗乎明). 그러므로 山☶은 땅에 그쳐 고
정된 집(HOUSE)이 되고, 火☲는 집☶을 떠난 나그네(旅)가 되며, 山☶은
감옥(獄)이 되고 火☲는 감옥에서 벗어난 나그네가 된다. 또한 산☶ 위를
붉게 물들이는 불☲이 되며, 산☶을 넘어가는 석양의 해☲가 된다.
　☶의 초효가 양으로 효변☵하니 고정된 것이 떨어져 나가는 상으로 뿌
리가 뽑혀 나가는 모습이다. 고향을 떠난 나그네, 나라를 빼앗겨 유랑하
는 백성의 모습이니, 근본인 집☶을 떠난 나그네는 스스로가 유순(柔順)
함으로써 바른 道理☲(明)를 지켜야 吉하니(旅貞吉), 그렇지 않으면 근본
마저 잃어버릴까 염려함이며, 또한 돌아갈 뿌리☶(本)를 지키기 위함이다.
　하늘 위로 나아간 火☲(明)가 천하☷(地)를 비추어 천지만물을 이롭게
하는 것을 **대명(大明)**이라 하면(火地晉䷢), 화산려(火山旅䷠)는 하늘에 걸
린 火☲(明)가 천하 중의 한 곳에 그친 일정한 장소☶(山)를 비추는 것으
로 **소명(小明)**이 되니 그 형통함은 작다.

▷大明과 小明의 비교

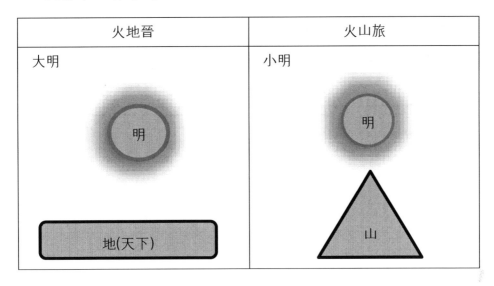

火地晉	火山旅
大明	小明

≫화지진(火地晉)

明出地上 順而麗乎**大明** 柔進而上行

명출지상 순이리호대명 유진이상행

밝음이 땅 위로 올라와 柔順함으로 大明에 자리하니 柔가 나아가 위(六五)에 오름이로다.

≫화산려(火山旅)

柔得中乎外而順乎剛 止而麗乎**明**

유득중호외이순호강 지이려호명

유(柔)가 밖에서 중(中)을 얻어 강(剛)에 순응하니 그쳐서 밝음에 걸리도다.

(3) 정묘(丁卯)

정(丁)은 양기(陽氣)를 분별하여 질서를 세움으로써 열매를 매달아 밖으로 화려하게 만개하는 기운이다. 양기를 모아 열매를 실(實)하게 매달은 모습으로 화려, 절정, 밝음, 아름다움의 뜻을 함유하고 있다. 묘(卯)는 장성한 나무의 상으로 만물이 활기차게 생장하는 완연한 봄에 해당된다. 정묘(丁卯)는 양기를 실(實)하게 완성시키는 丁火가 만물을 생장시키는 화창한 봄날을 맞이한 상이 된다. 그러므로 왕성한 기운을 다스리고 만사를 조율하는 능력이 탁월하며 능수능란하다. 원숙하고 노련하며 아름답다. 그러나 丁火는 음기가 처음 생겨나는 시점이니 양기의 쇠락이 시작되는 기운이기도 하다. 꽉 찬 보름달은 쇠락이 시작되며 어그러지는 시점이기도 하다.

묘(卯)는 丁火의 병지(病地)이니, 丁火의 기운은 묘(卯)에서 지속적인 큰 힘을 발휘하기가 어렵다. 일장춘몽처럼 한순간 타오르는 불꽃이니 丁火의 화려한 아름다움은 겉보기와 달리 기운이 쇠락하여 실속이 없고 허세에 불과할 수 있다. 정묘(丁卯)는 장성한 나무에 열린 잘 익어가는 열매의 상으로 밝고 화려하며 희망적이지만 일시적이다.

▷괘상의 이해

火☲(明)　　(丁火)
風☴(長)　　(卯木)
　鼎

鼎 元吉 亨
정 원길 형

정(鼎)은 마땅하면 크게 길하고 형통하리라.

묘(卯☳)는 장성한 나무의 상으로 巽風(乙木)에 해당되며, 만물이 활기차게 생장하는 완연한 봄에 해당된다. 목기(木氣☳)의 상승이 마무리되고 양기가 질서를 잡아 열매☲(문명)를 맺기 시작한다. 정(丁)은 병화(丙火)가 축적한 양기(陽氣)를 분별하여 질서를 세움으로써 열매(형질)를 매달아 밖으로 화려하게 만개하는 기운이다.

정(鼎)은 九二가 초음을 파고드니 대지에 붙어있던 초음☷이 떨어져 나가 상향☳하는 모습이며, 나무☴가 한여름의 뜨거운 열기를 머금어 당분이 가득한 열매☲를 맺은 상으로 결실을 내는 상이다. 결실은 모든 조건이 적절하게 맞을 때 맺어진다. 태양이 비추는 일수, 비가 내리는 양, 바람 등등 모든 상황이 적절하지 않고 한쪽에 치우친다면 결실이 맺어지지 않는다. 태양이 작렬하는 뜨거운 한여름☲에 한해의 결실을 맺기 위하여 양기☴(入)가 속으로 파고드는 것이 정(鼎)의 상이니, 괘의 내부는 엄청난 에너지가 작용한다. 호괘가 쾌(夬)이니 터지기 직전의 풍선의 모습이다.

정(鼎)은 솥을 상징한다. 솥의 위치가 바르고 불의 강도가 적절하면 열이 골고루 전달돼 맛있는 밥이 되듯이, 시스템이 올바로 작동되면 좋은 인재가 길러지니 정(鼎)의 뜻이 크게 형통하다(正位凝命).

괘사 [鼎 元吉 亨]에서 원(元)은 만물의 시작으로 善之長(仁)의 뜻이 있으니 솥의 시스템이 마땅해야 길하다는 조건부 길(吉)을 의미한다. 그러므로 조건이 성취되지 않는다면 오히려 흉이 된다.

정(鼎)은 양기를 모아 열매를 실(實)하게 매달은 모습으로 화려, 절정, 밝음, 아름다움의 뜻을 함유하고 있으니, 그러므로 양기를 적절하게 조절하지 못한다면 숙성이 되기도 전에 떨어질 것이고, 또한 솥의 위치나 불의 강도가 잘못 조절된다면 솥 안의 밥은 설익거나 타버리고 말 것이다.

(4) 정사(丁巳)

정(丁)은 양기(陽氣)를 분별하여 질서를 세움으로써 열매를 매달아 밖으로 화려하게 펼쳐내는 기운이다. 만물을 실(實)하게 하는 기운으로 열매를 숙성시키는 음기가 화(☲)의 중심에 들어와 양기를 조절한다. 사(巳)는 확장 분열하는 양기의 중심을 잡아 씨앗을 품은 열매를 생하기 시작하는 때로서, 여름이 본격적으로 시작되는 입하(立夏)이며, 양기가 최고의 절정을 이루는 시기이다. 그러므로 정사(丁巳)는 양기를 분별하여 질서를 세움으로써 열매를 크게 매달은 丁火가 양기가 최고의 절정을 이루는 사(巳)월을 만나 기세가 강왕해지는 상이다. 정열적이고 화려하며 외향적인 성정으로 매사 의욕이 넘친다. 숨기지 못하는 성격으로 화려하게 자신을 드러내기를 좋아한다.

정화(丁火)는 만물을 실하게 하는 기운으로서 내면적으로 질서를 추구하며, 예(禮)를 존중하는 성정을 지녔다. 만물을 분별하며 질서를 세운다함은 서로에게 예를 갖추는 것을 의미한다.

사(巳)는 丁火의 왕지(旺地)이니, 丁火의 기질이 가장 강하게 발하는 시기로서 만물을 실하게 하며 생애 가장 아름답게 빛난다. 사(巳)의 내면에는 경금(庚金)을 머금고 있어 결과(열매)를 만들어내기 위한 내면의 계획을 세우고 실행하기 시작하는 때로서, 매사 열정과 의욕이 넘쳐 흐르고 활동적이지만 예의를 중시하는 신사적 면모를 갖추고 있다.

▷괘상의 이해

火☲(明)　　(丁火)
火☲(明)　　(巳火)
　　離

離 利貞亨 畜牝牛吉
리 이정형 휵빈우길

리(離)는 바르게 함이 이롭고 형통하도다. 암소를 기르면 길하리라.

丙午는 양인(羊刃)으로 그 힘이 강왕하니 오히려 꽉찬 보름달처럼 음의 기운이 발생하며 쇠락의 기운이 싹트는 상이다. 이에 반하여 丁巳는 보름달에 미치지 못한 직전의 달(月)로서 丁火의 기질이 가장 강하게 발하며 만물을 실하게 하며 생애 가장 아름답게 빛나는 상이다. 丁巳는 보름달 직전으로 가장 아름답고 강왕한 기운이다.

기운이 강왕하고 가장 아름다울 때 중도(中道)를 지켜 스스로를 절제하지 못한다면 보름달이 기울 듯 쇠락해 갈 것이다. 그러므로 바름을 지키는 것이 이롭고 형통한 것이며, 六二와 六五는 곤토(坤土)의 성정을 닮은 음효로서 절제와 인내를 표상하는 중도를 의미한다. 그러므로 음(陰)으로 상징되는 암소를 길러야 길하다 비유한다. 병오(丙午)의 설명을 참조하라.

(5) 정미(丁未)

정(丁)은 양기를 실하게 익혀 나무에 열매를 매다는 기운으로 화기를 완성시킨다. 미(未)는 나무가 양기의 제공을 점차 끊어 열매를 땅에 떨어트림으로써 결실을 준비하는 여름의 막바지로서, 미(未)는 땅에 떨어진 열매를 받아드려 숙성시키는 때이다. 정미(丁未)는 정화가 모아놓은 양기(열매)를 미토가 받아드려 숙성시키는 상으로 껍질과 쭉정이를 삭혀 알갱이와 분리하는 작업을 한다. 미(未)가 지장간에 乙木을 포장하고 있는 것은 乙木이 키워낸 열매를 마무리 짓는 의미가 있다. 丁火는 지장간에 뿌리를 두고 있어 丁火의 기질을 발휘하고자 하는 뜻이 강하다.

미(未)는 정화의 관대(冠帶)지로서 丁火의 기세를 도우니 화기(火氣)의 기운이 절정을 이룬다. 또한 미토(未土)는 화기(火氣)와 금기(金氣)가 서로 충돌하는 금화상쟁(金火相爭)의 기운을 중재하는 중화적 성정이 있다(金火交易). 외면과 내면이 모두 아름다우며, 타인을 포용하고 이해하고자 하는 성숙된 의식의 가지고 있다.

▷괘상의 이해

火☲(明)　　（丁火）
地☷(中)　　（未土）
晉

晉 康侯用錫馬蕃庶 晝日三接
진 강후용석마번서 주일삼접

진(晉)은 강후(康侯)가 말을 주어 무리를 번성하게 하다. 밝은 대낮에 三德을 베풀도다.

해☲가 땅☷을 뚫고 중천에 떠있는 모습으로, 밝음☲이 어둠☷을 뚫고 땅 위로 솟아올라 천하를 비추는 대명(大明)의 상이다(明出地上 順而麗乎大明). 땅 위에 밝은 해가 솟아 밝은 세상이 되니 천하가 태평하다.

진(晉)은 나아가는 것이다. 밝음☲(丁火)이 대지☷(未土)위로 솟아올라 천하를 비추니 진(晉)이다. 坤☷地는 유순(柔順)하고 離☲火는 밝음으로 하늘에 걸려 광명(光明)하다. 六五는 인군(仁君)의 자리로서 유(柔)가 나아가 위로 행하여 외괘의 中에 자리하니 천하의 만물을 이롭게 하는 大明☲이 된다(柔進而上行).

風☴의 풀려나간 2개의 양을 六四 음(陰)이 상향하여 파고드니 ☲가 된다(柔進而上行). 자유로운 양기☴(流)를 음이 파고들어 붙잡으니 하늘에 걸린 대명(☲大明)이 된다. 이는 바람☴이 대지☷ 위를 운행하며 어루만지듯 양기(九五)가 음(六四)을 파고든 모습이니 밝은 해☲가 천하☷를 어루만지며 만물을 이롭게 하는 상이 된다.

괘상으로는 離火☲가 坤地☷(만물)에게 번성하여 나아갈 수 있도록 빛(明)을 내려주듯이, 괘사에서는 강후(康侯)가 말(馬)을 주어 무리☷를 번성하게 하는 것으로 비유한다(康侯用錫馬蕃庶). 주일삼접(晝日三接)에서 晝日은 밝은 대낮, 또는 대낮이 상징하는 평화의 때를 뜻하고, 三은 천하백성(人)을 상징하는 坤☷의 세 효(三)를 가리킨다. 大明☲으로 빛나는 평화의 시대에 아침 점심 저녁(三)으로 상시 베풀며 공평무사하게 골고루 행한다. 진(晉)은 나아가는 것이니, 大明☲(강후)이 하늘 위에서 中德을 비추고 아래에 있는 坤☷(백성)이 이를 따라 나아간다. 상으로 보면 상괘 離☲가 강후(康侯)이며 하괘 坤☷이 백성이니, 강후가 말(馬)을 내려주어 백성☷을 번성하게 한다는 것은 大明☲이 땅 위의 백성☷(人)에게 光明을 내려주어 번성하도록 도움을 주는 것을 말한다.

坤土(未☷)는 양기를 머금은 열매(丁火☲)를 받아드려 삭히니 알갱이와 쭉정이를 선별하여 음이 주관하는 후천 곤도에 알갱이를 넘겨주니, 이는 만물을 키우는 대지의 영속성을 위한 작업이니 대명(大明)으로 만물을 번성하게 하기 위함이다.

(6) 정유(丁酉)

정(丁)은 확산하는 양기(陽氣)를 실하게 익혀 나무에 열매로 매닮으로 써 화기(火氣)를 완성시키는 기운이고, 유(酉)는 수렴된 양기를 순수한 정수만으로 응축하여 결실을 마무리 짓는 때이다. 그러므로 정유(丁酉)는 잘 익어가는 열매(양기)가 음기로 가득한 숙살지기(肅殺之氣)를 만나 꼭 지가 떨어지는 상이다. 유(酉)의 지장간이 경신(庚辛)이니 익어가는 열매가 가을의 서늘한 찬서리를 맞은 격이다.

유(酉)는 丁火의 장생(長生)지이다. 양이 주도하는 건도(乾道)의 절정기에서 양기를 완성하여 곤도(坤道)를 준비하는 정화(丁火)의 변신 노력이 때이른 가을 서리를 맞아 나뭇잎을 떨구게 되는 상이니 나아가는 기세가 약해진다. 하고자 하는 일이나 계획이 뜻대로 되지 않고 지체되거나, 의외의 결과를 성취하게 된다.

▷괘상의 이해

火☲(明)　　　(丁火)
天☰(生氣)　　(酉金)
　大有

大有 元亨
대유 원형

대유(大有)는 크게 이룸이니 크게 형통하도다.

정유(丁酉)는 잘 익어가는 열매(양기)가 숙살지기(肅殺之氣)를 만나 꼭 지를 떨구는 상으로 유(酉)의 지장간이 경신(庚辛)이니 익어가는 열매가 찬서리를 맞는 격이다. 열매☷는 완전히 숙성되기 전에 가을의 서늘한 숙살의 기운을 맞아 꼭지가 떨어져야 저장성이 뛰어나다. 大有는 쭉정이는 버리고 알갱이(생명)만을 축적한 상이니 다음 세대를 위하여 크게 형통하다.

 양 하나를 내어줌으로써 오히려 다섯 개의 양을 저장하는 뜻이 있으니 대유(大有)의 뜻이다. 대유(大有)는 크게 이룸이요, 크게 소유함이고, 큰 성취이니 대풍(大豐)을 의미한다. 대유(大有☲)는 양효 하나(上九)를 내보냄으로써 안정적인 채움을 유지하는 지혜를 보여준다. 대축(大畜☶)은 음 2개☷로 양3개☰를 완벽하게 막아 크게 쌓은 상이지만, 대유(大有)는 음 1개☲로도 양4개☰를 축적한다.

20.5.11. 무토(戊土)

艮山☶土

戊土(양☰)는 己土(음☷)와 사계를 돌리는 지축으로서, 丑궁에 해당하는 동북방의 간토☶에 작용하는 中土로서 양(陽)적인 기운이다. 간산☶(토)는 감수☵가 보존하고 있는 생기(2효)를 터치(극)함으로써 생명이 기적을 한 모습으로서, 하늘의 양이 터치하고 있는, 즉 생명이 기적을 한 볼록한 땅의 형상이다. 계절로는 따스한 간토(艮土☶)는 차가운 감수(坎水☵)를 극함으로써 겨울이 품고 있는 생명을 깨워 양(陽)이 주도하는 선천 상극의 건도(乾道) 시대를 시작하는 늦겨울, 초봄이 된다.

지구 중앙의 뜨거운 용암에 해당하는 戊己土 중에서 양적인 기운인 戊土는 동북방의 간산☶에서 작용하며 생명을 보존하고 있는 감수☵를 극함으로써 후천 坤道를 마감지우고(終), 생기를 깨워 선천 상극시대를 시작(始)하게 하는 종시(終始)의 자리에 해당한다. 축(丑)의 지장간 癸辛己는 뜨거운 艮土☶의 극을 받아 꽁꽁 언 坎水☵를 녹임으로써 땅이 축축해지고 물러지기 시작하는 때(癸水)로서 생명(辛金)이 땅 위(己土)로 드러나는 모습이며, 그러므로 괘상으로는 생명이 깨어 일어난 艮山☶의 상이 되는 것이다.

무토는 생명을 깨워 만물을 시작하게 하는 부성(父性)으로 양이 주관하는 선천 상극 시대를 시작하는 기운이며, 기토는 생명을 받아 키우는 모성(母性)으로서 후천 상생시대를 시작하는 기운이다.

(1) 무자(戊子)

戊土(양☰)는 己土(음☷)와 사계를 돌리는 지축의 한 축으로서, 뜨거운 용암의 기운을 품고 있는 양적인 기운이며, 생명을 품은 수(水)를 극함으로써 생명을 일깨워 만물을 시작하게 하는 부성(父性)을 가진 기운이다(土克水). 상극의 원리가 지배하는 봄과 여름을 담당하는 양기로서 만물의 바탕이 된다.

子水(☵)는 응축된 양기를 완전하게 수장(收藏)하고 있는 때로서 한겨울 동지(冬至)에 해당된다. 그러므로 무자(戊子)는 뜨거운 戊土가 양기를 응축하여 저장하고 있는 엄동설한을 만나 꽁꽁 언 땅을 녹임으로써 생명을 깨우는 모습을 상징한다.

자(子)는 戊土의 태지(胎地)에 해당된다. 이는 따스한 기운인 무토☰가 생명을 품은 감수☵를 녹임으로써 생명이 태동(胎動)하는 것을 의미한다.

戊土는 산의 상으로서 생명이 깨어 일어난 모습이며, 만물이 태동하며 삶을 시작하는 전환기에 해당한다. 변화의 시기에 대중을 이끌며, 방향을 제시하는 리더자의 성정이 있다. 자신이 설정한 방향으로 진중하게 움직이는 과묵한 성격이다.

▷괘상의 이해

山☶(止)　　(戊土)

水☵(險)　　(子水)

蒙

蒙 亨 匪我求童蒙 童蒙求我 初筮告 再三瀆 瀆則不告 利貞

몽 형 비아구동몽 동몽구아 초서고 재삼독 독칙불고 이정

몽은 형통하다. 내가 동몽(童蒙)을 구함이 아니라 동몽이 나(自我)를 찾아 나섬이로다. 처음 점을 치거든 알려주고, 두 번 세 번하면 초심이 더럽혀짐이니, 더럽혀진 즉 알려줌이 무슨 의미가 있겠는가? 곧고 바르게 함이 이로우니라.

산수몽괘는 내≡≡(險水)를 건너 갈 바를 모르고 서있는 어린아이(童蒙≡≡ 少男, 止), 태동하고 있는 생명을 상징한다. 아직 미몽에서 깨어나지 못한 童蒙(九二)이 自我(六五)를 찾아 험난≡≡한 여정을 거쳐 바다(완성)로 나아가 그치는(≡≡止) 순례의 여정을 보여준다(童蒙求我). 동몽(童蒙)이란 샘물이 아직 흐르기도 전인 작은 샘터, 어려서 아직 사리(事理)를 모르는 간난아이가 되고, 어른이란 자아(自我)를 깨달아 일치를 이룬 대인을 의미한다. 구아(求我)란 자아(自我)를 추구하는 구도(求道)를 말한다. 六五는 내가 나온 본원(本源)이면서, 中을 지킨 음(陰)으로 순례 여정을 거치며 강하고 날카로움이 닳아 없어진 대지(외호괘≡≡)의 유순함을 이룬 인군(仁君)의 상이다.

子는 癸水이니 산에서 흘러나오는 계곡물이다. 산≡≡ 위의 샘물이 어느덧 넘치게 되고 흘러내리는 물줄기≡≡가 스스로 길을 찾아 떠나듯, 동몽이 스스로 자아를 찾아 구도의 길을 떠나니 몽(蒙)은 형통하다. 미몽(迷夢)을 벗어나지 못한 동몽(童蒙)이 자신의 울타리를 깨고 아(我)를 구함은 곧 나를 찾는 구도의 여정을 나서는 것이니 바로 몽괘(蒙卦)의 본뜻이다. 산속의 샘물은 초기에는 정해진 길이 없어도 스스로 길을 떠나 다른 지류와 합치며 도랑을 이루고 강을 만들며 스스로 바다를 찾아 나선다. 여기에서 아(我)란 천지만물의 뜻에 일통(一通)한 완성된 자아(自我)를 말함이니 샘물의 지향점인 바다를 상징한다. 바다가 샘물을 찾지 않듯이 천지만물의 근원이 나를 찾아 나서지 않는다(匪我求童蒙). 샘물이 스스로 길을 개척하며 바다를 찾아 나서듯, 동몽(童蒙)이 스스로 나를 세상에 낸 천지의 뜻에 응해 자아(自我)를 찾아 진리를 향한 구도(求道)의 길을 떠나야 하는 것이다(匪我求童蒙童蒙求我 志應也/단사).

처음 점을 본다는 것은 동몽이 자아(自我)를 알고자 시도함을 말한다. 즉, 몽매(蒙昧)의 틀을 깨고 천지가 세상에 나를 낸 뜻을 찾아 처음으로 길을 나섬을 말함이니(初筮告), 험난(險難)으로 인하여 망설이게 되어 초심을 잃어버린 채 두 번 세 번 몽매(蒙昧)함에 그대로 머물고 타협하면서 자신의 초심을 번복하게 된다면 이는 몽(蒙)의 의미를 더럽히는 것이 된다(再三瀆). 더럽혀 진다는 것은 아직도 동몽(童蒙)이 미몽(迷蒙)을 벗어나지 못한 채 계속하여 점을 치며 헤매고 있음을 뜻 함이니, 마음의 눈이 닫힌 장님에게 천지가 어찌 뜻을 보여줄 수 있겠는가? 재삼독(再三瀆)한다고 함은 인생의 항로를 정하지 못하고 여전히 미몽 속을 헤매고 있음을 말한다.

몽(蒙)의 九二는 中의 자리에서 正하지 않으니 아(我)를 찾아 순례 길을 떠나 구도자(求道者)의 모습, 음의 자리에 양으로서 자리가 바르지 않으니 정(正)함을 찾아 길을 떠난다. 강양(剛陽)으로서 생명의 강한 의지를 가지고 치열하게 학습하며, 나를 찾기 위해 구도의 길로 나아가 六五(本原)와 서로 응한다(童蒙求我 志應也). 물은 처음에는 어린아이처럼 갈바를 모르지만, 반드시 흐르는 물건이니 바른 길을 찾아 헤매는 온갖 지류(支流)를 포용(包容)하며 바다를 향해 구도(求道)의 길을 떠난다(九二 包蒙吉 納婦吉 子克家/효사). 그래서 공자는 포몽包蒙이 길吉함을 九二가 음의 험난함을 극복하고 포용하며 나아가는 것이라 풀이했다(象曰 子克家 剛柔接也).

(2) 무인(戊寅)

戊土(양☲)는 己土(음☷)와 사계를 돌리는 지축으로, 丑궁에 해당하는 동북방의 간토☶에 작용하는 中土로서 생명을 품은 차가운 감수를 극하여 생명을 깨우는 뜨거운 양(陽)적인 기운이다.

寅은 만물이 생기를 분출하며 生長을 시작하는 봄의 초입(입춘)이다. 그러므로 무인(戊寅)은 토극수(土克水)로 깨어난 생명이 땅 위로 드러나 生을 시작하는 모습이다.

寅은 戊土의 장생(長生)지이다. 戊土는 괘상이 산☶의 상이니 구릉지의 전답을 상징한다. 그러므로 戊寅은 구릉지 논밭에 자라고 있는 어린 묘목으로 꿈과 희망을 상징한다. 무토는 중토로서 따스함으로 생명을 생장시키는 바탕이니, 寅은 봄날에 무토를 바탕으로 새싹을 생장시키는 기운이다. 생장을 시작하는 새싹에게 초봄은 아직은 어려운 기후적 환경으로 둘러 쌓여 있지만, 인(寅)은 희망과 의욕으로 가득차 현실적인 어려움을 두려워하지 않고 앞으로 나아가는 성정을 지녔다. 새싹에게 무토는 움직이지 않는 삶의 의지처이다.

▷괘상의 이해

山☶(止)　　(戊土)
雷☳(進)　　(寅木)
頤

頤 貞吉 觀頤 自求口實
이 정길 관이 자구구실

이(頤)는 바르게 함이 길하다. 천지가 만물을 기르는 것을 보며 자기 스스로 생육함을 구하도다.

하괘☵ 初九가 상향☶하며 순리대로 건너편 둑☶에 도달하는 모습으로서 알에서 부화한 거북이가 물에서 헤엄치며 점점 어른으로 성장해 나가는 과정을 보여준다. 땅 위로 솟아오른 새싹이 어려움을 두려워하지 않고 자연스럽게 성장해 나가는 모습이다. 거북이☵가 자라는 환경은 안전한 성(城)☶이며, 산☶은 넘을 수 있는 산으로 감옥이 아니라 안전한 울타리이다. 울타리는 보호막을 의미하며, 성(城)은 안전한 장소를 나타낸다. 강을 건너기 위해서는 물☵ 속에 뛰어들어야 하니 험난(險難) 속으로 들어간 모습이지만 ☶(進)으로서는 충분히 극복할 수 있는 어려움☵(險)이다. 하괘☵ 初九가 상향☶하니 차례차례 순리대로 편하게 풀려가는 모습이다. 안전한 성에서 물☵을 만난 거북이☵가 헤엄치며 건너편 산자락☶에 도달한다.

그러나 강을 건너는데 비바람☵(險難)을 감수하지 않고 어찌 건널 수 있겠는가? 헤엄을 치든, 배의 도움을 받아 강을 건너든, 다만 어려움의 크기만 다를 뿐이다. 어찌됐든 올바른 길과 적당한 때를 선택하지 않는다면 강을 안전하게 건널 수가 없다. 아이가 자라 성인이 될 때까지 몸에 맞는 적절한 음식과 좋은 가르침은 올바른 어른이 되게 하는 영양분이 된다(頤貞吉 養正則吉也/단사). 물론 좋은 음식과 좋은 가르침을 받는 것은 중요한 일이지만, 스스로 좋은 음식을 취하고 바른 가르침을 구하는 것도 또한 스스로를 기르기 위한 자신의 선택과 결정이다(自求口實 觀其自養也/단사). 아이가 자라는 과정에서 어찌 비바람이 없을 수 있는가? 비바람을 맞고 제대로 된 햇빛을 받은 농작물이 많은 수확을 내듯이 사람 또한 어려움을 통해서 바르게 길러지는 것이다.

음이 가득한 세계에 양☳이 처음 생기는 복(復)은 그 힘이 미약하므로 사악한 기운의 접근을 막아 힘이 축적될 수 있도록 잘 보호해주어야 한다. 맨 위에 뚜껑☶(울타리)을 씌우니 안전하게 기른다는 의미가 된다.

☷(進)는 안전한 집☷(HOUSE)에서 보호받으며 세상으로 나가기 위해서 준비하는 태아의 모습이다.

이 세상에 던져진 생명은 天地父母가 토양을 제공하고 생명의 이치를 준 것이지만, 스스로가 그 이치에 맞게 땅을 헤치고 나와 햇볕을 받지 못한다면 생존할 수가 없다(貞吉). 천하의 이치에 따라 바르게 자라는 것이 만물의 이치이니 자신의 생명의 이치에 맞게 스스로 자구구실(自求口實)해야 하는 것이다. 자구구실이란 천지의 이법에 따라 스스로 먹는 것을 구하는 것이다. 인간은 밥으로만 사는 존재가 아닌 하나님의 말씀으로 산다 하였으니 실(實)이라는 입으로 들어가는 음식과 자기다움을 만들어주는 가르침을 뜻한다. 즉, 인간에게 음식이란 육신에 필요한 밥과 하늘이 부여한 본성을 발현시켜주는 교육이 되는 것이니, 스스로 바른 것을 구해 먹으며 제대로 잘 길러지고 있는지(養正) 자기자신을 살펴보아야 하는 것이다(觀頤).

(3) 무진(戊辰)

戊土(양☷)는 己土(음☷)와 사계를 돌리는 지축으로, 丑궁에 해당하는 동북방의 간토☷에 작용하는 中土로서 생명을 품은 차가운 감수를 극하여 생명을 깨우는 뜨거운 양(陽)적인 기운이다.

진(辰)은 계수(癸水)를 머금고 있는 옥토로서 乙木이 뿌리를 내려 열매를 맺을 수 있도록 최적의 환경을 제공한다. 진(辰)에서 목기(木氣)의 상승이 마무리되고 양기가 질서를 잡아 열매를 맺는 火氣☲로의 진입을 준비하는 봄의 막바지이다. 그러므로 무진(戊辰)은 戊土가 癸水를 머금고 있는 늦봄의 따사로운 옥토를 만난 격이니 기세가 강왕하다.

辰은 戊土의 관대(冠帶)지이다. 戊土는 화기로의 진입을 준비하는 진(辰)의 풍요로운 환경을 만나 강한 기세를 띠게 된다. 기운이 강왕하고 묵직하며 위세가 당당하다. 부족함이 없으며 주관이 세고 속이 깊다. 속내를 쉽게 드러내지 않으며 고지식한 면이 있다. 움직임이 없는 태산(대인배)이 세상으로 나아갈 때를 만나 자신의 뜻과 야망을 드러내며 위풍당당한 모습을 드러낸다.

▷ 괘상의 이해

山 ☶ (止)　　(戊土)

風 ☴ (流)　　(辰土)

蠱

蠱 元亨 利涉大川 先甲三日 後甲三日
고 원형 이섭대천 선갑삼일 후갑삼일

고(蠱)는 크게 형통하다. 대천을 건너는 것이 이로우니 先甲三日 後甲三日이로다.

산☶이 우뚝 서서 바람길☴을 막고 있으나 바람은 산을 흔들어 대며 돌아돌아 넘어간다. 바람이 산에 가로 막히니 제자리를 돌며 쌓이고, 물건을 흔들어 대며 일을 만든다. 바람은 산을 들이쳐 무너트리는 강왕한 기세를 지녔다. 때를 만나 천하를 향해 나아가는 모습으로 할 일이 많아진다.

고(蠱)는 가로막는 산☶을 넘는 것이고, 험난(險難)한 내☴를 건너는 것이니 나아가 일을 이룰 수가 있다(利涉大川往有事也). 내가 가로 막혀 있어 넘지 않으면 일을 이룰 수 없고, 큰 내는 건너서 나아가야 일(事)을 이룰 수가 있는 것이니 건너야 이로운 것이다(利涉大川往有事也). 그러므로 고(蠱)는 크게 형통하다(蠱元亨). 내를 건넘에 있어서는 과단성이 있어야 하나, 일의 선후를 따지고 때를 만나야 하는 법이니 신중해야 한다(先甲三日 後甲三日).

바람이 산을 만나 겨를 없이 들이치면 나무가 넘어지고 뿌리가 뽑히며, 산에 바람이 들어가면 산은 무너지게 된다. 그러나 큰 내가 가로막을 때 겨를 없이 건너면 험난에 빠질 수 있다. 그러므로 바람이 산을 만나거나, 갑자기 큰 내를 만나게 되면 멈추어 서서 사려(思慮)를 해야 하니 선갑삼일(先甲三日)이 말하고자 하는 뜻이다. 또한 산을 넘고 내를 건너면 다시 앞뒤를 미루어 사려하니 후갑삼일(後甲三日)이다. 마치면 다시 시작이 있음이 하늘(天)의 行이니(終則有始天行也), 일을 시작함에 있어 선후를 사려(思慮)하여 병폐를 바로잡고 염려하여 대비하면 후일을 장구(長久)히 할 수가 있다.

(4) 무오(戊午)

戊土(양☲)는 己土(음☷)와 사계를 돌리는 지축으로, 丑궁에 해당하는 동북방의 간토☶에 작용하는 中土로서 생명을 품은 차가운 감수를 극하여 생명을 깨우는 뜨거운 양(陽)적인 기운이다.

午는 양기의 확산을 저지하고, 열매에 양기를 채우기 위하여 음이 생겨나는 시기로서 열매가 최고로 커지는 한 여름이다(12운성으로는 天風姤☴+31)가 된다). 겉으로는 절정을 이루는 듯해도 내부적으로는 음기가 생겨나는 등 변화의 변곡점이 시작되는 시기로서 양기를 담은 열매를 크게 키우는 때이다. 그러므로 戊土가 다음 세대에 전달할 씨앗을 담은 열매(양기)를 크게 키우는 뜨거운 여름을 만나 강렬하게 기세를 강화하는 모습이다.

午는 戊土의 제왕(帝王)지로서 戊土의 작용을 돕는 환경이 강왕하다(양인). 한여름 午火의 강렬한 기운을 받는 戊土가 크게 부풀어 오른 양기 (열매)를 숙성시킨다. 戊土는 산의 상으로 과묵하고 움직임이 묵직하지만 강렬한 양기가 가세되어 내면은 열정으로 가득하다. 외적으로는 양을 쫓아 화려하지만 내면적으로는 음을 지향하는 성향이 있다.

▷괘상의 이해

山☶(止)　　(戊土)
火☲(明)　　(午火)
　賁

賁 亨小 利有攸往
비 형소 리유유왕

비(賁)는 형통함이 작다. 나아가는 바가 이로우리라.

戊土가 씨앗을 담은 열매(양기)를 크게 키우는 뜨거운 여름을 만나 기세가 왕성하다. 그러나 午는 양기의 확산을 저지하고, 열매에 양기를 채우기 위하여 음이 처음 생겨나는 시기이기도 하다(天風姤☴+31, 양인). 즉, 겉으로는 절정을 이루는 듯해도 내부적으로는 음기가 생겨나 양기를 담은 열매를 크게 키우는 때이다. 先天乾道를 마무리하고, 後天坤道의 기운이 생겨나는 변곡점이다.

산화비(☶☲)는 유목민(☰上向)처럼 떠돌다 한곳에 그쳐 정착(☶止)하는 상이다. 농경시대에는 산이나 호수, 강 등으로 구분하여 마을이나 국가 간의 경계를 삼고 정착하여 농사를 일구고 문명(文明)을 세웠다. 산☶은 지역을 구분하는 경계가 되며, 그 경계 안에서 마을이 생겨나고 나라가 일어나 문명(☲)이 일구어진다. 문명이란 한 곳에 머물러 그 곳을 꾸미는 것이니 정착이란 아름다움을 꾸미는 것이다.

산화비(山火賁☲)의 상은 저녁노을이 산을 붉게 물들이는 모습으로 문명의 극치를 상징한다. 그러나 문명의 극치는 꽉 찬 보름달이 어그러지듯 곧 문명의 쇠퇴로 이어지게 된다. 이때에는 오히려 내치(內治)에 힘을 쓰고 내면(內面)의 아름다움을 가꾸지 않으면 오히려 흉해진다. 그러므로 내면☲은 밝게 하되 艮山☶으로 그쳐서 적절하게 문명을 조절할 수 있어야 한다.

서합(噬嗑☲)은 밝음☲(明)이 하늘☰에 걸려 만천하를 이롭게 하지만, 비(賁)는 산☶(止)이라는 경계에 그쳐 그 크기가 땅☷에 한정되므로 나아가는 바는 이로우나 형통함의 크기는 작다. 상향하여 나아가는 밝음☲(明)을 그치게 하고 艮☶(止)에 처하여 정착하니 나아가는 바는 이로우나 그 크기는 산이 땅에 붙어 있듯이 경계에 한정되므로 작은 것이다.

(5) 무신(戊申)

戊土(양☷)는 己土(음☷)와 사계를 돌리는 지축으로, 丑宮에 해당하는 동북방의 간토☶에 작용하는 中土로서 생명을 품은 차가운 감수를 극하여 생명을 깨우는 뜨거운 양(陽)적인 기운이다.

신(申)은 土氣가 숙성시킨 열매(양기)를 수렴하여 응축하기 시작하는 때로서 초가을의 숙살지기(肅殺之氣)가 작동하기 시작한다. 그러므로 무신(戊申)은 戊土의 기운이 숙살지기가 작용하기 시작하는 초가을의 강한 음기를 만난 상이다. 뜨거운 양토가 가을의 서늘한 음기를 만났으니 기운이 식어가고 약해진다.

申은 戊土의 병(病)지이니, 申을 만나 기운이 쇠락해진 戊土는 작용력이 떨어지고 소극적으로 웅크리게 됨으로써 사회적 활동의 폭이 크게 줄

어든다.

▷괘상의 이해

  山☶(止)　　(戊土)
  澤☱(肅)　　(申金)
　　損

損 有孚 元吉无咎 可貞 利有攸往 曷之用 二簋可用享
손 유부 원길무구 가정 이유유왕 갈지용 이궤가용향

손은 믿음이 있음이니 크게 길하고 허물이 없다. 가히 바르게 하여 나아가면 이로우리라. 어찌 쓸 것인가? 두 대의 그릇으로 가히 제사를 지내도다.

  양토인 戊土가 숙살지기(肅殺之氣)를 만나니 양기의 확산이 저지되면서 숙성을 시작한다. 양기를 가득담은 열매가 가을의 숙살지기를 만나면서 꼭지를 떨구는 것이다. 열매는 양기의 공급통로인 나무줄기와 연결된 꼭지를 떨어냄으로써 땅에 떨어져 다음 세대를 위한 종자(種子)가 된다.
  괘상으로는 못☱이 나를 하나 내어놓음으로써 산☶을 쌓으니 손이고덕(損以高德)의 뜻이다. 地天泰괘에서 하괘가 九三을 내어놓음으로 못☱이 되고 상괘는 上六이 양효를 얻어 산☶이 되니 山澤損이다. 당장은 하나를 잃음으로써 손해를 입는 것 같지만 그로인한 이타적 행위로 덕을 높이는 것이다. 하괘의 三陽이 밖으로 나가 실체☶가 되니 출산(出産)의 상이다. 어미 품☷ 안에 있는 아기☶의 모습이다.
  지천태(地天泰☷)에서 내괘(☰) 九三(양)을 덜어 상괘(☷)로 올리니 산택손(山澤損☶)이 되어 아래가 손해를 보며 위를 보태는 모습이다. 이것은 澤☱이 자신을 덜어 희생(損)시킴으로 山☶을 키우는 모습이 된다(損下益上 其道上行). 못☱이 자신을 덜어내는 작은 희생에도 불구하고 산☶을 만들어내니 작은 도움이나 희생이 의외로 많은 이를 살리는 큰 힘이 된다. 믿음과 뜻(有孚)으로 자신을 덜어 내어주면, 손(損)은 손해(損害)가 아니라 앞으로 더 큰 이익이 되어 되돌아오니 타인을 돕는다는 것은 마땅히 크게 길(吉)한 것이다(損 有孚 元吉无咎). 元吉은 무조건 크게 길한 大吉이 아니라 善之長(仁)의 뜻으로 손익타산을 넘어 타인을 위해 자신을 덜어냄으로써 타인을 도울 때 마땅히 길하다는 의미이다. 어머니가 자신의 몸을 덜어냄으로써 자식을 생산하니 어찌 이해타산이 앞설 수 있겠는가? 그러므로 손(損)의 道로써 바르게 나아가는 것은 이로운 것이다(可貞 利有攸往).

두 대의 그릇으로 가히 제사를 지낼 수 있다[二簋可用享]고 함은 두 개의 그릇인 天☰과 地☷가 서로 응하는 때가 있으니 강(剛)함☰을 덜어 유(柔)함☷에 더하는 때가 있음을 말함이다(損剛益柔有時/단사). 이는 덜고 더하고 채우고 비움(損益盈虛)이 자연의 변화와 마찬가지로 천지의 때와 더불어 함께 행하는 것을 뜻한다(與時偕行). 천지가 곧 제사를 지내는 두 대의 그릇이니 어떤 허식과 요식행위가 필요하겠는가? 춘하추동 시간의 흐름에 따라 더하고 덜며 때에 따라 응하니 손익영허(損益盈虛) 여시해행(與時偕行)이라. 하괘☰와 상괘☶의 각효가 서로 응하고 있으니 덜어내고 보태는 損의 道는 사시사철 자연의 변화를 따라가며 순리대로 서로 함께 해야 하는 것이다.

(6) 무술(戊戌)

戊土(양☳)는 己土(음☷)와 사계를 돌리는 지축으로, 丑궁에 해당하는 동북방의 간토☶에 작용하는 中土로서 생명을 품은 차가운 감수를 극하여 생명을 깨우는 뜨거운 양(陽)적인 기운이다.

戌은 金氣가 수렴한 양기의 정수만을 녹이는 용광로로서 양기의 수렴을 완전하게 마무리 짓는 늦가을에 해당된다. 戌의 지장간에는 丁火가 들어있어 辛金을 녹이는 용광로 역할을 한다. 그러므로 무술(戊戌)은 戊土가 수렴된 양기의 정수를 녹여 응축함으로써 수기(水氣)에 넘겨주기 위한 작업을 하는 서늘한 늦가을의 기운을 만난 상이다.

戌은 戊土의 묘고(墓庫)에 해당된다. 戊土의 따스한 기운이 늦가을에 묻힌 상황으로 활동을 멈추고 은거하고 있는 형국이다. 현실세계에서 물러나 정신세계를 추구하는 경향이 크다.

▷괘상의 이해

山☶(止)　　　(戊土)
澤☱(生氣)　　(戊土)
　大畜

大畜 利貞 不家食吉 利涉大川
대축 이정 부가식길 이섭대천

대축(大畜)은 바르게 함이 이롭다. 천가(天家)에게 녹봉을 받지 않으니 길하리라. 大川을 건너는 것이 이롭도다.

戊土의 지장간에 丁火와 辛金을 암장하고 있으니, 이는 丁火로 辛金을 녹여 불순물을 제거하고 순수한 정수만을 압축하여 水氣에 저장을 준비하려는 뜻이 있다. 辛金은 다음 세대에 전하기 위한 生氣로서 만물의 생명(씨앗☰)이다. 생명은 근본이 바르게 저장되어야 하니 대축이정(大畜利

正)의 뜻이다. 戊土는 辛金을 품고 있는 늦가을로서 괘상으로는 西北方의 乾☰이 된다.

산☶ 아래 하늘☰이 있으니 높은 것이다. 창고☶에 보물☰을 가득 채우고 문을 굳게 닫아 걸었으니 크게 쌓은 것이다. 크게 성취하여 높이 쌓았으니 대축(大畜)의 뜻이다. 대축은 크게 쌓음이니 근본부터 바르게 하는 것이 이롭다. 이는 크게 쌓으나 바르지 않으면 오히려 흉함이 되는 것을 의미한다(大畜利貞).

대축은 하괘의 양☰을 뚜껑☶으로 꼭 막고 있는 모습이다. 음2개가 바람 샐 틈 없이 막고 있으니 양이 크게 쌓인다. 소축(小畜☴)은 음 하나가 막으니 양이 새어 나가 조금 쌓이는 모습이지만, 대축(大畜☶)은 음2개가 가로막고 있어 새지 않고 크게 쌓인다. 산☶이 하늘☰을 품고 있는 모습이니 큰 성취를 의미하며, 천하를 품은 대인을 상징한다.

그러나 쌓임이 지나치면 흉이 되고 더 나아가면 자신에게 재앙이 된다. 욕심이 과하면 오히려 아니함만 못하다. 대축(大畜)에서 가(家)는 소인의 집이 아니라 천하백성을 품은 왕의 집인 천가(天家)를 의미한다. ☶은 내가 사는 작은 집이 아니라 천하☰를 품었으니 백성을 다스리는 天家이다. 그러므로 부가식不家食이란 왕의 집에서 먹지 않음을 뜻하니 왕에게 봉록을 받지 않음을 의미한다. 즉, 벼슬을 얻어 출사하지 않고 현인을 기르는데 힘쓰는 것이다(不家食吉 養賢也/단사). 출사(出仕)하여 天家의 녹봉을 받는 것은 재물과 지식을 가득 쌓고도 모자라 더 나아가 출세를 하고자 하는 과욕에 불과하다. 그러므로 더 나아가지 않고 멈춰 서서☶(止) 그 동안 쌓은 것☰을 베푸는 것이 길하다 한 것이다. 다시 말하면 대인은 자신의 출세를 위한 출사(出仕)를 하지 않고, 세상을 위해 현인(賢人)을 기르는데 쌓은 것을 사용한다.

내가 쌓은 것을 내 소유에 그치지 않고 천하를 위해 펼친다. 나만 먹지 말고, 나만을 위해 쌓지 말고 주변에 베풀라는 의미, 결국 대축(大畜)의 방점은 '쌓는다'가 아니라 천하를 위한 올바른 마음에 있다(能止健大正也/단사). 축(畜)은 '기를 휵'으로도 읽히니 '쌓는다'라는 의미는 '천하를 기르다'라는 성인의 가르침으로 귀결된다.

아무리 크고 높게 쌓더라도 기초가 바르지 않으면 학문적 성취나 재물의 축적도 어느 순간 쉽게 무너지기 마련이니, 진정한 의미로서의 대축(大畜)은 정도(正道)로서 바르게 함이 이로운 것이다(大畜利貞). 이렇게 크게 쌓는 이유는 무엇인가? 하늘의 명에 따라 큰 일을 하고자 함이니 바로 이섭대천(利涉大川)하는 뜻이다(利涉大川 應乎天也/단사).

천하의 이로움을 위해 험함(險陷)을 건너는 利涉大川의 뜻은 대인(大人)이 하늘에 응하는 것이니, 九二☰와 六五☷가 중(中)으로써 서로 응하는 것을 말한다(利涉大川 應乎天也/단사).

집이라는 익숙하고 편안한 좁은 울타리에서 단순히 먹고 살기위해 아웅다웅하지 말고 인식의 지평을 넓혀 더 넓은 세상으로 나아가는 것이 이롭다(不家食吉 利涉大川). 집(家)과 대조되는 세계는 대천(大川) 너머의 미지의 세계로서, 대축(大畜)의 도를 완성하려면 익숙하고 좁은 세계에 안주해서는 곤란하고 대천 너머의 미지의 세계로 나아가야 하는 것이다(不家食吉 利涉大川).

20.5.12. 기토(己土)

坤土 ☷ 土

乾道(양)에서 坤道(음)로 넘어가는 시기인 서남방의 미시(未時)에 발생하는 금화상쟁(金火相爭)에 己土가 중재함으로써 坤道의 후천상생시대로 인도한다. 금화상쟁(金火相爭)의 기운이 土氣의 중화적 성질에 의해 교역(交易)이 이루어짐으로써 양이 주관하는 선천건도(先天乾道)에서 자연스럽게 음이 주관하는 후천곤도(後天坤道)의 시대로 우주적 전환이 이루어지는 것이다. 己土는 先天乾道시대의 열매를 받아 삭힘으로써 껍질과 쭉정이를 분별하여 後天坤道의 시대로 넘겨주는 중재자이다.

金火가 交易하는 서남방의 未時(己)에 乾道陽氣와 坤道陰氣의 金火相爭이 일어나고 坤土☷는 중화적 기운으로 이를 중재함으로써 자연스럽게 선천에서 후천으로 이어지도록 한다. 미시는 우주적 대전환이 일어나는 시기로서 중화, 인내, 포용, 모성의 성정을 지닌 土性君子☷들이 드러나는 때이다.

(1) 기해(己亥)

己土는 양기를 가득담은 열매를 받아드려 삭힘으로써 알갱이와 쭉정이를 분별하여 순수한 양기(씨앗)를 골라 숙살지기 가을 금기에 수렴하게 하는 중재자 역할을 한다. 己土는 양기를 완전히 포장하여 숙성시키는 뜨거운 기운이고, 해(亥)는 수렴된 양기를 씨앗으로 응축하여 저장하기 시작하는 겨울의 초입에 해당된다. 그러므로 기해(己亥)는 양기가 가득한 열매를 포장하여 숙성시키는 뜨거운 己土가 음기로 가득한 추운 겨울의 입구에서 만난 상이니 己土의 역량을 제대로 발휘하기가 어렵다.

해(亥)는 己土의 태지(胎地)가 된다. 넓은 들판이 추운 바다물이 스며든 격이니 당장은 활용할 수 없는 땅이다. 뜻대로 되지 않으니 답답하다.

▷괘상의 이해

地☷(中)　　(己土)

水☵(險)　　(亥水)

師

師 貞 丈人吉 無咎
사 정 장인길 무구

師는 곧 바른 장인(丈人)이라야 길하고 허물이 없다.

九二가 후방에 진지를 구축하고 군사를 모으고 있는 모습으로 전쟁을 준비하고 있다. 九二는 내호괘가 진(震)☳으로 그 의미는 진(進)이 되는데 북을 울리며 진군의 태세를 갖춘 모습이다. 六五의 왕명(王命)이 떨어지면 대의명분을 갖추어 전진한다. 九二대장이 무리를 지휘함에 있어 정도(正道)로 하지 않으면 무리가 따르지 않으니 바르게 통솔하여야 가히 왕(지도자)이 될 자격이 있다(能以衆正 可以王矣). 그릇이 작은 소인배가 무리 앞에 나서면 분란만 일으키게 되어 앞으로 나아갈 수 없으니 이는 장인(丈人)의 자리이기 때문이다. 초육(初六)과 3,4,5,6 효는 군사이니 九二는 군대를 지휘하는 장군으로 강한 동적인 성질을 가진 우레☳(내호괘)로 표현된다.

九二가 효변하면 ☵이 되니 물☵이 땅☷으로 스며들어가는 모습으로 적진을 향해 진군하는 상이 된다. 九二와 六五가 중(中)의 자리에서 상응(相應)하니, 강건중정한 九二가 대장이 되어 六五왕의 호응(呼應)을 받으며 군대를 이끌고 적진☷에 스며든다(剛中而應 行險而順).

대지☷ 아래 물☵이 모이는 상이니, 사(師)란 무리를 의미한다(師眾也). 개성이 다른 물건이 모이면 분열과 분쟁이 일어나게 마련이니 바름(正)이 기준이 되지 않으면 결국 흩어지게 된다(貞正也 能以眾正). 대지의 순한 덕(德)이 물의 험난(險難)을 흡수해 사납지 않게 하듯(行險而順), 대지의 본성은 바로 정(貞)이니 만물이 음양의 이치에 따라 바르게 생장성쇠하는 이유이다(貞正也). 인간사회에서 물의 험함을 순함으로 누그러뜨려 하나가 되게 하는 대지의 역할은 그릇이 작은 소인이 할 수 있는 일이 아니다. 생명을 품고 낳아 기르며 아무리 험하고 거침도 품어버리는 대지의 속성은 중화(中和), 인내, 포용, 모성(母性)의 성정을 지닌 장인(丈人)과 닮았다. 큰 어른(丈人)으로서 존엄(尊嚴)을 항상(恒常)함으로 하는 대장부(大丈夫)라야 대지의 순(順)☷한 덕(德)으로 무리☷를 포용할 수 있으니 길(吉)하고 허물이 없는 것이다(丈人吉無咎). 아무리 거친 비바람☷도 받아드리고 결국은 순(順)하게 하니 토성(土性)☷의 크기는 한량이 없다(容民畜眾).

(2) 기축(己丑)

己土는 양기를 가득담은 열매를 받아드려 삭힘으로써 알갱이와 쭉정이를 분별하여 순수한 양기(씨앗)를 골라 숙살지기 가을 금기에 수렴하게 하는 중재자 역할을 한다. 己土는 양기를 완전히 포장하여 숙성시키는 뜨거운 기운이고, 丑은 음기에 의해 응축 저장된 양기가 땅이 물러지기 시작하면서 용출을 준비하고 있는 겨울의 막바지에 해당된다. 그러므로

己丑은 양기를 포장하여 숙성시키는 늦여름의 뜨거운 己土가 음기에 의해 응축 저장되어 있던 양기의 용출을 준비하는 늦겨울 한랭한 축(丑)의 때를 만난 상이다.

축(丑)은 己土의 묘고(墓庫)이다. 그러므로 숙성시켜 저장시키려는 뜨거운 己土의 역량이 응축 저장되어 있는 양기의 용출을 준비하는 차가운 丑의 때를 만나 크게 기운이 감소된 상태로서 일선에서 물러나 은퇴한 상태를 의미한다. 서로 나아가고자 하는 길이 다르니 丑은 己土에게 도움이 되는 환경이 아니다. 서로 추구하는 바가 다르다.

丑土는 거친 언 땅 위를 生氣(3효)가 터치하는 모습(艮土☶)으로서, 동토(己土)가 물러지기 시작하면서 땅 위로 물기(癸)가 보이고 생명(辛)이 모습을 드러낸다. 기토(己土)는 금화교역(金火交易)을 담당하는 군자의 상이고 지장간 己土 정기(正氣)에 뿌리를 두고 있다. 겨울의 끝자리 초봄의 기운이 돌면서 언 땅(丑)에 물기(癸)가 스며 들고 生氣(辛)가 절처봉생(絶處逢生)을 거쳐 태동할 것이니 지금은 비록 몸을 낮추고 있으나 장차 동량이 되리라.

▷괘상의 이해

地☷(中)　　　(己土)

山☶(止)　　　(丑土)

謙

謙 亨 君子有終

겸 형 군자유종

겸(謙)은 형통하다. 군자의 일은 끝마침이 있도다.

艮☶의 九三양효가 효변하니 坤☷이 된다. 땅☷이 산☶을 품은 상이니 산이 낮아지는 것이며, 몸을 숙이는 것이다. 산처럼 뽐내다 낮아지니 겸손이다. 산☶이 땅☷ 속에 숨었으니 몸을 낮춰 대지의 유순(柔順)함을 따르는 것이다. 어려운 때를 당해 잠시 자신을 낮추고 재야에 묻혀 가만히 세월을 낚는 모습이다.

산☶은 땅☷에서는 높으나 하늘에서는 낮으니, 제아무리 뽐내고 드날려도 하늘아래 뫼일 뿐이다. 산☶이 땅☷ 아래로 낮아짐은 고개를 숙이는 비굴함이 아니라 자신을 낮추는 겸손이니, 땅의 순한 덕과 하나가 되는 것이다. ☷아래 ☷의 모습은 九三이 음으로 효변하여 낮아지면서 ☷과 일치됨을 말하는 것이니 함께 어우러져 하나되는 상이다. 만일 ☶이 ☷위에서 높음을 뽐내면 끌어내림을 당하게 되니 산지박(山地剝☶)이다.

지산겸(謙☷)은 자신을 스스로 낮추는 것이니 걸릴 것이 없다. 자신을 내세우는 산의 모습은 박(剝☶)이니 끌어내림을 당할 것이요(山地剝), 땅 아래로 자신을 낮춘 산은 걸릴 것이 없으니 만사가 형통하다(地山謙). 낮추니 걸릴 것이 없고, 겸양(謙讓)하므로 시비를 걸 자가 없으니 토성군자(土性君子)의 일은 끝이 아름답다.

겸(謙)은 자신을 낮추고 양보하여 상대방과 하나가 되는 겸양(謙讓)의 뜻이니 오히려 그 덕(德)이 고대(高大)하여 소인이 감히 넘지 못한다. 겸양(謙讓)이란 자신을 낮추는 겸손으로 자신을 덜어내어 상대방을 채워주는 양보(讓步)의 뜻이다.

(3) 기묘(己卯)

己土는 양기를 가득담은 열매를 받아드려 삭힘으로써 알갱이와 쭉정이를 분별하여 순수한 양기(씨앗)를 골라 숙살지기 가을 금기에 수렴하게 하는 중재자 역할을 한다. 己土는 양기를 완전히 포장하여 숙성시키는 뜨거운 기운이고, 卯는 생장하는 양기가 극에 달한 장성한 나무의 상으로 만물이 활기차게 생장하는 완연한 봄에 해당된다. 아직은 열매가 열리지 않은 청소년기의 강왕한 기운이다. 己卯는 양기를 포장하여 숙성시킴으로써 후천을 주도하는 金氣에 넘겨주려는 중화적 기운의 己土와 청소년기의 질풍노도 같은 강왕한 기세로 만물의 양기가 폭발적으로 상승하는 봄의 한가운데에 들어선 모습이다.

卯는 己土의 병지(病地)로서 기운이 쇠잔(衰殘)하다. 양기가 주도하는 건도(乾道)를 마무리 짓고 음기가 주도하는 坤道로의 세기적 전환을 준비하는 중화적 기운인 己土가 乾道의 生長之氣의 중심에 있는 卯의 때를 만났으니 卯의 왕성한 기운은 오히려 己土에게는 과중한 부담이 된다. 중화적 기운인 己土는 말수가 적고 속내를 잘 드러내지 않는 성격이므로 양기가 생동하는 봄의 환경 속에서 양기를 숙성시켜 가을로의 전환을 준비하려는 己土의 기운이 서로 어긋나니 己土의 내면은 현실에 대한 답답함을 토로하거나 세상이 자신의 뜻과 다름에 대해 마음의 안정감을 느끼지 못한다.

▷괘상의 이해

地☷(中)　　　(己土)
風☴(流)　　　(卯木)
升

升 元亨 用見大人勿恤 南征吉
승 원형 용견대인물휼 남정길

승은 크게 형통하다. 대인을 보니 근심하지 마라. 남쪽으로 가면 길하리라.

땅 속의 새싹은 유(柔)하나 봄☷이라는 때를 만나면 자신보다 수십 배 수백 배 두터운 땅을 뚫고 헤치며 나아가니 巽順☴함으로써 강함을 이기는 상이다. 九二 陽이 剛中의 道로써 柔中의 德인 六五와 서로 응한다. 이는 연약한 싹이 오히려 딱딱한 대지를 뚫고 나아가는 강인(强忍)함을 상징하는 것으로 크게 형통한 모습이다.

'大人을 보리니 근심치마라(用見大人 勿恤)'함은 땅 속 씨앗의 중심인 九二 양이 대지의 中인 六五 음과 서로 응함을 의미하는 것이니, 씨앗은 춥고 어두운 땅 속에서도 나아갈 빛을 바라본다. 만물이 생장하는 것은 자연의 이치이니 앞이 보이지 않는다 하여 근심할 일이 아니다. 딱딱하여 어떤 것도 뚫을 수 없을 것 같은 대지☷(六五)도 연약한 싹☴(九二) 앞에서는 서로 화순(和順)함으로써 응하니, 이는 대지의 본래 모습인 품고 기르는 모태(母胎)로서 오행(五行)인 토(土)의 성질이 있기 때문이다. 작고 연약한 싹이 자라 대지☷(土) 위에 큰 나무☴(木)로 성장하는 것이 승(升)이니, 일의 이치와 순리대로 풀려나가면서 경사가 있는 것이다(有慶也). 태양이 비추는 남쪽을 향하여 헤치며 나아가는 것은 만물생장(生長)의 바른 이치이니, 올바른 길을 선택하여 가는 것이 길(吉)한 것이며(南征吉), 이것은 천지자연의 뜻을 순리대로 행하는 것이 된다(志行也).

(4) 기사(己巳)

己土는 양기를 가득담은 열매를 받아드려 삭힘으로써 알갱이와 쭉정이를 분별하여 순수한 양기(씨앗)를 골라 숙살지기 가을 금기에 수렴하게 하는 중재자 역할을 한다. 사(巳)는 확장 분열하는 양기의 중심을 잡아 씨앗을 품은 열매를 생하기 시작하는 때로서, 여름이 본격적으로 시작되는 입하(立夏)이며, 양기가 최고의 절정을 이루는 시기이다. 화기(火氣)가 확산하면서도 질서를 잡아가기 위하여 내부에는 절제의 기운인 庚金이 생겨나는 때이기도 하다(巳는 庚金의 生地). 그러므로 기사(己巳)는 양기를 완전히 포장하여 숙성 작용하는 뜨거운 己土가, 양기의 확산작용이 최고의 절정을 이루는 본격적인 여름을 만나 함께 어우러지는 모습이다.

巳는 己土의 왕지(旺地)가 된다. 己土가 최고의 환경적 조건을 만난 것이니 양기를 포장하여 숙성하는 작용이 더욱 강화된다. 외면적으로 조용하고 과묵하지만 내면적으로는 뜨거운 기운을 품고 있어 욱하는 폭발적 기질이 있다.

▷ 괘상의 이해

地☷(中和)　　(己土)
火☲(질서)　　(離火)
明夷

明夷 利艱貞
명이 이간정

명이(明夷)이니, 어려움 속에서도 바르게 하면 이로우리라.

기사(己巳)는 양기를 완전히 포장하여 알갱이와 쭉정이를 분리, 숙성하는 己土가, 양기의 확산작용이 최고의 절정을 이루는 본격적인 여름을 만나 함께 어우러지는 모습이다. 기토☷는 양이 주관하는 건도(乾道)와 음이 주관하는 곤도(坤道)의 금화상쟁을 중재하여 교역시키는 중화적 성질이며, 사화는 씨앗(경금)을 품은 열매☲가 된다(戊庚丙). 괘상으로 표현한 지화명이(地火明夷☷☲)괘는 땅에 떨어진 열매를 품어 숙성시키는 상이다. 땅 속에서 삭혀진 열매는 알갱이와 쭉정이가 구분되고 껍질이 분리됨으로써 곤도의 시작인 兌金☱으로 넘겨질 준비를 하게 된다.

열매☷는 땅 속에 들어가 삭힘을 당하는 입장이니 밝음☲이 상하는 것이고 고난을 당하는 것이 된다. 즉 씨앗을 품은 열매는 땅에 떨어져 숙성되는 고단한 과정을 겪음으로써 쭉정이 없는 알갱이를 얻게 된다. 씨앗이 바르지 않다면 후천세상은 오지 않는다. 명이(明夷)괘의 괘사는 양기를 가득 품은 크고 아름다운 열매가 땅에 떨어져 숙성됨으로써 후천 곤도 세상으로 넘겨지기 위해 당하는 고난을 '어려움 속에서도 바르게 해야 이로우리라(利艱貞)'라는 말로써 설명하고 있다.

밝은 것☲이 땅속☷ 가운데 들어가는 것이 명이(明夷)이니 밝은 빛을 발휘하지 못한다. 명이(明夷)는 빛이 어둠에 가려 있는 상이니, 어리석은 六五혼군(昏君☷) 아래에서 정의가 사라지고, 불의가 정의인 양 판을 치는 암울한 세상에 백성이 험난에 처해있음을 의미한다.

明夷(䷣)의 괘상의 내부를 들여다보면 의외의 모습이 들어있다. 바로 호괘가 뇌수해(雷水解䷧)이기 때문이다. 밝음이 침몰하여 나아갈 길이 보이지 않는 암울한 세상인데 그 안에는 의외로 해결의 열쇠(解)가 들어 있는 것이다.

밝음이 땅 속에 갇힌 듯 암흑 같은 어두운 불의(不義)의 시대를 맞이하니, 어려운 때일수록 바르게 함이 이롭다(利艱貞). 어리석은 六五혼군(昏君)이 천하를 불의로 채우고 백성은 도탄에 빠지니, 六二대인(大人)은 자신을 감추고 낮춤으로서 오히려 어려움을 감내하며 바름을 지킨다. 밝음이 땅속으로 들어가 있어 밝은 빛을 발휘하지 못하니 스스로 빛을 감추는 그믐의 지혜로써 자신을 숨기는 것이다(晦其明也/단사). 六二는 음으로서 자리가 바르고 中正하니, 그믐처럼 자신을 드러내지 않고 낮춤으로서 오히려 주변을 밝게 하는 대인이다.

(5) 기미(己未)

己土는 양기를 가득담은 열매를 받아드려 삭힘으로써 알갱이와 쭉정이를 분별하여 순수한 양기(씨앗)를 골라 숙살지기 가을 금기에 수렴하게 하는 중재자 역할을 한다. 己土는 양기를 완전히 포장하여 숙성시키는 뜨거운 기운으로 양기가 담긴 열매☳를 삭힘으로써 쭉쟁이와 알갱이를 구별하는 작용을 하는 것이다.

미(未)는 나무가 양기의 제공을 점차 끊음으로써 열매를 땅에 떨어트려 결실을 준비하는 뜨거운 여름의 막바지에 해당된다. 미(未)는 지장간에 乙木을 최종적으로 입고(入庫)시켜 건도양기(乾道陽氣)를 마무리 짓는 시기이다. 문왕8괘도에서 미(未)는 곤토(坤土☷)의 자리로서, 금화상쟁(金火相爭)의 기운을 상생으로 전환하여 가을의 金氣로 넘어갈 수 있도록 금화교역(金火交易)을 중재하는 중화적 성정이 있다(火生土≫土生金).

未는 己土의 관대(冠帶)지이다. 관대는 12벽괘(12개월순환도)의 택천쾌(澤天夬䷪)에 해당되어 양기가 +62로서 최대인 중천건(重天乾䷀)의 +63에 비견되는 강왕한 기운이다. 열매(양기)를 숙성시켜 알갱이와 쭉정이의 구별을 마무리 짓는 己土의 기운이 열매(양기)를 포장하여 숙성을 마무리하는 미(未)의 때를 만난 상이니, 己土의 기질이 마음껏 발휘된다.

乾道시대의 양기를 품어 숙성시키는 기운으로 인하여 내 것으로 만들려는 물질적 욕망과 坤道시대로의 우주적 전환기에 서있는 중화적 기운으로서의 시대적 사명감, 이상향에 대한 갈구(渴求)가 있다. 곡식(열매)이 익어가는 늦여름의 풍요로운 들판의 상으로 온순하면서도 사회적인 활동성이 뛰어나다.

▷괘상의 이해

地☷(中)　(己土)

地☷(中)　(未土)

坤

坤 元亨利牝馬之貞 君子有攸往 先迷後得主利

곤 원형이빈마지정 군자유유왕 선미후득주리

西南得朋 東北喪朋 安貞吉

서남득붕 동북상붕 안정길

坤은 元하고 亨하며 利하니, 牝馬(암말)의 바름(貞)이로다. 군자는 나아가는 바가 있으니 앞서면 미혹되고 뒤따르면 얻으리니 만물의 利를 주관한다. 西南은 벗을 얻고, 東北은 벗을 잃으니 안정되고 길하리라.

하늘의 지기(至氣)를 받아 만물을 품는 중지곤(重地坤☷)괘도 중천건(重天乾☰)괘와 마찬가지로 원형이정(元亨利貞)의 사덕(四德)을 갖추고 있다. 건(乾)은 양의 도로서 공간(體)을 의미하며 강건함으로 모든 만물을 살아 움직이게 하는 생명지기(理)가 된다(萬物資始). 곤(坤)은 음의 도로서 생명지기를 받아 만물의 형상을 만드는 기(氣)가 되며, 공간을 채우는 질료(用)를 의미한다(萬物資生). 질료(氣)는 리(理)를 바탕으로 시간이 흐르면서 형상을 만들어내니 또한 시(時)가 된다. 시공(時空)이란 천지의 또 다른 이름이다.

　곤은 건이 돌리는 원형이정의 도를 따라 춘하추동 사시를 돌며 생장수장의 이치를 펼쳐낸다. 음이 생육하는 천지만물은 양이 주관하는 천도(陽)를 따라 생장성쇠를 반복하며 순환하는 것이니, 곤(坤)은 천도에 순응하는 순응지도를 지덕(地德)으로 한다. 이것을 빈마지정(牝馬之貞)이라 하여 유순하지만 곧은 암말의 바른 덕으로 상징하여 비유한다. 군자의 나아갈 바가 있으니, 이는 바로 수말(陽)을 따르는 암말(陰)의 유순함을 이정(利貞)으로 하는 빈마지정처럼 천리에 순응하며 나아가는 군자지도(君子之道)를 말한다(君子有攸往). 곤괘의 성질은 빈마지정의 의미 속에 함유되어 있다. 그러므로 강건하고 바른 수말을 따르는 유순하고 순종적인 암말의 성정처럼 앞장서서 나서지 않고 뒤따르면, 봄에 뿌려 놓은 씨앗을 가을에 만물의 이로움으로 수렴하듯 이(利)를 주장하여 얻게 된다. 봄과 여름에 생장(生長)하는 乾☰陽의 생명지기(元亨)를 8괘의 서남방에 위치한 坤☷陰이 방정(方正)함으로 품어줌으로써 가을과 겨울에 염장(斂藏)하는 坤道(陰)의 利貞을 주관하여 주는 것이다(先迷後得主利).

건양(乾陽)이 먼저 봄, 여름(선천)에 씨앗을 뿌리고 키우며(生長), 음(坤)이 나중에 가을과 겨울(후천)의 이로움(利)을 주관하여 정(貞)으로써 저장하고, 그 지혜(智)를 후세를 위해 전하니(斂藏), 이는 천지가 순환하는 원형이정(元亨利貞)의 질서를 말함이다.

음이 주관하기 시작하는 서남(西南)은 坤☷괘가 있고, 유순(柔順)한 지세(地勢)에 음의 무리(巽☴, 離☲, 坤☷, 兌☱)가 모여 있으니 벗과 더불어 행함을 뜻한다(西南得朋 乃與類行). 동북(東北)은 艮☶괘가 있고 험한 지세에 양의 무리(震☳, 艮☶, 坎☵, 乾☰)가 있으니, 이는 음이 음의 벗을 잃었음을 비유한다. 동북에서 음의 벗을 잃었으나 동시에 양의 벗을 얻은 격이다.

艮山☶의 삼효는 하늘에서 양이 내려와 坤土☷를 터치하는 모습이니, 곤(坤)의 도가 다하고 건(乾)의 도가 시작된다는 의미이다. 艮土☶는 종시(終始)의 뜻이 있으니, 음의 시대(坤道)를 마무리 짓는 동시에 양의 시대(乾道)가 시작되었음을 알리는 것이다(東北喪朋 乃終有慶). 그러므로 西南에서 벗을 얻고 東北에서는 벗을 잃음은 만물이 원형이정의 도를 바탕으로 춘하추동 사시를 따라 순환하는 생장수장의 이치를 말하는 것이니, 안정되고 바르며 길하리라(西南得朋 東北喪朋 安貞吉).

(6) 기유(己酉)

己土는 양기를 가득담은 열매를 받아드려 삭힘으로써 알갱이와 쭉정이를 분별하여 순수한 양기(씨앗)를 골라 숙살지기 가을 금기에 수렴하게 하는 중재자 역할을 한다.

己土는 양기를 완전히 포장하여 숙성시킴으로써 알갱이와 쭉정이의 분리작용을 하는 뜨거운 기운이고, 酉는 庚金═이 수렴한 양기를 바르고 순순한 정수만으로 응축하여 결실을 마무리진 때로서 건(乾)═(生氣)의 상이 된다. 그러므로 己酉는 乾道시대의 양기를 모아 숙성 작용하는 뜨거운 己土가 양기를 수렴 응축하여 결실을 마무리 짓는 선선한 가을을 만난 상이다.

酉는 己土의 장생(長生)지이다. 己土의 작용은 양이 주도하는 乾道의 양기를 숙성 분별하여 후천의 金氣로 넘겨줌으로써 음이 주도하는 坤道의 시대로 전환하여 새로운 상생의 세상을 만들려는 목적이 있다. 그러므로 酉는 己土가 새로운 시작을 위해 품은 생명의 씨앗(═辛金)을 의미한다. 전환의 발상, 혁명적 사고, 창조적 발상, 미래적이고 진보적인 성향이 뛰어나다. 酉의 지장간 정기가 辛이니 己酉는 열정적이지만 냉철한 성정의 소유자이기도 하다.

▷괘상의 이해

　地☷(中)　　　(己土)

　天☰(生氣)　　(酉金)

　　泰

泰 小往大來 吉亨
태 소왕대래 길형

태는 작은 것이 가고 큰 것이 옴이니 길하고 형통하리라.

땅 속에 떨어진 乾道의 열매가 숙성됨으로써 순수한 양기를 분별하여
알갱이만을 압축해 놓은 것이 酉金☰이다. 酉金은 乾道양기가 수렴되어
다음 세대의 순환을 위하여 모아 놓은 생명의 씨앗이니 새로운 세상의
시작을 위한 축적을 의미한다.

 시간은 아래에서 시작하여 위로 흘러 나간다. 상효는 아래로 내려와 다
시 시작한다. 태는 작은 것(☷陰)이 가고, 큰 것(☰陽)이 오는 상이나, 작
은 것이란 소인(小人)의 상이요, 큰 것이란 대인(大人)의 상이다. 그러므
로 음☷이 가서 밖에 거하고, 양☰이 와서 안에 거하니 모든 것이 정상
적이고 안정된 태(泰)의 상이 된다.

 음(陰)과 양(陽)이 서로 자리를 바꾸어 앉았으니, 음☷은 아래로 향하
고 양☰은 위로 향하여 서로 만나 어우러지며 작용을 일으킨다. 음과 양
이 서로 부딪히는 힘이 극에 달한 상태로 천지창조가 시작되는 빅뱅
(BIGBANG), 즉 하나(一)가 시작되는 일시(一始)의 순간이다. 음양은 서로
만나야 작용을 일으킨다.

 삼라만상 모든 생명은 음양으로 서로 통(通)하고 교제하며, 상생(相生)
과 상극(相剋)작용으로 진화 발전해 나가며 만왕만래(萬往萬來)하며 순환
한다. 乾☰은 생명의 근원이며 생명지기로서 만물에 生氣를 부여하고,
坤☷은 모태(母胎)로서 생명의 바탕이 된다. 건(乾)괘의 단사에서는 이것
을 '건(乾)이 만물에 양기를 부여하여 생명을 시작하게 하니 만물자시(萬

物資始)다'라 하였고, 곤(坤)괘의 단사에서는 '곤(坤)은 乾의 양기를 받아 만물을 生하여 형상(形象)을 만드니 만물자생(萬物資生)이다'라고 하였다.

20.5.13. 경금(庚金)

兌澤☱金

庚金은 음이 주도하는 坤道의 시작으로서, 土氣가 숙성시켜 넘겨준 양기중에서 쭉쟁이는 버리고 알갱이를 수렴하여 본격적으로 응축을 시작하는 기운이다. 씨앗을 남기고 껍질은 분리하여 불필요한 요소들은 의로운 기운으로 숙살시켜 버리므로 숙살지기(肅殺之氣)라 하며, 오상(五常) 중에 의(義)에 해당된다. 庚金은 兌金☱의 상으로 음이 양을 수렴하고 있는 모습이다.

(1) 경자(庚子)

庚金은 양기를 본격적으로 수렴하여 응축하기 시작하는 기운이다. 자(子)는 완전하게 응축된 양기를 저장하고 있는 때로서 엄동설한의 동절기인 동지(冬至)에 해당된다. 그러므로 경자(庚子)는 土氣로부터 넘겨받은 숙성된 양기를 수렴을 시작하는 庚金의 작용이 강한 음기로 양기를 응축 저장하고 있는 추운 한겨울을 만난 상이다.

子는 庚金의 사지(死地)이니, 子水의 강한 음기로 인해 庚金의 수렴작용이 설기되어 힘을 잃는다. 子의 지장간이 壬癸로 庚金의 수렴작용이 子水에 의해 설기(泄氣)되어 기운을 잃으니 매사 활력이 저하된다. 쭉정이와 알갱이를 가리는 추상같은 의(義)로움이 저항세력에 의해 방해받는 상이다. 그러나 응축하여 씨앗으로 저장하는 것이 庚子의 상이니 이루고자 하는 뜻은 강하다.

澤☰(못)　　(庚金)

水☵(물)　　(子水)

困

困 亨 貞大人吉 无咎 有言不信
곤 형 정대인길 무구 유언불신

곤(困)은 형통하다. 올곧은 대인이라야 길하고 무탈하리라. 말(言)이 있으나
믿음을 얻지 못하리라.

곤(困)은 못☱에 물☵이 메말라 버린 곤궁(困窮)에 처한 상태를 말한다.
외호괘 風☴과 내괘 水☵는 풍수환(風水渙)으로 물이 말라 사라지는 상
이다. 또한 못☱은 구(口)의 뜻이 있으니 곤(困)은 틀(口)안에 갇혀 곤궁
(困窮)에 처한 木☴(외호괘)의 상이 된다. 외호괘 巽木☴이 내괘의 坎水
☵를 얻었으나 내호괘 離火☲가 말려버리니 역시 곤(困)의 뜻이다 (澤无
水困).

난세(亂世)에는 正道를 걷는 大人이 빛나는 법이니 오히려 세상을 변
화시킬 수 있는 기회가 되어 형통하다. 곤(困)의 때에 大人이 형통함은
곤궁함에도 불구하고 正道(貞)를 가기 때문이요(險以說 困而不失其所亨),
小人은 말만 앞서 신뢰를 받지 못하기 때문이다(有言不信).

九五가 剛健中正하고 九二가 剛中함으로써 곤궁☵(險)한 가운데에서도
기뻐함☱(說열)이니 곤(困)에도 불구하고 형통한 바를 잃지 않는다. 그러
므로 험함(險陷) 속에서도 剛中한 道로써 능히 天命에 순응하는 올곧은
대인이라야 길하고 허물이 없는 것이다.

(2) 경인(庚寅)

庚金은 양기를 본격적으로 수렴하여 응축하기 시작하는 기운이다. 이에 반하여 인(寅)은 양기가 용출하며 본격적으로 생장하기 시작하는 봄으로 입춘(立春)에 해당된다. 그러므로 경인(庚寅)은 양기를 수렴하여 응축을 시작하는 坤道(음)의 시작인 가을의 庚金이 양기를 용출하는 봄의 시작(寅)을 만난 상이다. 결실을 위해 양기를 수렴하는 가을 기운이 생명을 내기 위하여 양기를 용출하는 봄 기운을 만나 힘을 소모하고 있는 상황이다. 庚金은 음기의 도움이 절실한데 양기를 쏟아부어주니 寅은 庚金의 절지(絶地)가 된다. 모든 작용이 멈춰 서고 생명력을 잃은 모습, 추상 같은 숙살지기가 따스한 봄기운을 만나 칼날이 무디어지는 모습이다.

▷괘상의 이해

澤☱(收斂)　　(庚金)

雷☳(動進)　　(寅木)

隨

隨 元亨 利貞 无咎

수 원형 이정 무구

수(隨)는 크게 형통하다. 바르게 함이 이로우니 무탈하리라.

震☳은 動과 進의 뜻으로 못☱ 안에서 나아가지 못하고 있는 상황이다. 아직은 기운이 미약하여 힘을 축적하며 때를 기다리고 있는 모습, 괘상으로 보면 龍(☳木)이 연못(☱金)에 갇혀 있으니 아직은 나설 때가 아니다.

괘상을 보면 初九≡ 양이 크게 움직이며 점차 양기를 쌓아 나가는 모습≡, 나무≡가 자라 양기를 수렴하며 열매≡를 맺어가는 과정이다. 운동선수가 좋은 기록을 내기 위하여 무리하게 약물을 사용하는 것은 오히려 몸을 상하게 하듯이, 자연도 사시(四時)의 때를 순리대로 따라야 한다(天下隨時). 무리하지 않게 안정을 취하며 점진적으로 양기를 축적하는 것이 중요하다.

六二와 九五는 서로 中正한 자리에서 정응(正應)하고 있으니 서로를 따르는 것이고, 괘명은 수(隨)가 된다. 수(隨)는 무조건적인 순종이나 추종을 의미하는 것이 아니라 천지자연의 변화를 자연스럽게 따라가듯이 이치와 도리에 맞는 순리를 따르는 것을 뜻한다. 택뢰수에서는 힘이 미약하여 나아가기가 어려울 때에는 무리하게 힘을 소모하지 말고 순응하여 차라리 그 안에서 힘을 기르며 때를 기리리라 권고한다. 사시도 순리를 따르듯이 때를 따르는 지혜가 필요한 시점이다.

庚金의 기운이 완전히 끊어지는 寅木 절지(絶地)에서도 또 다시 다음 생(生)을 품는 뜻이 있으니 바로 절처봉생(絶處逢生)의 자리이다. 천하를 나는 용도 아직은 잠룡(潛龍)에 불과하니 나설 때가 아니다. 그러므로 못에서 조용히 힘을 기르며 다음 생의 뜻을 품고 나아갈 때를 기다리니 형통한 것이다.

(3) 경진(庚辰)

庚金은 양기를 본격적으로 수렴하여 응축하기 시작하는 기운이고, 辰은 양기의 생장(生長)을 마무리하고 꽃을 피우기 위한 양기의 확산을 준비하는 때이다. 그러므로 庚辰은 양기의 옥석을 가리는 숙살지기 庚金이 양기의 확산을 준비하는 늦봄의 따사로운 기운(辰)을 만나 기세가 누그러지니 庚金의 작용이 약해진다.

진(辰)은 庚金의 양지(養地)이니, 가을의 추상 같은 숙살지기(肅殺之氣)가 따스한 봄날을 맞아 결단, 분리작용이 약해지는 모습이다. 마음과 달리 하고자하는 일은 분위기가 느슨해지니 마음은 조급하다. 辰은 계수(癸水)를 품고있어 꽃을 피우기에 좋은 옥토이지만 장성한 乙木에 이미 열매(庚金)가 달렸으니 제철 맛이 날리 없다. 꽃을 피우기도 전에 열매가 열린 격이니 크게 욕망이 앞선다.

▷괘상의 이해

澤☱(열매)　　　(庚金)

風☴(나무)　　　(辰土)

　　大過

大過棟橈 利有攸往亨
대과동요 이유유왕형

대과는 크게 지나침이니 들보기둥이 휘도다. 나아가는 바가 이롭고 형통하리라.

大過는 큰 것(大)이 지나침을 말하니 大란 4개의 강양(剛陽)을 가리킨다. 4개의 양을 상하 2개의 음이 버티고 있으니 대과동요(大過棟橈)란 과중한 무게를 감당하지 못해 들보가 휘는 것을 뜻한다. 즉, 들보가 휘는 것은 本(밑둥)과 末(끝)이 약하기 때문이니 본(本)은 初六이요, 말(末)은 上六을 뜻하고, 약(弱)하다는 것은 상하 효가 음유(陰柔)함을 이른다(大過大者過也 棟橈本末弱也/단사).

대과(大過)의 때에는 제자리에 머물러 있는 것이 아니라 앞으로 나아가는 것이 형통하다. 변화를 꾀하고 더 나아가 일(功)을 이룰 수 있기 때문이다. 이유유왕(利有攸往)이란 적극적이고 진취적이며, 혼돈의 상황에서도 길을 찾아 나아가는 지혜로운 선택을 의미한다. 대과(大過)는 과욕이 지나쳐 꽃을 피우기도 전에 열매를 단 격이니 지혜롭게 대처하지 못한다면 감당하기 힘든 상황에 처하게 될 것이다.

(4) 경오(庚午)

庚金은 양기를 본격적으로 수렴하여 응축하기 시작하는 기운이다. 午는 양기의 확산이 극에 달한 때로서 열매가 크게 달린 한 여름이다. 午는 12운성으로 보면 음이 처음으로 하나가 생하는 때이니(≡+31), 극에 달한 양기를 저지하여 열매에 모으는 때로서 열매가 최고로 커지는 시기이다. 그러므로 庚午는 양기를 수렴하기 시작하는 庚金이, 양기를 열매에 담아 크게 키우는 한여름의 뜨거운 기운을 만난 상이다.

午는 庚金의 목욕(沐浴)지이니, 庚金의 서늘한 수렴작용이 뜨거운 여름 火氣를 만나는 것이므로 숙살작용은 원활하지 못하다. 그러나 午는 확산하는 양기를 열매에 모으기 위하여 음이 하나 생기는 때이니, 庚午는 火에서 金으로의 새로운 변화를 꿈꾸는 금화교역(金火交易)의 상이 된다. 庚午는 용광로 속에서 펄펄 끓고 있는 원석의 상이니, 원석은 참고 기다리면서 새로운 모습으로의 변신을 꿈꾸는 성정을 지닌 자가 된다.

▷괘상의 이해

澤☱ (수렴)　　(庚金)

火☲ (열매)　　(午火)

革

革 己日乃孚 元亨利貞 悔亡
혁 이일내부 원형이정 회망

때가 되어 혁(革)의 기운(日)이 충만하니 믿음(孚)이 뒤따른다. 크게 형통하고 바름이 이로우니 悔가 없으리로다.

혁(革)괘는 火☲가 澤☱안에 갇혀 있는 상으로 점차 현상에서 탈피하고자 하는 압력이 작용하게 되고 장차는 때를 기다려 밖으로 나오게 되는 모습을 보여준다. 계절로 보면 여름의 火☲기운이 가을의 金☱기운으로 전환되는 시기로서, 여름에 발산된 기운이 절정에 달하면서 안으로 수렴하는 변혁의 시기이다. 여름☲의 기운에 의해 무성하던 열매가 숙성되면서 불필요한 것들이 정리되고 가을☱에 결과물을 수확하게 된다.

이일(己日)이란 바다☱ 아래에서 해☲(日)가 이미 기운을 축적하고 무르익어 밖으로 나갈 준비가 되었음을 뜻한다. 즉, 이일(己日)은 바다☱ 밑에 떨어진 해☲(日)가 밤새 기운을 충만하게 축적하였음을 의미하고, 내부(乃孚)란 이에 바다 위로 떠오를 믿음이 갖추어 졌음을 말한다. 혁(革)의 기운이 이미 충만하고, 또한 그 혁(革)에 대한 믿음이 뒷받침되고 있는 것이다. 離☲는 해(日)가 되고 믿음(孚)의 뜻이 있다. 또한 兌☱는 서쪽(西), 저녁(夕)의 뜻이 있으니 하루를 그치고 저녁에 서쪽으로 기울어진 해☲(日)가 밤새 동안 기운을 축적하고 다시 아침에 떠오를 준비(믿음)가 충만하게 되었음을 의미한다.

혁(革)이란 인사적(人事的)으로 보면 기존의 것을 무시하고 아예 없애는 것이 아니라 때를 보아 합법적인 절차를 밟아가며 점차적으로 정치나 사회의 묵은 체제를 고쳐 새롭게 만들어 나가는 개혁(改革)을 뜻한다. 그러므로 때가 무르익어 믿음과 인심을 얻은 혁(革)이 크게 형통하고 바르며 이로움이 있는 것이니 회(悔)가 사라지리라(元亨利貞 悔亡).

(5) 경신(庚申)

庚金은 양기를 본격적으로 수렴하여 응축하기 시작하는 기운이고, 신(申)은 土氣가 숙성시킨 열매(양기)를 수렴하여 응축하기 시작하는 때로서 초가을의 숙살지기가 작동하기 시작하는 시기이다. 그러므로 양기를 수렴하여 응축하기 시작하는 庚金이 숙살지기가 작용을 시작하는 초가을 입추(立秋)를 만난 격이니 관리가 적임지에 부임하여 자기의 뜻을 펼치는 것으로 비유된다. 신(申)은 가을의 숙살지기가 알갱이와 쭉정이를 선별하여 수렴을 시작하는 때이니, 의로움으로써 알갱이(씨앗)를 선별하여 수렴한다. 옳고 그름을 단호히 구별하고, 마음먹은 바를 과감하게 결단한다.

申은 庚金의 건록(建祿)지로서, 음이 주도하는 후천상생의 시작이니 낡은 것은 과감히 버리고 새로운 것을 추구하며 저돌적으로 밀고 나아가는 힘이 강왕하다.

▷괘상의 이해

澤☱(收斂)　　(庚金)

澤☱(收斂)　　(申金)

兌

兌 亨 利貞

태 형 이정

태는 형통하니 바름이 이롭다.

兌☰는 문왕팔괘도에서 연못(澤)을 상징하며, 만물의 이로움(利)을 수렴(收斂)하는 서방(西方)을 뜻한다. 만물이 생장, 분열하는 乾道(양)에서 坤土☷의 중재로 수렴, 통일하는 坤道(음)로 바뀌는 지점이다. 연못을 상징하는 택(澤☱)으로서 三爻(음)가 입(구멍)을 상징하며, 연못에 물이 모이는 뜻이 있고, 坤土가 숙성시킨 열매를 의(義)로써 알갱이와 쭉정이를 가려 이로움(利)을 수렴하니, 곡식을 추수하는 가을(秋)의 숙살지기의 기운이 있다.

澤☱는 의로움(義)으로써 알갱이를 수렴하여 올바른 씨앗을 다음 세대를 위하여 저장하게 하여야 하니 貞(正)해야 이롭다. 그러므로 가을의 숙살지기는 추상 같은 의로움(義)으로 공정하게 행해져야 진정한 이로움(利)이 되는 것이고, 수렴된 씨앗이 바르게 저장(貞)되는 겨울의 지혜(智)가 된다.

春	夏	秋	冬
元	亨	利	貞
仁	禮	義	智

태(兌)☱(說열)는 기쁨으로 하늘에 순응(順應)하며, 하늘의 양기를 가득 받아드려 형통한 상이니, 만물(人)을 이롭고 바르게 한다. 양기를 가득 담은 연못의 상으로 기쁨을 상징한다. 못은 바르지 못하면 조절하기 어려워 균형을 이루지 못하므로 물의 양을 절제하기가 쉽지 않다. 적절한 수량을 조절하지 못하면 주변의 생명에게 피해를 주게 되니 못☱은 정정(貞正)해야 이롭다. 설괘전에 이르길 '만물을 기쁘게 함은 못 만한 것이 없다(說萬物者 莫說乎澤)'고 했다.

(6) 경술(庚戌)

庚金은 土氣가 숙성하여 넘겨준 양기를 본격적으로 수렴하여 응축하기 시작하는 기운이다. 戌은 金氣☰가 수렴 응축한 양기를 완전히 마무리 지어 水氣☵에게 넘겨주기 위한 본격적인 작업을 하는 늦가을에 해당된다. 술(戌)은 丁火의 묘고(墓庫)로서 마지막 남은 역할로 선별된 양기를 응축하는 마무리 작업에 참여한다. 이 작업은 순수하고 올바른 양기(씨앗☰)만을 선별하여 응축하는 것으로서 정신적이고 종교적인 특성을 가진다. 과욕이 들어가 불순한 양기까지 응축한다면 다음 생의 순환에 참여하는 씨앗이 되지 못한다. 유(酉)에서 응축된 순수한 양기의 기운(重天乾☰)을 녹임으로써 해궁(亥)에서 음기(重地坤☷)에 스며들게 하는 것이다 (☵).

戌은 庚金의 쇠지(衰地)이다. 庚金의 숙살지기는 기세가 약해졌지만 늦가을을 맞이하여 강왕한 겨울 기운인 水氣☵에게 양기를 넘겨주기 위한 숙달되고 노련한 작용력은 여전히 남아 있다. 겉은 거칠고 차갑지만 속은 따스한 성정을 가졌으며, 주변의 인맥을 활용하여 일을 추진하는 카리스마 적인 성질이 있다.

▷괘상의 이해

澤☱(收斂)　　(庚金)

天☰(生氣)　　(戌土)

夬

夬 揚于王庭 孚號有厲 告自邑 不利卽戎 利有攸往

쾌 양우왕정 부호유려 고자읍 불리즉융 이유유왕

쾌, 왕에 뜰에서 기세를 드날리다. 믿음을 호소하나 위태로움이 있으리라. 읍으로부터 고(告)함이 있으나 군사를 일으키는 것은 이로움이 없다. 나아가는 것이 이로우리라.

쾌(夬☱)는 가을의 숙살지기 庚金☱이 양기를 수렴하여 순수하고 올바른 정수☰만을 응축하여 가득 담아 놓은 모습이다. 괘상은 과욕이 지나치면 아니함만 못하다는 것을 가르친다. 연못☱이 욕심이 지나쳐 하늘☰을 몽땅 담아버렸으니 넘쳐흐르다 못해 둑이 터질 지경이다. 못☱은 하늘☰을 담고자 하는 작은 그릇에 불과하니 어찌 하늘☰을 몽땅 담을 수 있을 것인가? 소인(上六)의 과욕이 일을 그르치니 군자는 대의(大義)를 위해 결판(決判)을 내야 하는 때이다. 쾌(夬)는 上六소인이 다섯개의 양효로 상징되는 대인군자를 올라타고 앉아 능멸하며 과욕을 부리는 것으로 설명한다.

양우왕정(揚于王庭)은 유(柔)가 다섯 강(剛)을 올라타는 것을 의미한다 (揚于王庭 柔乘五剛也). 柔☱가 다섯 剛☰을 올라타고 기세를 드날리는 것은 陰柔한 上六소인이 다섯 군자를 타고 능멸함을 말하는 것이니, 환관(上六)이 왕(九五)을 올라타고 앉아 왕의 문전에 서서 왕의 기세로 천하 백성을 호령하는 참담한 모습을 뜻한다.

부호유려(孚號有厲)는 대의명분을 백성에게 부르짖는 것이다. 그러나 믿음을 호소한다고 해서 上六이 왕(九五)이 될 수는 없다. 매국노나 역적 간신들도 항상 백성을 위하여 정치를 한다고 여론에 호소한다.

九五인군은 中正하나 上六에 눌려 있고, 또한 하괘 九二와는 서로 상응(相應)하지 않으니 왕의 명에 따라 군사(☰백성)가 일어나지 않는다. 九五는 양강하나 강함이 오히려 독선이 되고, 그 독선은 스스로 자신의 눈과 귀를 가리게 되니, 백성의 리더인 九二와도 상응(相應)하지 않고,

이에 백성이 따르지 않으니 십상서 같은 소인배들이 득세하게 되는 것이다.

上六을 결단(決斷)하도록 백성들로부터 무수한 부르짖음이 있으나(告自邑), 上六이 왕정(王庭)을 장악한 상황에서 군사≡를 일으키는 것은 모두를 상하게 하니 이롭지 않다(不利卽戎). 그러나 어찌하든 결단을 내려 상육(上六)을 척결해 나아가야 나라와 백성이 안정될 수가 있는 것이니 모두에게 이로운 것이다(利有攸往).

쾌(夬)는 결단(決斷)이니, 양강(陽剛)≡이 음유(陰柔)≡≡를 결판(決判)내는 것이다. 왕(九五)의 앞마당에서 왕의 눈과 귀를 틀어막고 왕을 올라타고 앉아 왕 노릇하는 십상시≡≡(上六)를 결판내는 것이다. 택천쾌는 上六 소인이 다섯 군자를 올라타고 앉아 호령하는 모습을 결단내야 할 과욕으로 풀이한다.

그러므로 마지막 남은 불순물인 上六(음)을 마침내 丁火가 녹여 정리함으로써 순수한 순금(純金≡≡)을 亥宮에 넘겨 생명의 씨앗(戊甲壬)으로 저장할 수 있도록 하는 것이다.

20.5.14. 신금(辛金)

乾天☰金

신금(辛金)은 庚金이 시작한 수렴을 완성하는 기운이다. 괘상으로 건금(乾金☰)에 해당되는데 이는 庚金이 수렴하여 응축해 놓은 순수한 양기로서 생기(生氣)를 의미한다. 다음 세대의 순환을 위한 생명의 씨앗(生氣)으로 수기(水氣☵)에 의해 저장된다. 乾☰은 하늘이고 생명이며, 만물의 근원이니 맑고 순수하며, 또한 차갑고 냉철하다. 辛金은 불순물이 없는 순수한 양기의 응축된 모습으로 맑고 순수한 영혼이다. 섬세하고 정밀하며, 옳고 그름이 분명한 성격이다.

(1) 신해(辛亥)

辛金은 庚金이 시작한 양기의 수렴작용을 완성하는 기운으로 乾金☰에 해당된다. 亥는 수렴된 양기가 음기로 가득한 水氣에 의해 응축과정을 거치며 생명의 씨앗으로 저장되기 시작하는 겨울의 초입이다. 그러므로 辛亥는 수렴작용을 완성한 순수한 양기인 辛金☰이, 음기로써 양기를 포장하여 저장하고 보관작용을 시작하는 초겨울의 水氣☵를 만난 상이다.

亥는 辛金의 목욕(沐浴)지가 된다. 그러므로 수렴된 양기(辛金)가 亥水에 몸을 씻는 격이니 새로운 변신을 시도하는 상이 된다. 변신에 능하고 변화에 빠르게 적응하며 머리 회전이 빠르다.

▷괘상의 이해

天☰(하늘)　　(辛金)

水☵(구름)　　(亥水)

訟

訟 有孚窒惕 中吉終凶 利見大人 不利涉大川

송 유부질척 중길정길 이견대인 불이섭대천

송(訟)은 이기리라는 믿음으로 두려움을 막아서는 것이로다. (大義가 없는 송사는 끝내 이길 수 없음이니) 中道에는 길하나, 고집을 부려 끝까지 밀어 부친다면 끝내는 흉함을 면치 못하리라.

乾☰은 우주에 가득한 대양大陽으로 강건剛健하고 정의롭고 바르며 모든 생명의 바탕이 되는 지기至氣이다. 九五는 양의 자리에 양으로 와 자리가 바른 존위(尊位), 九五大人으로서 강건중정剛健中正하며, 九二(☵)는 음의 자리에 양으로 와서 자리가 바르지 않은 양강陽剛함으로 아래에서 바름☰을 가리고 왜곡하며 비겁하게 시비를 거는 소인의 상이다. 부정(不正)한 九二小人이 중정(中正)한 九五大人에게 시비를 거나 강건중정(剛健中正)한 구오대인은 미동도 하지 않는다. 감수(坎水)☵는 안개처럼 흐리고 험함을 뜻하니 하늘☰의 맑음을 가리며 쟁송爭訟을 하는 상이다.

건乾☰의 강건剛健함과 맑고 밝음으로 천하를 비추니 어둠☵(險)이 물러가고 안개☵가 걷히며, 물☵은 증발되고, 비☵는 대지에 내려 더러움을 씻어준다. 하늘☰ 아래 떠있는 구름☵이 사라지니 문제가 해결되는 것이다.

맑은 양기가 응축된 건금(辛)이 수기에 바르게 저장되어야 다음 생의 순환이 이루어진다. 신해(辛亥)는 만물이 선별한 씨앗을 저장하기 시작하는

130　　　20. 주역 64괘로 보는 육십갑자 일주론

시점이고, 우주가 휴식기에 들어가기 위하여 응축된 양기를 저장하기 시작하는 때이다. 이 시점은 인사적으로나 우주의 순환과정에서 볼 때 굉장히 중요하므로 정신적으로나 환경적으로 많은 난관에 부딪힐 수 있다. 종교적으로는 이단논쟁 등 방해공작이 일어날 수 있고, 정신적으로 많은 갈등이 유발될 수가 있다. 중도에 많은 어려움이 있을 수 있으나 순리를 따른다면 밝은 태양 아래 구름이 걷히듯 해결될 것이다. 또한 길을 찾는 자에게는 대인이 나타날 것이니 길을 알려주리라.

　지구가 만물을 쉬게 하는 것은 다음 생의 순환을 준비하기 위함이다. 그런데 자연의 순리인 휴식을 준비하는 시기에 이를 맞서 대적하는 것처럼 어리석은 일은 없다. 사이비 교주가 나타나 감언이설(甘言利說)을 한다 한들 당장은 그럴 듯해 보여도 순리를 거스를 수는 없다. 이는 어두움☵이 하늘☰을 가로 막고 서서 시비를 거는 상이니 승산이 없는 싸움이다. 명분과 논리 없이 억지를 끝까지 밀어 부친다면 이익은 없고 흉할 뿐이다. 九五 中正大人(☰)이 九二 陽剛小人(☵)의 시비를 꾸짖으니 하늘☰을 가리던 먹구름☵이 걷히듯, 마침내 쟁송(爭訟)이 끝나니 九二의 모습은 끝내 흉해지리라.

　(2) 신축(辛丑)

　辛金은 庚金이 시작한 양기의 수렴작용을 완성하는 기운으로 순수한 양기의 정수(精髓)를 의미한다. 축(丑)은 응축 저장되어 있던 양기가 밖으로 나갈 준비를 하고 있는 겨울의 막바지로서 아직은 얼어붙은 땅 속이고 어둠이 덮여 있는 상태이지만 씨앗이 나갈 수 있도록 조금씩 물기를 머금으며 물러지고 있는 때이다. 그러므로 辛丑은 水氣에 저장을 준비하는 응축된 辛金☰이, 물기를 머금으며 조금씩 물러지고 있는 땅 밖으로 솟구쳐 나가기 위해 용출을 준비하는 때를 만나 상이다.

丑은 辛金의 양지(養地)가 된다. 水氣에 저장하기 위하여 응축된 辛金이, 水氣에서 용출을 준비하는 계절을 만났으니 크게 도움이 되지 않는 상황으로 辛金의 역량은 제대로 발휘되기 어렵다. 그러나 丑에는 辛金이 암장되어 있으므로 해내고자 하는 뜻이 강하다. 丑에 암장된 辛金은 땅속에서 반쯤 모습을 드러낸 잘 가공된 보석(생명)의 상으로 아직은 보석으로서 귀한 가치를 제대로 인정받지 못하고 있는 상태이지만, 寅에서 생장하는 甲木을 타고 올라가 꽃을 피우고 열매를 맺을 근본이다.

▷괘상의 이해

天☰(하늘)　　(辛金)
山☶(언덕)　　(丑土)
遯

遯 亨 小利貞
돈 형 소리정

돈은 형통하다. 바름의 이로움이 작도다.

대인이 때를 기다리며 은둔하고 있는 상으로서, 천하에 나아가고자 하는 큰 뜻을 가슴에 품고 있으나 아직은 자신의 가치를 알아주는 세상을 만나지 못하고 있다. 천하를 낚기 위하여 낚시를 드리우며 때를 기다리니 돈(遯)은 형통하다. 도피가 아니라 때를 기다리며 은둔을 선택한 것이니 형통한 것이다. 천하를 낚기 위하여 때를 기다리며 낚시를 드리우고 있는 강태공, 아직은 세상에 나서지 않았으니 은둔은 최선이 아니라 차선이다. 그러므로 군자의 은둔은 利貞이 아니라 小利貞이 된다.

艮☶(六二中正)이 은둔하면서도 천하의 큰 뜻(乾☰九五中正)과 통하고 있으니 천하를 낚기 위하여 때를 기다리며 낚시대를 드리우고 있는 강태공의 모습, 때가 되면 천하로 나가 대인의 뜻을 펼치리라.

(3) 신묘(辛卯)

辛金은 庚金이 시작한 양기의 수렴작용을 완성하는 서늘한 가을 기운이고, 卯는 생장하는 양기가 극에 달한 장성한 나무의 상으로 만물이 활기차게 생장하는 완연한 봄에 해당된다. 신묘(辛卯)는 양기의 수렴작용을 마무리한 辛金☰이, 양기를 생장시키는 봄☴의 절정을 만났으니 기운이 서로 어긋나 辛金의 수렴작용이 이루어지지 않는다.

卯는 辛金의 절지(絶地)이다. 양기를 응축하는 가을의 날카롭고 예민한 辛金☰이 봄의 따스하고 왕성한 기운☴을 올라탔으니 辛金의 칼날이 힘을 잃고 무디어진다. 辛金의 기세가 기운을 잃었으니 우유부단하다.

▷괘상의 이해

天☰(冷金)　　(辛金)
風☴(溫風)　　(卯木)
　姤

姤 女壯 勿用取女
구 여장 물용취녀

구는 여인의 드셈이다. 그런 여인을 취하여 쓰지 마라.

한 개의 작은 힘에 불과한 음(初六)이 마치 대단한 힘이 있는 것처럼 고집과 횡포를 부리며 다섯 개의 양을 붙잡고 늘어지는 것은 잘 달리고 있는 말을 쓸데없이 잡아당기고 훼방을 놓는 것과 같으니 미꾸라지 한 마리가 온 연못을 자기집인양 휘젓고 다니는 모습이다. 이때 다섯 개의 양은 강건(剛健)의 道로써 바르게 初六☴(女壯)을 묶어 두어야 한다.

바람☴이 하늘☰로 올라가면서 양의 활동을 극대화하지만 초육이 꼭 잡고 놓아주질 않는다. 본 괘사는 初六을 여인☴(長女)의 고집과 강팍함으로 비유한다.

(4) 신사(辛巳)

辛金은 庚金이 시작한 양기의 수렴작용이 완성되는 서늘한 가을기운을 말하고, 사(巳)는 확장 분열하는 양기의 중심을 잡아 꽃을 피우며 열매를 생하기 시작하는 때로서 여름이 본격적으로 시작되는 입하(立夏)이며, 양기가 최고의 절정을 이루는 시기이다. 그러므로 辛巳는 수렴작용이 완성되어 양기의 알갱이를 응축한 辛金이 본격적으로 양기의 확산이 시작되는 뜨거운 여름을 만난 상이다.

巳는 辛金의 사지(死地)이다. 서늘한 가을 辛金의 응축작용이, 뜨거운 양기가 확산되는 한여름의 때를 만났으니 辛金의 날카로운 숙살지기 칼날은 무디어지고, 결단 분리작용이 누그러진다. 겉은 냉정하고 날카로운 것 같지만 속은 부드럽고 온유하며 뜨거운 열정이 있다.

▷괘상의 이해

天☰(하늘)　(辛金)
火☲(군자)　(巳火)
同人

同人于野 亨 利涉大川 利君子貞
동인우야 형 이섭대천 이군자정

거친 광야(曠野)에서 동지(同志)들과 뜻을 함께 하니 형통하다. 대천(大川)을 건너는 것이 이로우니, 지도자(군자)는 바름으로 이끌어야 이롭다.

모세(六二☷)가 광야에서 하느님(九五☰)의 부름을 받아 무리를 이끌고 뜨겁고 거친 사막을 건너 40년 만에 가나안 땅에 입성하는 모습이다(同人于野 亨 利涉大川). 사막☰처럼 뜨겁고 거친 환경에서는 나 홀로 생존하는 것은 불가능에 가깝다. 그러므로 거친 광야(들)에서는 대의명분이 뚜렷하고 바른 대인☰의 인도에 따라 뜻을 함께하는 동지(同志)들이 무리를 지어 협력하며 나아가는 것이 생존할 수 있는 올바른 길이다. 대인은 천명을 받아 명분이 올바로 서야 무리가 뜻을 같이하여 따를 것이며(利君子貞), 동지들이 뜻을 함께 한다면 아무리 거친 들도 함께 건너갈 수 있다(利涉大川).

유순중정(柔順中正)한 六二(柔)는 강건중정(剛健中正)한 九五(乾)와 정응하면서 광야에서 무리를 대동(大同)시키며 하나로 이끄는 자로서 무리를 이끌고 광야를 건넌다. 광야에서 무리를 대동(大同)으로 이끄는 지도자는 군자라야 하며 그 뜻이 옳고 바라야 한다. 그러므로 소인이 함부로 나설 자리가 아니다.

(5) 신미(辛未)

辛金은 庚金이 수렴을 시작한 응축된 양기의 정수(精髓☰)이다. 미(未)는 나무가 양기의 제공을 점차 끊음으로써 열매를 땅에 떨어트려 결실을 준비하는 뜨거운 여름의 막바지 환경에 해당된다. 그러므로 辛未는 서늘한 가을 기운에 의해 수렴 응축된 양기의 정수인 辛金이, 양기를 숙성시키는 막바지 여름의 열기가 뜨거운 未土를 만난 상이다. 辛金은 수렴 응축된 양기의 정수로서 다음 세대를 위한 씨앗으로 거칠고 건조한 땅에 떨어졌으니 뿌리를 내리지 못한다.

未는 辛金의 쇠지(衰地)이다. 서늘한 숙살 기운인 辛金이 뜨거운 환경인 未土를 만나 여건은 좋지 않다. 그러나 금화교역이라는 우주적 변혁의 시기에 금화중재(金火仲裁)라는 대임(大任)을 담당한 미토는 강왕한 양기만을 주장하지 않고, 또한 쇠약하지도 않은 기운으로 산전수전 다 겪은 노련한 용병처럼 중화적 성정으로 원숙하고 치밀하며, 노련한 역량을 발휘한다.

未土는 금화상쟁(金火相爭)의 중간적 위치에서 중화적 성질로 금화교역(金火交易)을 중재하는 위치에 있다. 양이 주도하는 乾道시대의 결과인 열매(양기의 씨앗)를 받아드려 숙성시킴으로써 음이 주도하는 坤道의 시대로 넘겨주는 위치에 있어 금화교역(金火交易)이 이루어지는 우주적 변혁의 시기에 중화적 성정으로 중요한 역할을 수행한다.

▷괘상의 이해

天☰(大)　　(辛金)
地☷(小)　　(未土)
　否

否之匪人 不利君子貞 大往小來
비지비인 불리군자정 대왕소래

天地(上下)가 막히니 비인(匪人)이다. 군자의 바름이 이롭지 않으니, 大(陽)가 가고 小(陰)가 오도다.

상극(相剋)을 특징으로 하는 생장(生長)하는 乾道는 지천태(地天泰☷☰) 괘가 되고, 상생(相生)을 특징으로 하는 수장(收藏)하는 坤道는 천지비(天地否☰☷)괘가 된다. 태(泰)는 천지가 서로 통하여 작용함으로써 만물을 생하는 뜻이 있고, 비(否)는 서로 막혀 있어 작용이 없으므로 만물(人)을 생하지 못하는 뜻이 있다(否之匪人).

辛金☰은 양기가 응축된 생명을 품은 씨앗이고, 未土☷는 뜨겁고 메마른 조토(燥土)를 의미한다. 씨앗☰(生氣)이 메마른 땅☷(燥土)에 떨어졌으니 발아하기가 어렵고, 발아한들 생존하기도 쉽지 않다. 그러나 씨앗의 생명은 수 억년 전의 것에서도 싹을 틔울 정도로 생존력이 강하니 조토에서는 발아하지 않고 차라리 스스로를 보존하여 때를 기다린다.

양☰은 위에서 상향하고 음☷은 아래에서 하향하는 상이니 서로 통하지 않는다. 인(人)은 天地上下가 서로 통(通)하고 교류(交流)하며, 음양이 작용함으로써 生한 만물(物)을 의미한다. 그러므로 비(否)는 천지가 교감하지 않으니 천지의 도가 서지 않으며, 음양이 작용하지 않으니 인도(人道)가 나오지 못한다 라는 뜻이 있다. 서로 통하지 못하고 막혀 있는 것이 비(否)이니, 곧 否之匪人의 뜻이다.

양(大)☰이 위에 거하여 상향하고, 음(小)☷이 아래에 거하여 있으니 양이 가고 음이 오는 뜻이 있다. 未土는 후천 坤道에 들어가는 관문으로서 乾道의 陽(大)이 가고 새로이 坤道의 陰(小)이 오는 교역의 자리이다(大往小來). 음이 주도하는 坤道에서는 양으로 대변되는 君子之道(大人)가 가고(不利君子貞), 음으로 대변되는 백성(小人)의 도가 도래하니 大往小來의 참 뜻이다.

안은 음(陰)☷(小)이고 밖은 양(陽)☰(大)이며, 안은 유순(柔順)☷하고 밖은 강건(剛健)☰하며, 안은 小人☷(小)이요 밖에는 君子☰(大)이니, 小人의도道(음)가 자라나고 君子의 도(양)는 사라지는 것이다.

(6) 신유(辛酉)

辛金은 庚金이 수렴을 시작한 응축된 양기의 정수(精髓≡)이고, 유(酉)는 수렴된 양기를 순수한 정수만으로 응축하여 결실을 마무리 짓는 때이다. 그러므로 辛酉는 양기의 수렴이 완성되어 응축된 辛金이 양기를 응축하여 결실을 마무리 짓는 가을의 절정을 만난 상이니 기운이 서로 비화되어 辛金의 기세가 강왕하다. 辛酉는 괘상으로는 重天乾(≡)괘가 되며, 생명의 근원으로서 만물의 씨앗이다. 선천 乾道에서 생장한 양기가 후천 坤道에서 수렴되어 신유(辛酉)에서 완성되는 것이다.

酉는 辛金의 건록(建綠)지로 酉는 辛金의 뿌리가 되니, 辛金의 숙살(肅殺)하는 양기의 응축작용이 강왕하다. 냉철하고 정밀하며 섬세하다. 사리분별이 정확하고 바름을 추구하며, 자기 주관이 뚜렷하여 타협하기가 쉽지 않은 성정이다.

▷괘상의 이해

天≡(乾)　　(辛金)

天≡(乾)　　(酉金)

　乾

乾 元 亨 利 貞

건 원 형 이 정

乾은 元하고 亨하며 利하고 貞하다.

건乾≡은 광대무변廣大無邊한 우주에 가득한 강건(剛健)한 대양(大陽)을 상징한다. 천하만물에 깃든 생명지기로서 이(理)가 된다. 乾≡(理)은 무소부재하며 천지에 꽉 들어찬 순양(純陽)이니, 行하나 行함이 없는 무위(無爲)이고, 모든 만물에 생명이 깃들게 하는 창조지기로서 坤☷(氣)을 만나 형상(物)을 이룬다.

춘하추동 시간의 흐름에 따라 생장수장의 이치로 만물이 순환하니 이를 원형이정의 도로 설명한다. 봄은 천지의 기운을 받아 만물이 시작하는 원(元)이요, 여름은 만물이 장성(長成)하는 형(亨)이며, 가을은 만물이 품은 양기를 수렴(收斂)하여 이로움(利)을 거두어 드리고, 겨울은 만물이 천지의 품속에서 바르게 자리하여 휴식(休息)하는 정(貞)이 된다. 元은 만물이 비롯되는 바탕이자 시작(始生)이며, 亨은 장성(長成)함이고, 利는 수렴(收斂)이며, 貞은 바름(正固)이다.

만물이 바르게 자리잡지 않으면(貞固), 元이 비롯되지 않으니 원형이정의 바른 도가 나오지 못하고, 씨앗이 바르게 자리하지 않으면 봄에 싹을 제대로 틔우지 못한다. 원형이정의 도에서 인도(人道)를 배우니 곧 인의예지(仁義禮智)로다.

元	亨	利	貞	中
春	夏	秋	冬	
生	長	斂	藏	
木	火	金	水	土
仁	禮	義	智	信

춘하추동(春夏秋冬)은 자연순환의 이치요, 생장수장(生長收藏)은 생명순환의 이치이며, 목화토금수(木火土金水)는 이것을 五行의 이치로 표현한 것이고, 원형이정(元亨利貞)은 우주순환의 철학적 개념으로 천도(天道)

를 말함이며, 인의예지(仁義禮智)는 天道가 인간세상에 펼쳐진 人道를 말함이다.

원형이정을 점사로 풀이하면, 元亨이란 만물이 始生(元)하여 長成(亨)하니 크게 형통함을 뜻하고, 利貞은 수렴(斂)하여 바르게 저장(藏)함이니, 利는 의(義)로써 옳고 그름을 구별하여 거두어 드리는 것이며, 貞은·지혜(智)로써 구별하여 수렴한 이(利)를 바르게 저장하여 후세에 전하는 뜻이 있다.

20.5.15. 임수(壬水)

坎水☵水

壬水는 순수한 정기만을 모아 놓은 생명의 씨앗☰(辛金)을 음기로 더욱 감싸며 저장을 시작하는 기운이다. 괘상은 감수(坎水)☵로서 음기가 양기를 감싸 보호하고 있는 상으로 사시를 순환하며 쌓인 정보(DNA)와 지혜가 응축되어 있는 결정체를 상징한다. 水☵는 생명을 계속 이어 나가기 위하여 만물이 순환을 마친 겨울에 다음 세대에 전해줄 지혜를 응축하여 저장해 놓은 것이므로 오상(五常) 중에 지(智)에 해당된다. 水☵는 '험수(險水), 험난, 차가움, 깊음, 성찰, 지혜'등을 의미한다.

(1) 임자(壬子)

壬水는 순수한 정기만을 모아 놓은 생명의 씨앗☰(辛金)을 음기로 더욱 감싸며 저장을 시작하는 기운이며, 자(子)는 완전하게 응축된 생명의 씨앗을 저장하고 있는 때로서 엄동설한의 절정기를 의미한다. 壬子는 생명의 씨앗인 양기를 저장 중인 壬水가, 생명을 완전하게 응축하여 저장을 완성하는 한 겨울(子水)을 만난 상이다. 같은 기운이 만나 서로 기세가 강왕하니, 서로 임자를 만난 격이다. 子가 품고 있는 지장간 壬水가 천간에 모습을 드러냈으니 壬水의 뜻과 의지가 강왕하다.

子는 壬水의 제왕(帝王)지로 壬水의 기세가 강왕하니, 겉은 조용하고 냉정한 것 같아도 내부는 심지가 곧고 신념이 강골(强骨)차다. 큰 강물은 조용히, 그리고 천천히 움직이지만 쉽게 막아설 수 없듯이 임자(壬子)는 서로 기운이 비화(比和)되어 성정이 옹골차니 쉽게 범접하기 어려운 성격의 소유자이다.

임자(壬子)는 양인(羊刃)으로 무시무시한 칼을 차고 있는 모습으로 그려진다. 子는 12 벽괘로 지뢰복(地雷復☷☳)의 상이다. 일양(一陽)이 생겨난 모습으로 다섯 개의 음을 떠받치는 일양(一陽)의 에너지는 +32 가 된다. 중천건괘☰ 여섯 개의 양기가 모두 +63 이니 다섯 개의 음효를 떠받치는 한 개의 양기가 +32 라면 그 괴력은 무시무시한 것이다. 한 개의 양효가 다섯 개의 음효를 땅에서 들어 올린 것은 중지곤괘☷☷의 목을 친 격이니 과연 양인의 괴력이다. 양인은 칼을 든 격인데, 칼을 잘 쓰면 사람을 살리는 활인도(活人刀)가 되고, 칼을 잘못 쓰면 사람을 죽이는 살인도(殺人刀)가 된다.

▷괘상의 이해

水☵(險)   (壬水)
水☵(險)   (子水)
    坎

習坎 有孚 維心亨 行有尙
습감 유부 유심형 행유상

습감은 믿음으로써 오직 마음이 형통함으로 행하면 숭상함이 있으리라.

습감(習坎)이란 물이 구덩이에 끊임없이 흘러 들어 채워 나아가듯, 어려움에 처해서도 中道를 잃지 않고 끊임없이 반복하여 익히고 행하여 마침내 이루어 내는 것을 말한다. 물이 쉬지 않고 끊임없이 흘러 거듭되는 구덩이를 채우며 나아가 마침내 바다에 이르는 것처럼, 끊이지 않는 정성으로 한결 같이 나아가면 이룸의 공을 이루게 된다.

九二와 九五가 두 개의 음 사이에 빠져서도 중심(中心)을 잃지 않으니 마음이 형통한 것이고 나아가면 이룸이 있다. 九二와 九五가 양으로서 험난(險難)에 빠져 안팎으로 험한 상태이나 中에 陽이 거하여 중심(中心)을 바로잡고 있으니, 비록 어려운 상황이지만 흔들리지 않고 강중(剛中)의 덕(德)으로 물이 흐르듯 끝없이 행해 나가므로 마음이 형통하다[有孚維心亨].

내호괘가 ☳(動·進)이니 험함(險陷)에 처해서도 움직여 나아가는 상이다. 물이 흐르고 흘러 마침내 바다로 나아가듯 믿음을 잃지 않고 끊임없이 행하여 나아가니, 그러므로 어디를 가든 무엇을 행하든 이룸(功)이 있다. 나무도 중심이 곧아야 큰 재목으로 커가듯, 사람 또한 험난(險難)한 세상에 살고 있으나 강건(剛健)한 마음으로 중도(中道)를 잃지 않아야 큰 뜻을 이룰 수 있는 것이다(行有尙 往有功也/단사).

(2) 임인(壬寅)

壬水는 순수한 정기만을 모아 놓은 생명의 씨앗☰(辛金)을 음기로 더욱 감싸며 저장을 시작하는 기운이며, 인(寅)은 양기가 땅 위로 솟구쳐 생명력이 분출하는 때로서 만물이 화생하는 따스한 봄의 시작을 가리킨다. 그러므로 壬寅은 양기를 응축하여 저장하고 있는 차가운 壬水가 양기를 용출하며 만물을 화생시키는 따스한 봄의 초입을 만난 상이다.

寅은 壬水의 병지(病地)이다. 차가운 기운이 따스한 계절을 만나 기운이 약해지니 壬水의 작용이 제대로 힘을 쓰지 못한다. 응축하여 저장하는 기운은 겉이 단단하고 차가우며 속은 옹골차고 따스하다. 그런데 봄의 기운이 들어오면서 그 기세가 병약해지니 너무 일찍 샴페인을 터트린 격이다. 생장하는 나무가 얼음같이 차가운 물을 흡수하는 격이니 병이 드는 것이다. 외면은 차가운 것 같아도 내면은 따스한 성정을 지녔고 덜렁대는 성격으로 앞서 나가는 면이 있다.

▷괘상의 이해

水☵(險)　(壬水)
雷☳(進)　(寅木)
屯

屯 元亨利貞 勿用有攸往 利建侯
둔 원형이정 물용유유왕 이건후

둔은 크게 형통하고 바르게 거함이 이롭다. 나아가지 말고 때를 기다리라. 제후를 세움이 이로우리라.

둔은 태아가 모태 속에서 힘을 기르며 10달이라는 기간을 감내하는 모습이다. 용(龍☳)이 순리대로 물에 뛰어들어 헤엄쳐☵ 건너가는 모습이니, 아직은 물 속이라는 험함☵에 처해있으나 충분히 헤쳐 나갈 수 있다. 용☳(初九)이 물☵(險水)을 만난 격이니 처음에는 비록 어려움에 처할 수도 있겠지만 大川☵(險水)을 건너기 위해 스스로 險水☵에 뛰어든 것이니 긍정적이다. 스스로 선택한 어려움이니 능히 감당할 수 있는 장애물이다.
생명☵은 고난☵을 견딤으로써 새로운 발전을 향해 나간다. ☳은 진(進)의 뜻이 있고, ☵는 험(險)의 뜻이 들어있다. 그러므로 둔은 어려움 속에서도 난관을 헤치며 나아가는 뜻이 있다. 섣불리 나아가면 험수에 빠져 휘말릴 수 있기 때문이니 때를 기다릴 줄 아는 지혜와 인내가 필요하다.

둔(屯)은 씨앗☵이 꽁꽁 언 땅 속에서 북방의 추운 겨울☵을 견디면서 힘을 기르며 봄을 기다리고 있는 모습이다. 겨우내 꽁꽁 얼어붙은 땅을 뚫고 나오는 식물이나 안간힘을 다해 좁은 산도(産道)를 통과해야 하는 탄생의 순간은 환희인 동시에 고통인 것이다. 지금은 험함險陷☵에 갇혀 힘이 들지만 싹을 틔울 씨앗☵을 품고 있기에 어려우면서도 매우 희망적이다.

둔(屯)의 초기를 당하여 자중自重하지 않고 경박하게 나아가면 더 큰 난(難)에 처하게 되니, 험함에 처하면 오히려 정도正道를 지켜 바름으로써 나아가는 것이 이롭다(利居貞). 힘을 기르고 양기를 축적하여 적절한 시기가 되면 세상 밖으로 출사를 하게 되니, 태아는 뱃속에서는 모친의 보살핌이 없어서는 안 되듯, 어려움에 처했을 때에는 도움을 주는 조력자(대인군자)를 두는 것이 스스로 어려움을 구제하는 길이다

(3) 임진(壬辰)

壬水는 金氣가 숙살지기로 분리 수렴해 놓은 양기를 음기로 더욱 감싸며 저장을 시작하는 기운이다. 진(辰)은 만물을 생장시키는 양기가 木氣의 성장을 마무리하는 늦봄으로 꽃을 피우기 위한 火氣로의 진입을 준비하는 때이다. 壬辰은 생명의 씨앗인 양기를 음기로 감싸며 저장을 시작하는 차가운 壬水가 생장하는 양기의 성장을 마무리 짓고 확산을 준비하는 햇볕이 따가운 늦은 봄을 만난 상이다.

辰은 壬水의 묘고(墓庫)이다. 辰은 지장간에 壬水를 암장하고 있으므로 따스하지만 차가운 성정이 있고, 속의 깊이를 알 수가 없는 성품이다. 辰은 만물을 기르는 물을 품고 있는 옥토이지만 壬水의 묘지(墓地)가 되니 뜻은 강하지만 뜻대로 행하기가 어렵다. 차가운 얼음 물이 따뜻한 대

지 위를 흐르니 그 차가운 기세가 누그러진다. 辰土는 장성한 나무가 뿌리를 내리고 있는 물을 머금은 옥토이다. 險水가 나무☵의 기세를 능히 누르지 못하니, 오히려 水의 기세가 약해져 나무를 키우는 생명수가 된다.

壬水의 기세가 약하므로 매사 조심스럽게 움직이는 성격이며, 내면에는 깊은 지혜를 품고 있다. 뜻은 있으되, 외적으로 기세가 약하니 고요히 지혜를 발휘하여 일을 해결해 나가는 성격이다.

▷괘상의 이해

水☵(샘물)　　（壬水）

風☴(우물)　　（辰土）

井

井 改邑不改井 无喪无得 往來井井 汔至亦未繘井 羸其甁凶
정 개읍부개정 무상무득 왕래정정 흘지역미귤정 리기병흉

우물의 상이다. 고을(틀, 형식)은 바꿀 수 있어도 우물(本原)은 바꾸지 못한다. 잃음도 없고 얻음도 없으니 오고 가며 마시고 마셔도 여전히 우물이라. 거의 이르렀으나 만약 두레박 줄이 우물에 미치지 않으면 (공을 이룰 수 없고), 만약 그 두레박을 엎어버린다면 흉이로다.

물☵(癸水)을 머금은 땅☷(辰土)이 물을 토해내니 우물(☴☵井)이다. 차가운 물이 솟아나는 우물물을 길어 올리니 만물의 생명수가 된다. 수풍정(水風井)은 우물에서 샘물이 끊임없이 솟아나는 상(象)이다.

우물☴은 끊임없이 샘물☵이 솟아나기 때문에 아무리 퍼가도 줄지 않고 또한 넘치도록 늘지도 않는다. 물이 계속 솟아올라 고이기 때문에 결코 궁한 법이 없다(井 養而不窮也). 아무리 마셔도 고갈되지 않고, 마시지 않아도 결코 넘치는 법이 없다(无喪无得). 또한 우물(☵井)은 세월이 흐르고 흘러도 변함없이 오고 가는 나그네에게 맑은 물☵을 제공한다(往來井井).

우물이 제때에 제대로 사용할 수 없는 것이라면 우물로서의 효용가치는 없다(汔至亦未繘井). 우물이란 나그네는 물론, 한 가정, 한 마을의 삶을 지속시키는 생명의 근원이므로 제때에, 제대로 쓰임이 가능해야 한다. 우물에 물이 말라버려 두레박을 내려도 물을 떠올릴 수 없다면 무슨 소용이겠는가? 정(井䷯)의 괘상에 곤(困䷮)의 상이 보이니 시사하는 바가 크다. 井䷯괘를 거꾸로 보면 困(䷮)괘이니 두레박이 엎어진 것이 된다(羸其瓶凶).

(4) 임오(壬午)

임수(壬水)는 金氣가 숙살지기로 분리 수렴해 놓은 양기를 음기로 더욱 감싸며 저장을 시작하는 기운이다. 오(午)는 양기의 확산을 저지하고, 열매에 양기를 채우기 위하여 음이 생겨나는 시기로서 열매가 최고로 커지는 한 여름이다. 겉으로는 절정을 이루는 듯해도 내부적으로는 음기가 생겨나는 등 변화의 변곡점이 시작되는 시기로서 양기를 담은 열매를 크게 키우는 때이다(天風姤䷫). 그러므로 임오(壬午)는 엄동설한 꽁꽁 얼어붙은 땅 속 깊이 저장된 양기가 열매를 익히기 위하여 뜨거운 양기를 내뿜는 한여름을 만난 상이다.

午는 壬水의 태지(胎地)이다. 단단하게 양기를 응축하여 저장하고 있는 차가운 기운이 한여름의 뜨거운 午火의 열기를 만나 壬水의 단단한 껍질이 완화되고 물러지는 상황이 되므로 태아와 같은 여린 상태가 되어 壬 水의 기세가 약화되고 역량은 떨어진다. 차가운 기운이 뜨거운 환경을 만나니 숨이 막히고, 일의 진척이 느려지며 답답한 상황이 전개된다. 일 대 변화가 일어나기 시작하는 변곡점이다.

▷괘상의 이해

水☵(물)　　(壬水)

火☲(불)　　(午火)

既濟

既濟 亨小 利貞 初吉終亂

기제 형소 이정 초길종란

기제는 형통함이 작아지는 것이니 바르게 함이 이롭다. 처음에는 길하지만 끝 내는 어지러우리라.

기제는 이미 이루어 진 것이니 보름달이 꽉 차면 기울 듯 기울어질 수 밖에 없으니 형통함이 작아지는 것이니, 바르게 하는 것이 이롭다. 꽉 찬 보름달이니 처음에는 길할 수밖에 없으나 결국은 기울어지게 되는 것이 니 끝내는 어지러워지리라. 일대 변화가 일어나기 시작하는 변곡점이다.

기제(既濟)는 보름달 같은 완성을 의미한다. 그러므로 형통하다(既濟 亨). 그러나 보름달은 때가 다다르면 다시 그 모양이 어그러지고 무너지 니, 이는 막을 수 없는 자연의 이치이다. 그러므로 보름달이 기울어져 작 아지니 형통함이 작아진다(亨小). 초기에는 형통하나 끝내는 작아지는 형 통함이니, 기제는 형통함이 작은 것이다.

문명≡함이 무너지고 혼란≡≡해져 갈수록 정도(正道)를 지키는 것이 이롭다. 형통(亨通)함이 작아지는 혼란한 세상일수록 중도(中道)를 지키며 바르게 함이 이롭다(亨小利貞).

초길(初吉)은 보름달 같은 완성된 처음의 형통함을 의미하고(旣濟亨), 종란(終亂)은 보름달이 이지러져 형통함이 작아져 가는 旣濟亨小를 의미한다. 초기에는 보름달처럼 꽉 찬 사물의 완성을 의미하지만 일이 다 이루어진 뒤에는 결국 둥근 달이 찌그러지며 무너지듯 다시 혼란이 온다는 것을 경고하는 것이다(初吉終亂). 달도 차면 기울고, 꽃도 피면 지게 마련이니, 기제도 모든 것을 다 이루었음이니 장차 허물어지리라. 상육 효사는 이를 다음처럼 비유하여 풀이한다.

上六 濡其首 厲
상육 유기수 려

제 머리를 적시니 위태롭다.

공자는 6효 효사 상전에서 '제 머리를 적시니 위태롭다. 어찌 오래할 수 있으랴(象曰 濡其首 厲 何可久也)'라고 하여 장차 어지러워짐을 경고하고 있다.

☞ 初吉終亂초길종란	☞ 旣濟亨小기제형소

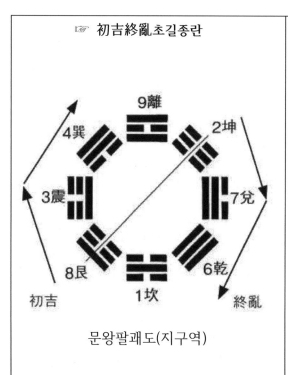

문왕팔괘도(지구역)

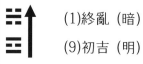

(1)終亂 (暗)

(9)初吉 (明)

보름달이 그믐달을 향하며 어그러져가는 모습, 완성됨이 무너져 가니 형소(亨小)의 뜻이다. 작은 것은 미완의 물건을 뜻하니 새로운 시작을 의미하는 그믐달처럼, 처음 시작하는 작은 것이 형통함이 된다.

► 水☵는 험(險), 어두움(暗), 미완성, 혼돈, 혼란, 무질서를 의미하고, 火☲는 밝음(明), 완성, 질서, 분별을 의미한다.

☲은 후천팔괘에서 완성을 의미하고 수리적으로 9가 되며, ☵는 미완성을 의미하고 만물의 휴식과 새로운 시작을 의미하는 1이 된다. 완성☲(9)에서 미완성☵(1)으로 향하니 역시 기제형소(旣濟亨小)의 의미가 된다.

형통함이란 그믐달처럼 비록 작지만 커갈 수 있을 때, 곤궁에 처해있지만 나아갈 길이 있을 때, 어렵지만 희망이 있을 때를 의미한다.

(5) 임신(壬申)

임수(壬水)는 金氣가 숙살지기(肅殺之氣)로 분리 수렴해 놓은 양기를 음기로 더욱 감싸며 저장을 시작하는 기운이다. 신(申)은 土氣가 숙성시킨 열매(양기)를 수렴하여 응축하기 시작하는 때로서 초가을의 숙살기운이 작동하면서 쭉쟁이와 알갱이를 분리하여 수렴하기 시작한다. 壬申은 양기를 응축하여 저장하는 겨울 기운인 壬水가 양기를 수렴하기 시작하는 초가을 기운을 만난 상이다.

신(申)은 壬水의 장생(長生)지이니, 새로운 변화에 적응하는 능력이 탁월하다. 암반에서 용솟아오는 생명수의 상으로 활기가 있으며 새로움을 만들어내는 창조적인 능력이 뛰어나다. 참신한 생각이나 기발한 아이디어에 능하다.

▷괘상의 이해

水☵(물)　　(壬水)
澤☱(못)　　(申金)
　節

節 亨 苦節不可貞
절 형 고절부가정

절(節)은 형통하다. 고절(苦節)은 가히 바르지 못하니라.

선천乾道의 열매인 양기를 수렴함에 있어서 과욕을 부려 알갱이와 쭉정이를 공의(公義)로써 분리하지 못하고 거두어 드린다면 후천坤道의 씨앗은 다음 세대를 위한 생명이 되지 못한다. 농부가 추수한 곡식에 쭉정이가 뒤섞여 있다면 어찌 종자로써 적합하겠는가? 고절(苦節)의 뜻이다.

절(節)은 순리를 따르고 도리를 벗어나지 않는 절도(節度)를 의미한다. 자연의 순리를 따르고 한도(限度)를 지켜 무위자연(無爲自然)한다면 형통

(亨通)하다는 것이 절(節)의 도(道)이다. 봄에는 만물이 생화하고, 여름은 만물이 생장하며, 가을에 열매를 맺고 겨울에는 만물이 모든 것을 내려 놓고 쉬는 것이 계절의 순리이니 이를 어기지 않고 순행함이 절(節)이다. 만일 시간의 순리를 따르지 않아 법도가 흐트러진다면 만물은 바르지 않게 된다. 고절(苦節)이란 시간의 흐름이 계절의 법도와 맞지 않아 만물이 괴로움을 당하는 것을 말한다. 그러므로 사람도 이를 받아 순리(順理)를 지키고 절도를 세워 도리에 맞게 살아가야 하는 것이다.

절(節)은 한(限)이다. 물이 연못의 한도(限度)를 넘어서면 흘러 넘치거나 연못의 둑이 터진다. 연못의 용량에 한계가 있듯이 저마다 담을 수 있는 그릇의 크기는 서로 다르다. 한도를 지키는 절제가 쓰디쓴 괴로움일 수도 있지만 누군가에게는 절제가 달콤하거나 안락할 수도 있다. 자신의 그릇을 무시하고 한도를 넘어서게 되면 절제가 괴로움이 될 수 있으니 고절(苦節)의 뜻이다. 절제(節制)는 적절해야 한다. 절제가 과도하면 오히려 흉이 되는 것이다.

(6) 임술(壬戌)

임수(壬水)는 金氣가 숙살지기로 분리 수렴해 놓은 양기를 음기로 더욱 감싸며 저장을 시작하는 기운이고, 술(戌)은 金氣가 수렴 응축한 양기를 완전히 마무리 짓고 겨울의 水氣로 넘겨주기 위한 때를 준비를 하는 늦가을이다. 그러므로 壬戌은 양기를 응축하여 저장을 시작하는 壬水가, 양기의 수렴과 응축작용을 마무리하여 수기(水氣)에 넘겨주기 위한 작업을 하는 늦가을 기운을 만난 상이다.

戌은 壬水의 관대(冠帶)지가 된다. 술(戌)은 지장간에 丁火와 辛金을 품고 있으니, 용암을 품고 있는 산 위의 호수에 물이 솟아 있는 상으로 활용가치가 크다. 과묵하지만 뜨거운 정열을 품고 있으며, 전환기의 변화에 조정하는 능력이 뛰어나다. 과감성이 있으며 폭발하면 제어하기 어려운 기질의 소유자이다.

▷괘상의 이해
水☵(險水)　　（壬水）
天☰(君子)　　（戊土）
　需

需 有孚 光亨貞吉 利涉大川

수(需)는 기다림에 믿음이 있는 것이라. 크게 밝아 형통하니 바르고 길하다. 큰 내를 건너니 이로우리라.

건양乾陽☰은 강건剛健하니 우주에 가득한 생명지기生命至氣이다. 天☰ 위에 水☵가 위치하니 비를 부르는 구름이 하늘 위에서 노니는 상이다. 하늘 위의 구름이 비바람을 부르며 서로 이합집산하는 가운데 때가 되면 비가 되어 내리니 수(需)는 때를 기다림을 의미한다.

강건한 군자☰앞에 험난☵이 놓여있으니 믿음을 가지고 건너야 이롭다. 험난함 때문에 갑자기 나아갈 수가 없으니 기다렸다 때를 만나 건너야 험난☵(險水)에 빠지지 않고 곤궁에 처하지 않는다(需須也 險在前也 剛健而不陷 其義不困窮矣). 수(需)는 험한 때의 도를 의미한다. 아무리 험한 위험☵이 앞에 놓여 있어도 군자☰는 시기를 알기 때문에 낙천지명樂天知命의 마음으로 술과 음식을 즐기면서 붕우들과의 믿음을 다지며 때가 열리기를 기다린다.

險水☵가 앞에 놓여있지만 乾陽☰의 강건함이 임하였으니 장차 험(險)

☵을 건너되 경솔하게 나아가지 않는다. 건(乾)은 강건한 대인의 상으로 경솔하게 움직이지 않고 기다릴 줄 아니 곤궁함에 빠지지 않으며, 대천(大川)을 건너는 것이 이로움은 건너가면 공(功)을 이루기 때문이다(利涉大川 往有功也).

수(需)는 때가 되면 구름☵이 비가 되어 하늘☰ 아래로 떨어져 그릇☵(내호괘)에 담기니 만물을 키우는 음식이 된다. 음식을 담은 그릇☵은 주변에 있는 만물의 젖줄이니 음식을 먹으며 기뻐한다(飮食宴樂).

수(需)란 뜻을 가지고 기다리는 믿음(孚)이다. 믿음이 없다면 막연하게 기다리는 것이고, 믿음에 뜻이 없다면 대천을 건넌 들 무엇이 이로우랴. 뜻을 가지고 믿음으로써 기다린다면 크고 밝게 형통하며, 바르고 길하니 바로 수(需)가 말하고자 하는 바이다. 믿음이라는 배를 타고 큰 내를 건너니 이로움이 있다. 나를 지지하고 믿음으로써 따르는 무리朋友와 함께 하니 유부(有孚)의 뜻이다. 그 무리☰가 함께 추구하는 뜻이 광명하고 형통하며, 바르고 길하니 아무리 어려운 험한 대천(大川☵)이라 할 지라도 건널 수 있는 것이다.

20.5.16. 계수(癸水)

坎水 ☵ 水

계수(癸水)는 임수(壬水)가 시작한 양기의 응축을 완성하여 저장하는 기운이다. 겉은 수수하지만 속은 생명력으로 옹골차다. 癸水는 강하게 응축된 생기(生氣)로서 艮土(☶)가 극하는 순간 터져 나오는 생명의 기운이다. 생장수장의 마지막 순서로 다음 생을 순환하기 위한 모든 준비가 되어있다. 생명이 순환하며 경험한 모든 지혜가 응축되어 있으므로 계수는 근본적으로 지혜로운 성정이 있다. 다음 생을 위하여 때를 기다리고 있는 상이니 인내심이 강하고 침착하며 잠재된 기운이 옹골차다.

(1) 계해(癸亥)

계수(癸水)는 임수(壬水)가 시작한 양기의 응축을 완성하여 저장하는 기운이다. 해(亥)는 수렴된 양기를 씨앗으로 응축하여 저장하기 시작하는 겨울의 초입에 해당된다. 계해(癸亥)는 양기의 응축과 저장을 완성하여 완벽하게 저장하는 기운인 癸水가, 金氣가 수렴한 양기를 저장하기 시작하는 초겨울을 만난 상이다.

해(亥)는 癸水의 왕지(旺地)이다. 사시를 순환하며 쌓인 생명의 지혜가 응축되어 바르게 저장하고 있는 癸水가 양기의 저장을 시작하는 초겨울을 亥水를 만나 기운이 비화(比和)되어 도움을 받으니 지혜가 깊고 이상향에 대한 비전과 욕망이 크다. 癸水는 생명의 씨앗으로서 사시를 순환하며 쌓인 응축된 지혜를 의미하며, 토(土)의 극을 받으면 甲木이 깨어나

건도(乾道)의 순환을 시작한다(土克水≫水生木). 해(亥)는 乾道의 씨앗인 甲木을 품고 있으니 癸亥는 꿈과 이상이 크며, 미래를 향한 포부와 무한한 잠재력을 가지고 있다. 물은 생명과 지혜의 보고(寶庫)이며 시작점이다.

▷괘상의 이해

水☵(險水)　　（癸水）

水☵(險水)　　（亥水）

坎

習坎 有孚 維心亨 行有尚

습감 유부 유심형 행유상

습감은 믿음으로써 오직 마음이 형통함으로 행하면 숭상함이 있으리라.

습감(習坎)은 새가 하늘을 나는 것을 반복하며 정성을 다해 연습하여 마침내 하늘에 날아오르듯 처해진 난관(難關)을 극복해 나아가는 삶의 태도를 가르친다. 험난(險難)☵이 거듭하여 앞을 가로 막으니 중수감(重水坎)의 상이다(重險也). 습감(習坎)이란 바로 난관에 처했을 때, 이러한 험함(險陷)의 상황을 극복해 나아가는 인생의 지혜를 말해준다.

거듭된 깊은 구덩이(險陷)에 물이 흘러 들어 채워 나간다. 구덩이에서 빠져나갈 수 있는 방법은 물을 가득 채워 나가는 것이다. 그래야만 물이 끊이지 않고 계속 흘러 마침내 바다에 도달한다. 그러나 물이 쉽게 차지 않더라도(水流而不盈), 거듭되는 난관(難關)에 부딪혀 이를 넘어서기가 어렵더라도 믿음을 잃지 않고 중심을 지켜 상황에 대처해 나아간다면, 이는 삶을 대하는 성심(誠心)이니 형통한 마음이다(行險而不失其信 維心

亨). 그 마음이 형통한 것은 중효(中爻)가 실(實)한 강중(剛中)때문이니(維心亨 乃以剛中也), 중실(中實)함은 유부(有孚)의 상이다. 험한 가운데 처했으나 믿음을 잃지 않고 험함(險陷)을 행하니 곧 강양중실(剛陽中實)로서, 이는 감험(坎險)☵속에서도 中正을 지키는 것이니 강중(剛中)의 도를 말함이로다.

행(行)한다는 것은 '끊임없이 반복되는 연습', '어려움(坎陷)에 처해서도 믿음을 잃지 않고 나아가는 항상함'을 의미하는 습감(習坎)의 뜻을 높이 숭상(崇尙)하여 받든다는 의미이니(行有尙), 습감의 깊은 뜻을 받들어 행하여 나아가면 마침내 이룸이 있을 것이다(往有功也).

(2) 계축(癸丑)

계수(癸水)는 임수(壬水)가 시작한 양기의 응축을 완성하여 생명의 씨앗으로 보존하는 기운이다. 축(丑)은 응축 저장되어 있던 양기가 밖으로 나갈 준비를 하고 있는 겨울의 막바지에 해당된다. 축(丑)은 아직은 얼어 붙은 땅 속이고 어둠이 덮여 있는 상태이지만 씨앗이 나갈 수 있도록 조금씩 물기를 머금으며 물러지고 있다. 그러므로 계축(癸丑)은 사시를 순환하며 축적한 생명의 지혜를 바르게 저장하여 보관하고 있는 癸水☵가 艮土☶의 극을 받아 밖으로 용출하기 위한 준비를 하고 있는 겨울의 막바지가 된다(土克水-水生木).

丑은 癸水의 관대(冠帶)지가 된다. 관대(冠帶)는 청년기에 해당되는 시기로 기운은 +62(澤天夬☱☰)에 해당될 정도로 강왕(康旺)하여 밀어붙이는 추진력은 좋으나 경험부족으로 인한 과욕으로 무너질 수가 있다. 丑은 암장된 癸水를 투출하고 있어 자기주관이 강하고, 생각하는 바가 뚜렷하다. 또한 辛金이 암장되어 있어 성질이 예민하며, 난관에 부딪혔을 때 헤쳐 나가는 결단력이 있다.

▷괘상의 이해

水☵(險水)　　(癸水)
山☶(止)　　(丑土)
蹇

蹇 利西南 不利東北 利見大人 貞吉
건 이서남 불리동북 이견대인 정길

　건蹇은 西南이 이롭고 東北은 불리하다. 大人을 봄이 이로우니 바르면 길하리라.

　수산건(水山蹇)은 응축 저장되어 있는 생기가 아직 음기에 갇혀 휴식을 취하고 있는 상이다. 추운 겨울, 생명의 휴식기 막바지에 艮土☶(丑)가 휴식을 취하고 있는 生氣☵(癸)를 극함으로써 선천 乾道를 시작할 생명을 깨울 준비를 하고 있는 모습이다. 그러므로 아직은 생명의 초기인 험난한 동북☶에서 나아가 평평한 서남☵으로 나아가는 것이 길하며, 생명을 깨워 乾道를 인도할 大人을 만나는 것이 이로우니 이는 나아가 乾道의 공(功)을 이룰 수가 있음이다. 그러므로 생명은 항상 바름을 지키고 있어야 길하다.
　하괘 九三☶이 六二 아래로 뛰어들어 꼼짝없이 險水☵에 갇혀버린 상황이 건(蹇)이다(蹇難也). 산☶ 하나를 넘으니 험한 급류☵(險)가 가로막는 상이니 지혜로운 자는 나아갈 때 나아가되 험함을 보고 그칠 때는 능히 그칠 수 있어야 한다(險在前也 見險而能止). 부화뇌동하여 앞을 보지 못하고 험함에 뛰어드는 것은 小人의 만용이다. 험함☵(외괘)을 미리 지혜롭게 판단하고(외호괘☵明), 능히 그쳐서(내괘☶止) 그 험함에 빠지지 않는다(見險而能止知矣哉).

문왕팔괘에서 西南은 坤☷으로 평평하고 평이(平易)한 땅을 상징한다. 기후가 온화하고 평평하여 왕래가 쉽고 사람들의 성정도 온화하다. 상괘 ☵는 양(陽)이 西南☷으로 나아가 得中한 모습으로 中正하다. 그런데 東北은 산☶이 높고 험준하다. 북방으로서 기후가 춥고 산세가 험하여 왕래하기가 어렵다. 양(陽)이 나아가 中을 얻지 못하고 위로 치우친 모습으로 험준한 산☶의 상이 되니 그 道가 궁하다.

산(山)☶을 넘어서니 물(水)☵이 가로막는다. 산전수전(山戰☶, 水戰☵) 다 겪고 난 후 삶의 정점에 서면 어느덧 구불구불 험한 인생 길은 곧고 평탄☷하게 펴지며 중정(中正)해진다. 험난한 인생의 파도를 헤치고 나와 평탄한 길에 들어서니 득중(得中)이요(利西南 往得中也), 험준한 산과 거친 물살에 길이 막히니 그 道가 궁(窮)해진다(不利東北 其道窮也). 건(蹇)은 험함에 갇힌 난관을 뜻하니 나아가고 물러남은 오로지 자신의 선택과 결정이다.

깊고 험한 물에 빠졌다면 밖에 있는 사람의 도움이 절실한 법이니 아무도 없는 첩첩 산중에서 깊은 물에 빠졌을 때 구해줄 수 있는 대인(大人)이 나타난다면 이보다 내게 더 이로운 것이 무엇이랴. 대인을 만나니 공(功)을 이루리라(利見大人 往有功也). 대인을 봄이 이로움은 어려움에 빠진 상황에서도 六二와 九五가 中正함으로 서로 정응하고 있음을 뜻한다. 九五는 험함 속에서도 六二에 응하며 중심을 지키고 있는 인군으로 강건중정한 大人이다. 외호괘 離火(☲)에서 명견(明見)의 의미가 나온다.

건(蹇)은 초효를 제외한 나머지 효가 정위(正位)를 지키고 있다. 이는 어려운 상황에서도 도리를 잃지 않고 제자리를 지키고 있음을 말하니 이로써 가정과 나라가 올바로 선다(當位貞吉 以正邦也). 또한 험함☵(坎)에 빠져 있을 때에는 나아갈 때 나아가고, 그칠 때 그치는(☶止) 지혜(외호괘☲明)가 필요하니 그 건(蹇)의 시용(時用)이 매우 크다.

(3) 계묘(癸卯)

계수(癸水)는 양기를 응축하여 완전하게 생명의 씨앗으로 정고(貞固)하게 보존하고 있는 기운이고, 卯는 생장하는 양기가 극에 달한 장성한 나무의 상으로 만물이 활기차게 생장하는 완연한 봄에 해당된다. 계묘(癸卯)는 사시의 순환을 통해 축적된 생기(癸水)가 만물이 생장하는 완연한 봄기운을 만나 새로움을 만들어내는 상이다.

卯는 癸水의 장생(長生)지이다. 癸水가 봄기운을 만나 단단함이 누그러지면서 미래에 대한 희망과 의욕은 크지만 기세는 어린아이와 같다. 생의 욕구가 강하고, 새로움을 만나는 기대감이 크다.

▷괘상의 이해

水☵(샘물)　　(癸水)

風☴(우물)　　(卯木)

井

井 改邑不改井 无喪无得 往來井井 汔至亦未繘井 羸其瓶凶
정 개읍불개정 무상무득 왕래정정 흘지역미귤정 리기병흉

우물의 상이다. 고을(틀, 형식)은 바꿀 수 있어도 우물(本原)은 바꾸지 못한다. 잃음도 없고 얻음도 없으니 오고 가며 마시고 마셔도 여전히 우물이라. 거의 이르렀으나 만약 두레박 줄이 우물에 미치지 않으면 (공을 이룰 수 없고), 만약 그 두레박을 엎어버린다면 흉이로다.

추운 겨울을 지내고 땅을 뚫고 나오는 봄의 생명에게 우물은 항상 샘물을 뿜어 생기가 되어준다. 단단하게 응축되어 있던 생기☵(癸水)가 용출하는 봄기운☴(卯)을 만나 누그러지면서 만물이 활기차게 생장하니 水

風井(䷯)의 상이다.

　물을 마시기 위해서는 물이 있는 곳까지 두레박을 내려 물을 길어 올려야 한다. 우물은 만물을 기르는 샘(太極)으로 결코 마르지 않으니 궁(窮)하지 않다. 고을(틀)은 고치되 우물을 고칠 수 없음은 만물이 생(生)하는 본원(本源)이기 때문이다. 구오(九五)가 양강(陽剛)함으로 바르게 중(中)을 지키니, 강(剛)은 만유의 생명인 우물의 뿌리를 뜻한다.

　음양이 작용하는 태극은 생장수장의 이치로 만물을 순환시키는 영원한 샘물이니 삼라만상이 오고 가며 마시고 또 마셔도 고갈되지 않으니 항구함이 변치 않는다(往來井井), 그러므로 만물의 근원으로 상징되는 정(井)은 잃음도 없고 얻음도 없이 항상(恒常)함으로 생명을 솟아내는 영원한 샘이다(无喪无得).

　근원에 닿지 않음은 이룸이 없음이니, 이는 비록 두레박은 바르더라도 줄이 짧으니 노력이 부족함을 말한다(汔至亦未繘井). 두레박 줄을 내렸으나 물(근원)에 닿지 않으면 공(功)을 이룰 수가 없다(未有功也). 수행하는 자는 깊이 새겨야 할 문구이다. 생명수(太極)에 다다르지 않고서는 결코 성통광명(性通光明)을 얻지 못하리라.

　두레박이 엎어짐은 바르지 아니함이니(羸其瓶), 부정(不正)함은 근본적으로 흉(凶)이다(是以凶也). 바르지 않음(不正)으로 어찌 물을 담을 수 있으며, 근원에 닿은 들 통할 수 있겠는가? 비록 근원에 줄이 닿지 않아 공을 이룰 수는 없을지 언정 어찌 바르지 아니함(엎어진 두레박, 깨어진 병)으로 우물(井)에 줄을 내리겠는가?

(4) 계사(癸巳)

　계수(癸水)는 양기를 응축하여 완전하게 생명의 씨앗으로 정고(貞固)하게 보존하고 있는 기운이고, 사(巳)는 확장 분열하는 양기의 중심을 잡아 열매를 생하기 시작하는 때로서 여름이 본격적으로 시작되는 입하(立夏)이며, 양기가 최고의 절정을 이루는 시기이다. 계사(癸巳)는 양기를 응축 저장하는 차가운 癸水가 확장 분열하는 뜨거운 巳火를 맞아 서로 강한 기운이 누그러지면서 새로움을 태동(胎動)하는 상이다.

巳는 癸水의 태지(胎地)이다. 癸水의 기세가 뜨거운 환경에 의해 견제를 받으며 단단한 씨앗의 껍질을 벗으니 생명이 태동한다. 생명은 서로 상극하는 기운이 상호작용함으로써 태동하는 것이니 수리적으로 水☵는 생명의 시작인 1이요, 火☲는 생명의 완성인 9를 의미한다. 아직은 모태에 생명이 태동하는 시기로서 자신의 역량을 제대로 발휘하지 못한다. 뜨거운 열에 물이 증발되는 상이니 강렬한 火氣에 제대로 힘을 발휘하지 못한다.

▷괘상의 이해

水☵(물)　　(癸水)

火☲(불)　　(巳火)

既濟

既濟 亨小 利貞 初吉終亂
기제 형소 이정 초길종란

기제는 형통함이 작아지는 것이니 바르게 함이 이롭다. 처음에는 길하지만 끝내는 어지러우리라.

계수(癸水☵)는 양기를 응축하여 완전하고 바르게(貞正) 생명의 씨앗으로 정고(貞固)하게 보존하고 있는 기운이고, 사(巳☲)는 확장 분열하는 양기의 중심을 잡아 열매를 생하기 시작하는 시기로서 양기가 최고의 절정을 이루는 때이니, 계사는 수화가 서로 대립하고 상호작용하며 완전함을 이루고 있는 기제(旣濟)의 상이다. 기제(䷾)는 서로 상극하는 水火(☵☲)의 기운이 서로를 견제하고 상조하며 대등하게 상호작용함으로써 새로운 변화, 새로운 생명을 태동하는 것을 의미한다. 또한 생명은 생명의 완전함을 이루는 순간부터 죽음을 향해 가는 것이 숙명이니 기제괘는 이에 대처하는 지혜를 성인의 글을 통해 우리에게 제공한다.

기제(旣濟)의 여섯 효는 각각 음양의 제자리를 지키고 있으며(正位), 상하괘는 서로 정응(正應)한다(剛柔正而位當也). 그리고 하괘 六二과 상괘 九五은 중정(中正)함을 지키면서 서로 응(應)하고 있으니 64괘 중에서 가장 효율적으로 작용하는 괘로서 완전히 자란 보름달처럼 문명이 최고조에 이른 상태를 말한다.

물☵은 아래로 흐르고 불☲은 위로 향하니 서로 만나 작용을 일으킨다. 모든 사물의 이치는 자기 자리를 지키며 서로 만나 화생작용(化生作用)을 하는 것이니 수화기제(水火旣濟)는 최상의 조건을 갖추었음을 의미한다. 만물은 음양이 만나 서로 작용하며 생화(生化)된 현상이니, 기계는 서로 톱니바퀴가 제대로 맞물려야 작동하듯이 인간세상은 꽉 찬 보름달처럼 밝은 문명 속에서 돌아가고, 일월성신(日月星辰)은 제각기 자리를 지키며 운행한다.

그러나 문명의 퇴조는 밝음이 최고조에 이른 상태에서 시작되는 것이니 보름달은 시간이 지나면 결국 무너지기 시작한다(上六, 濡其首 厲). 제 자리를 지키며 유지하는 것이 최선의 방책이나(初九, 曳其輪 濡其尾 无咎), 문명이 갑자기 붕괴에 이르는 것은 바로 밝음의 최고조 상태에서 오는 中滿(마음 속의 자만)에 의한 본성의 상실 때문이라 볼 수 있다.

이미 내를 건넜다는 것은 초기의 어려움을 극복하고 인내의 시간을 견디며 모든 일이 완료되고 마무리되었다는 것을 의미한다. 더 이상 할 것이 없다는 것은 좋은 의미에서는 성공을 의미하지만, 또 다른 한편으로는 앞으로 도전하고 성취할 이유가 없어졌다는 것을 의미한다.

달도 차면 기우는 법, 초기에는 보름달처럼 꽉 찬 사물의 완성을 의미하지만 일이 이루어진 뒤에는 결국 둥근 달이 찌그러지며 무너지듯 다시 혼란이 온다는 것을 경고한다. 기제(旣濟)는 완전히 충전된 밧데리처럼 완성을 의미하지만 충전이 완료되는 순간 서서히 방전은 시작될 것이다(初吉終亂).

기제(旣濟)의 형통함은 이미 다 이룬 형통함이니(旣濟亨), 바름을 지키지 못하고 교만에 취하여 머리를 적시면(濡其首 厲), 보름달이 어그러지듯 형통함이 작아진다(亨小). 작은 것이 형통하다(小者亨也)함은 그믐달이 보름달을 향하여 커가는 형통함을 말하니, 이는 미성숙한 어린 여우가 인생이라는 내에 놓인 징검다리를 건너 완성을 향해 가는 미제(未濟)의 형통함과 통한다

(5) 계미(癸未)

계수(癸水)는 양기를 응축하여 완전하게 생명의 씨앗으로 정고(貞固)하게 보존하고 있는 기운이고, 미(未)는 나무가 양기의 제공을 점차 끊음으로써 열매를 땅에 떨어트려 결실을 준비하는 뜨거운 여름의 막바지 환경에 해당된다. 그러므로 계미(癸未)는 癸水의 응축저장 작용이 양기를 숙성시키기 위해 작렬하는 늦여름의 뜨거운 기운을 맞이하여 가운이 누구러지는 상이 된다.

未는 癸水의 묘고(墓庫)가 된다. 강한 음기가 생명의 씨앗인 양기를 강하게 응축 저장하고 있는 癸水의 작용이 작렬하는 뜨거운 조토(燥土)의

기운에 의해 힘을 잃는다. 정고(貞固)함이 무너지고, 지혜가 무디어지니 癸水의 기세가 꺾인다. 癸水의 역량이 발휘되기 어렵고, 환경이 맞지 않으니 답답하기만 하다.

▷괘상의 이해

水☵(물)　　(癸水)

地☷(흙)　　(未土)

比

比 吉 原筮 元永貞無咎 不寧方來 後夫凶

비 길 원서 원영정무구 불녕방래 후부흉

比는 吉하도다. 比의 근본 筮는 元하고 永하고 貞하니 허물이 없다. 대지의 요철에 흘러 들어 부족한 곳을 메워 평안하게 하다. 그러나 때에 늦으면 아무리 대장부라 할지라도 흉하도다.

　사시를 순환하며 축적된 생명의 지혜를 품고 있는 癸水☵가 뜨거운 대지☷(未) 위를 흐르며 어루만진다. 계수는 단단함과 차가움, 냉정함이 힘을 잃고 누그러지니 대지는 거칠고 메마른 땅이 생명을 얻고 기운을 얻는다. 九五의 강건중정함이 아래로 내려가 六二의 유순중정과 함께 하는 것이다. 계수가 그 겨울의 성정을 정고하게 지키면 메마른 땅은 생명을 얻지 못하고 대지는 씨 없는 태궁(胎宮)이 될 것이다. 대지는 계수의 고지(庫地)이니 물(☵생명)이 메마른 거친 땅☷ 위를 흐르며 스며들어 적셔주니 생명을 품는 것을 의미한다. 천지자연은 서로 극하면서도 생하는 것이니 생극이란 서로 상대적이면서도 상보적인 원리를 가지고 있다.

물☵과 대지☷는 서로 하나가 될 때 비로소 만물을 키울 수 있으니, 근본적으로 비(比)의 상은 길하다. 물☵은 위에서 아래를 향하고, 대지☷는 이를 품어 하나가 된다. 물의 속성은 아래로 흐르는 것이니 대지의 불균형한 부분을 찾아 균형을 맞추어 주고, 또한 부족한 부분을 메우고 보충해준다. 이는 물이 가지는 근원적인 속성이니 생명을 품고 있는 대지는 물을 받아 생명을 키워내고 순종하며 따른다.

九五는 양의 자리에 양으로 와서 자리가 바르고 中正하며, 六二는 음의 자리에 음으로 와서 자리가 바르고 中正하여 서로 정응(正應)하니, 서로 돕고 따르는 것이다(比輔也 下順從也). 九五☵와 六二☷가 서로 중정(中正)함으로써 정응(正應)하는 것은 임금(九五☵)이 바른 도로써 백성(六二☷)을 도우니(比輔也), 백성이 순종하고 따르는 것을 말한다(下順從也). 그러므로 九五의 강건중정(剛健中正)이 백성의 유순중정(柔順中正)을 포용하고 기르는 모습이 된다.

불녕(不寧)이란 물이 불균형한 대지 위에 흩어져 있어 편안하지 않은 모습을 비유하고, 방래(方來)란 각지(各地)에서 시나브로 모여들어 편안하지 않은 것을 채우는 모습을 말한다. 기운 곳은 균형을 맞추고 부족한 곳을 채우며 요철을 메우니, 땅 위에 여기저기 흩어져 있는 백성이 대지의 순함으로 포용되어 서로 하나됨을 비유한다.

점을 낸다는 것은 천지 감응을 통해 천지와 일통(一通)함으로써 이루어 지니, 天地人 三神이 일체를 이루어 하나가 되었을 때 비로소 점이 나온다. 그러므로 천지를 이룸에 있어 九五가 강건한 中正의 도로써 찾아 들고(以剛中也), 상하(上下)가 서로 응하는 이때(不寧方來 上下應也), 때를 놓치면 장부(丈夫)라 한들 어찌 흉하다 하지 않겠는가(後夫凶)?

(6) 계유(癸酉)

수(癸水)는 양기를 응축하여 완전하게 생명의 씨앗으로 정고(貞固)하게 보존하고 있는 기운이고, 유(酉)는 수렴된 양기를 순수한 정수만으로 응축하여 결실을 마무리 짓는 때이다. 그러므로 癸酉는 이미 양기를 응축하여 생명의 씨앗으로 정고(貞固)하게 보존하고 있는 癸水가 양기를 분별하여 수렴한 숙살지기를 만난 상이다.

유(酉)는 계수(癸水)의 병지(病地)이다. 癸水의 냉철한 지혜가 무디어지고, 단단함이 힘을 잃는다. 곡식☰(양기)을 거두어 쌓아 놓은 들판에 찬 비☵가 내리는 격이니 결실작용이 어려움에 부딪힌다.

▷괘상의 이해

水☵ (구름)   (癸水)

天☰ (하늘)   (酉金)

　需

需 有孚 光亨貞吉 利涉大川

수 유부 광형정길 이섭대천

수需는 기다림에 믿음이 있는 것이라. 크게 밝아 형통하니 바르고 길하다. 큰 내를 건너니 이로우리라.

사시(四時)를 순환하며 축적된 생명의 지혜를 품고 있는 癸水☵가 가을의 숙살지기가 수렴하여 응축한 生氣☰를 품고자 기다리니 크게 형통하다. 생기(생명)☰가 다음 생의 순환을 위하여 水氣☵에 저장되는 것은 우주만물의 이치이다. 그러므로 대인으로 상징되는 乾☰이 大川☵를 건너가는 것은 만물을 위해 이로운 것이다.

수(需)는 강건(剛健)☰이 때를 기다려 험난(險難)☵을 건너는 것이니 이 섭대천(利涉大川)의 상이다. 險水☵가 앞에 놓여있지만 乾陽☰의 강건함이 임하였으니 장차 험(險)☵을 건너되 경솔하게 나아가지 않는다. 건(乾)은 강건한 대인의 상으로 경솔하게 움직이지 않고 기다릴 줄 아니 곤궁함에 빠지지 않으며, 대천(大川)을 건너는 것이 이로움은 건너가면 공(功)을 이루기 때문이다(利涉大川 往有功也).

수(需)란 뜻을 가지고 기다리는 믿음(孚)이다. 믿음이 없다면 막연하게 기다리는 것이고, 믿음에 뜻이 없다면 대천을 건넌 들 무엇이 이로우랴. 생기(생명)☰가 다음 생의 순환을 위하여 水氣☵에 저장되는 것은 우주만물의 이치이니, 乾☰(생명)이 다음 생의 순환을 위하여 大川☵를 건너가는 것은 만물을 위해 이로운 것이다.

그러나 대천을 건너는 것은 때를 아는 지혜가 필요하다(需須也 險在前也). 수(需)는 '기다리는 도'를 설명한다. 험수(險水)☵가 앞에 가로막고 있다면 어떤 선택을 하겠는가?

소인배는 경거망동하여 만용으로 뛰어들어 스스로 해(害)를 자초한다. 그러나 대인은 시류(時流)를 아니 가볍게 움직이지 않고 벗을 불러 함께 음식을 나누며 때를 기다린다.

공자는 대상전에서

雲上於天 需 君子以 飮食宴樂
운상어천 수 군자이 음식안락

구름이 하늘로 오르는 것이 수(需)이니, 군자는 이러한 상을 보고 먹고 마시며 잔치를 즐기노라.

라고 하여 험수(險水)☰☰는 험한 시류(時流)이니 낚시를 드리우고 때를 기다라는 강태공의 낙천지명(樂天知命)의 지혜를 전하고 있다.

20.5.17. 양인(陽刃, 羊刃)의 원리적 이해

甲丙戊庚壬 양일간(陽日干)이 월지에서 십이운성의 기세가 강한 제왕지(子午卯酉)를 만나는 것으로서 나의 정재(正財)를 겁탈하는 겁재(劫財)이며, 양간(陽干)에만 있으므로 양인(陽刃)이라고 한다. 그런데 겁(劫)이라고 하지 않고 특별히 인(刃)이라고 하는 것은 일반 겁재보다 겁탈이 심하기 때문이며, '칼로써 양의 목을 벤다'라는 뜻으로 양인(羊刃)이라고도 한다. 마땅히 극제해야 하므로 정관이든 칠살이든 마땅하다. 만일 관살이 없으면 식상(食傷)으로 설기되어야 한다.

양인은 좋게 쓰이면 활인도(活人刀)요, 나쁘게 쓰이면 살인도(殺人刀)가 된다. 일반적으로 양일간의 제왕지를 양인으로 보는데 모든 왕지가 양인은 아니며, 겁재와 양인을 구분한다.

12벽괘를 활용하여 원리적으로 양인을 구분하면, 병오(丙午)양인과 임자(壬子)양인, 무오(戊午)양인이 있으며, 나머지는 갑묘(甲卯), 경유(庚酉)는 겁재로 본다. 무오(戊午)양인은 화토동궁(火土同宮)의 원리로 양인이 된다.

양인은 陽일간이 왕지를 만나는 것이므로 양기의 세력으로 판단한다. 丙午와 戊午는 陰이 강왕한 陽氣(☰乾)를 치는 것이고, 戊子는 陽이 강왕한 陰氣(☷坤)를 치는 것이다.

▷ **병오(丙午)양인과 무오(戊午)양인**

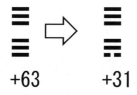

+63   +31

병오(丙午)와 무오(戊午)는 양인(羊刃)의 상이다(火土同根). 괘로 보면 午는 천풍구의 상으로서, 중천건괘(☰) 양기의 에너지는 +63이 되고, 일음(一陰)이 생한 천풍구(☴)는 +31이다. 이는 한 개의 음이 대양(大陽)인 중천건괘(+63)의 목을 쳐 +31로 쇠락시킨 것을 의미하는 것이니 그 한 개 음의 괴력은 무시무시한 것이다. 양인은 칼을 든 격인데, 칼을 잘 쓰면 사람을 살리는 활인도(活人刀)가 되고, 칼을 잘못 쓰면 사람을 죽이는 살인도(殺人刀)가 되는 것이다.

▷ 임자(壬子)양인

-63   +32

임자(壬子)는 양인(羊刃)으로서, 무시무시한 칼을 차고 있는 모습으로 그 힘이 비유된다. 子는 12벽괘로 지뢰복(地雷復☷)의 상이다. 일양(一陽)이 생겨난 모습으로 다섯 개의 음을 떠받치는 일양(一陽)의 에너지는 +32가 된다. 대양(大陽)인 중천건괘(☰) 여섯 개의 양기가 모두 +63이니 다섯 개의 음효를 떠받치는 한 개의 양기가 +32라면 그 괴력은 무시무시한 것이다.

한 개의 양효가 다섯 개의 음효를 땅에서 들어 올린 것은 중지곤괘☷(-63)의 목을 친 격이니 과연 양인의 괴력이다. 그러므로 칼을 잘 쓰면 사람을 살리는 활인도(活人刀)가 되고, 칼을 잘못 쓰면 사람을 죽이는 살인도(殺人刀)가 된다. 칼은 사용하는 자에 따라 용도가 달라지는 것이다.

20.5.18. 지기(至氣)와 통하는 사주 괘상

　우주역인 선천복희팔괘가 배열을 달리해 지구역인 후천문왕팔괘로 전환하는 원리가 중천건괘(重天乾卦)를 해설하는 「문언전」에 나와 있다. 우주역과 지구역의 至氣가 서로 상통하는 원리를 대산 김석진 선생은 九五 비룡재천(飛龍在天)의 의미를 통하여 해석하고 있다. 이 괘상에 해당되는 四柱(사주)는 어떤 상황에서도 우주의 기운과 내통(內通)하고 있어 천기의 도움을 받는다. 년월일시 중에 어느 사주에 있든 근묘화실(根苗花實)의 원리를 활용하여 해석한다.

九五曰 飛龍在天利見大人 何謂也
子曰 同聲相應 同氣相求 水流濕 火就燥 雲從龍 風從虎
聖人作而萬物覩 本乎天者親上 本乎地者親下 則各從其類也

　구오에 말하길 '나는 용이 하늘에 있으니, 대인을 봄이 이로움'은 무엇을 말하는가? 공자께서 말씀하시되 "같은 소리는 서로 응하며 같은 기운끼리는 서로 구해서, 물은 젖은 데로 흐르며 불은 마른 데로 나아가며, 구름은 용을 좇으며 바람은 범을 따르느니라. 성인이 일어남에 만물이 바라 보나니, 하늘에 근본한 것은 위를 친하고, 땅에 근본한 것은 아래를 친하나니, 곧 각기 그 류를 따르느니라."

-풀이-

　"구오(九五)가 용덕을 갖추고 있어 임금의 자리에 올라 중정한 도를 폄에, 만물이 각기 성명을 바르게 하여 그 류끼리 모이되 조화를 이루니 바로 대동하는 것이다. 새벽에 장닭이 울면 모든 이웃 닭들이 따라 울듯 같은 소리는 서로 응하며(同聲相應 동성상응), 비 오기 직전 미리 땅과 초목이 축축해지듯 같은 기운은 서로 구하며 (同氣相求 동기상구), 젖은 땅으로 물이 흘러내리며(水流濕 수류습), 마른 하늘로 불이 타오르며 (火就燥 화취조), 용이 날아오름에 구름이 일어나며(雲從龍 운종룡), 범이 날래게 뜀에 바람이 일어남이 자연한 것이다(風從虎 풍종호). 그러므로 구오 성인이 일어나 덕을 베풂에 만물이 다 우러러보니(聖人作而萬物覩 성인작이만물도), 하늘에 근본한 일월성신이나 날짐승 등은 위로 친하고 (本乎天者親上 본호천자친상), 땅에 근본한 산천초목이나 들짐승 등은 아래를 친한는 것이니(本乎地者親下 본호지자친하), 각기 그 류를 쫓아 어우러지는 것이다(則各從其類也 즉각종기류야)".[1]

선후천의 변화에 대한 비의(秘意)는 「문언전」九五에서 찾을 수 있다. 이 선후천의 변화를 독창적으로 풀이한 也山선사의 「구오변도설」을 통하여 지기(至氣)의 흐름을 살펴보자. 선천역인 복희팔괘가 우주의 지기(至氣)로서 체(體)가 되고, 후천역인 문왕팔괘는 지구역으로서 용(用)이 된다.

---

[1] 김석진, 『대산주역강해』상경, 대유학당, 2015, p.42-44.

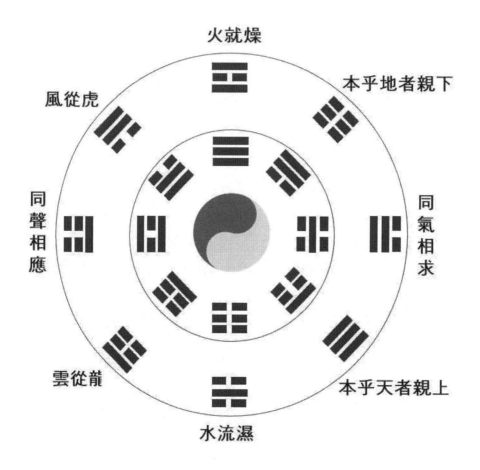

火就燥

本乎地者親下

風從虎

同氣相求

同聲相應

雲從龍

本乎天者親上

水流濕

1) 동성상응(同聲相應): ䷔火雷噬嗑(화뢰서합)

번개☳가 치면 우레☳가 따라 울리고

2) 동기상구(同氣相求): ䷻水澤節(수택절)

물☵이 흐르다 보면 마침내 큰 못☱을 이룬다.

3) 수류습(水流濕): ䷆地水師(지수사)

습한 땅☷으로 물☵이 흐름과 같이

4) 화취조(火就燥): ䷌天火同人(천화동인)

마른 하늘☰로 불☲이 타오름과 같이

5) 운종룡(雲從龍): ☳☶雷山小過(뇌산소과)

　　용☶이 비상하면 구름☷이 따라 일어나듯

6) 풍종호(風從虎): ☱☴澤風大過(택풍대과)

　　범☴이 치달리면 바람☶이 따라 일어나듯

7) 본호친자친상(本乎天者親上): ☰☶天山遯(천산돈)

　　하늘의 기운이 산에 먼저 도달함과 같이 하늘☰을 근본한 것은 산

☶과 같은 높은 데와 친함이니

8) 본호지자친하(本乎地者親下): ☴☷風地觀(풍지관)

　　땅☷을 근본한 것은 아래로 부는 바람☴과 같이 낮은 데를 친한다.

21.   사주팔자(四柱八字)의 이해

인간은 자연의 속성을 닮았다. 아니 지구상의 모든 동식물은 자연의 일부이니 존재자체가 곧 자연이다. 그러므로 인간도 자연이다. 자연에서 태어나 자연을 취하며 생명을 유지한다. 그러므로 인간은 자연의 일부이면서 그 자체가 곧 자연인 것이다. 지구상의 모든 동식물, 우주에 존재하는 모든 생명체는 자연이자 우주이니 하나의 생명체이다. 나는 우주 본체의 구성요소이니 곧 우주가 되는 것이다.

자연의 변화는 자연의 구성원들에게 영향을 미친다. 그러므로 자연의 일부인 구성원들은 자연의 변화 속에서 자연의 변화를 받아들이며 자연의 속성을 닮는다. 자연의 변화는 곧 인간의 변화를 의미한다. 왜냐하면 서로 동일체이기 때문이다. 인간이라고 해서 특별한 지위를 부여할 논리적 근거는 없다. 그러므로 인간의 속성을 알아내고자 한다면 자연의 속성을 이해하면 된다. 자연은 사시를 순환하며 생장수장의 이치로 생장성쇠, 생로병사를 거듭한다. 사시순환에 따라 기후가 발생하고, 기후의 변화에 따라 만물은 생로병사의 이치를 운행한다. 뜨거운 기운은 올라가고 차가운 기운은 내려오면서 서로 부딪히며 기후의 소용돌이를 만들어내고, 그 와중에 만물은 생로병사를 거듭한다. 만일 차가운 기운만 있거나 뜨거운 기운만 있다면 만물은 성장할 수가 없다. 음양으로 비유한다면 음양이 서로 상생과 상극을 반복하면서 만물을 키우는 것이다. 나무가 대지에 뿌리박으면 대지는 단단해지면서 금을 생한다. 즉 [木克土-土生金]이니 생(生)과 극(克)은 서로 만물을 키우는 단짝이다.

우리가 매일 보고 느끼고 듣고 이해하는 자연의 성질이 곧 인간의 성질이니 자연을 이해함으로써 우리는 자신을 들여다본다. 10천간과 12지지로 구성된 사주팔자는 태극을 돌리는 동력원인 음양과 만물의 기질(氣質)인 오행을 내적원리로 프로그래밍한 비밀코드다. 10천간은 음양오행이 내적원리로 펼쳐낸 코드이고, 12지지는 지구가 공전과 자전을 통해 만들어내는 기후를 12개월로 표시한 기호이다. 천간오행이 하늘을 유행하며 사시를 순환하면서 지구의 기후와 만나 작용하니, 만물은 생장수장(生長收藏)의 이치로 낳고 기르고 수렴하고 저장된다. 천간과 지지로 구성된 사주팔자라는 여덟 개의 비밀코드를 제대로 분석할 수만 있다면 인간의 속성을 파악할 수가 있게 된다.

사주팔자(四柱八字)라는 명리학이 학문으로서 정립이 되지 않는 이유는 무엇인가? 많은 이들이 사주팔자를 통해 인간의 과거와 미래를 알아내고자 한다. 그래서 통변기술에 많은 시간을 투자한다. 사후 약방문 격인 해석을 통해 공부를 한다.

사주 명리학은 논리학이다. 기본줄기가 논리적으로 탄탄하게 서지 못한다면 제아무리 통변이 능하다 해도 언어유희에 불과할 뿐이다. 나무기둥이 가늘고 가지가 굵은 기형적인 구조에서는 제아무리 통변기술을 쌓는다 하더라도 논리는 순식간에 무너지고 만다. 기상천외한 분석기법을 동원하여 통변해도 기본논리가 허술하면 말장난에 불과하다.

기본적으로 인간을 비롯한 만물은 좁게는 지구, 넓게는 우주라는 하나의 생명체 속에서, 그 구성원으로서 서로 연결되어 존재하는 일체의 생명이라는 것을 인식해야 한다. 내 삶이 자연의 순환에 순응하고 있는가? 아니면 역행하고 있는가? 간단히 설명하면 '더운 여름에 두꺼운 옷을 입고 겨울에는 얇은 옷을 걸치고 있는가'이다. 순행과 역행은 모든 만물에 적용된다.

한날 한시에 하나의 꽃봉오리에서 터져 나온 꽃씨들도 어디에 뿌려졌는지에 따라 운명이 갈린다. 한날 한시에 태어난 쌍둥이도 살아가는 인생 행로는 서로 다르다. 동일한 사주팔자를 가지고 태어나는 사람이 인구수로 분석하면 대한민국 안에도 수십명이 존재한다. 직설적으로 표현하면 대통령과 같은 사주도 수십여명이 달한다. 그러나 대통령은 한 사람뿐이니 사주팔자라는 문자에 함몰되어 온갖 기법을 동원하여 통변한다 한들 제대로 맞힐 수가 있을까? 사주팔자를 통하여 사돈의 팔촌의 운명까지 신처럼 아는 체하는 것이 얼마나 허황된 일인가? 여덟 개의 문자가 품고 있는 함의를 통해 모든 것을 족집게처럼 알아낼 수는 없다. 백발백중 점쟁이를 원한다면 신기(神氣)를 가진 무당을 찾아가는 것이 낫다.

인간의 삶의 행로는 결정론적 운명론에 의해서만 정해지는 것도 아니요, 자유의지에 의해서 자신이 선택한대로만 흘러갈 수 있는 것도 아니다. 선천적으로 부여받은 유전자적 성향에 의해 어쩔 수 없이 끌려가는 행로도 있다. 인생이라는 수레는 주어진 운명과 자유의지라는 두 개의 수레바퀴가 서로 조화를 이루며 굴러가는 것이니, 운명의 굴레라는 숙명론에만 치우쳐서도 안되며, 자유의지로써 자신의 운명을 선택하여 개척해 나갈 수 있다는 극단적 교만에 치우쳐서도 인생이라는 숙제를 완전히 해결할 수는 없다.

우주는 과학적이고 기계론적인 논리로만 설명할 수 없는 것이 너무나도 많다. 뉴턴의 기계론적 우주관을 거쳐 우주는 하나의 살아있는 생명이라는 관점으로 바라보는 닐스 보어의 양자역학으로 우주를 설명하는 현대과학은 태초는 카오스(혼돈)에서 출발한다고 설명한다. 또한 종교적 관점에서도 태초는 혼돈 속에서 질서가 세워졌음을 말한다. 천부경에서는 이를 일시무시일(一始無始一)이라고 하여 하나(태극, 우주)의 시작은 무(無)에서 시작했음을 천명하고 있다.

사주팔자에 함유된 정보를 가지고 논리적으로 분석하여 설명한다고 해서 우리네 인생항로를 100프로 해명할 수는 없다. 음양오행이라는 우주의 작용과 순환원리가 프로그래밍된 천간지지(天干地支)로 구성된 사주팔자(四柱八字)를 해석하여 혼돈 속에서 운명이라는 질서를 찾아내고자 하는 것이 사주 명리학(四柱命理學)이요, 카오스(무질서) 속에서도 과학적이고 분석적인 탐구를 통해 프랙탈(FRACKTAL)에서 질서(원리)를 찾아내고자 하는 것이 과학이니, 운명이라는 마차를 이끌고 있는 이 두 개의 수레바퀴가 끄는 마차 위에 올라타고 앉아 우리네 인생 행로를 통찰해 보라.

우주의 생성과 순환, 그리고 만물의 변화에 대한 정보를 저장하고 있는 천간, 지지, 지장간, 12운성 등은 서로 그물망으로 연결되어 개인이라는 통일체를 형성한다. 하나의 개인은 수많은 정보가 복합되어 있지만 매우 엄격하게 통합된 하나의 프로세스와 같다. 그러므로 정보를 함유하고 있는 8개의 문자가 서로 관계를 맺고 있는 각각의 위치에서 상호작용을 통해 정보를 교환하면서, 생극제화라는 상호작용에 의해 일어나는 갖가지 사건들의 잠재성과 가능성을 조합하여 정보를 취합 분석하는 것이 사주팔자(四柱八字)로 구성된 명리학의 본질이다.

혼돈(CHAOS)에서 점차 질서가 세워지고, 방향을 선택하여 나아가면서 무엇을 만나 영향을 주고받으며 상호작용하는지에 따라 운로(運路)는 달라진다. 아이가 세상에 나와 처음 인생길을 선택할 때처럼 막막한 일은 없다. 자신이 안고 나온 팔자를 정확히 알고 운로를 선택한다면 그것보다 길한 일은 없을 것이다. 그러나 누구에게나 시작은 아무도 모르는 혼돈, 즉 양자물리학의 근간인 '불확정성의 원리'를 바탕으로 한다. 처음에는 나 자신의 선택이 아니라 부모의 영향에 의해 운로가 영향을 받게 되며, 장성해서는 스스로 주체적인 선택을 하고 나이가 들어서는 자식의 영향 아래 들어가게 된다.

혼돈에서 음양이라는 질서가 세워지고, 음양을 통해서 사상이 나오고 오행이 돌아 만물(8괘)이 펼쳐지듯, 인생도 산 위 옹달샘에서 시작된 물줄기가 방향을 잡아가면서 서서히 다른 지류와 만나고 합하며, 충돌하고 헤어지기를 반복하면서 최종 목적지인 큰 바다를 향해 스스로의 길을 찾아 나서는 것과 별반 다르지 않다(山水蒙산수몽).

21.1.산수몽(山水蒙)

인생의 출발을 위해 첫발을 내딛는 주역 산수몽(山水蒙)괘를 보자.

산수몽(山水蒙)

山☶
水☵
蒙

▷괘상(卦象)

水☵의 구이(九二) 양효가 상향하여 山☶이 되니 산수몽(山水蒙)의 괘상이 만들어 진다. 물에서 갓 벗어나 서있는 상으로서 험난☵(險)에서 벗어났으나 갈 방향을 모르고 서있는 모습☶(止)이다. 물을 건너 서있는 모습, 물을 건넜으나 어찌할 바를 모르고 서있는 어린 아이의 모습. 아직은 발목이 물에 잠겨 있는 모습이니 모든 것이 서툰 상태이다.

다음 괘상을 보면 九二가 험난☵ 속에서도 강중剛中의 도道로써 상향하면서 계속하여 험난☵을 만나는 것을 알 수 있다. 바다에 도달하기 위해서는 내와 강을 거치지 않고서는 도달할 수가 없다. 九二는 중도中道를 의미하니 비록 바다로 가는 길은 험하지만 그 험함을 포용包容하며 나아간다. 도랑물이 바다에 도달하는 과정에서 보고 배우며 습득하고 경험해가면서 점차 큰 물로 성장해가는 것이다(九二 象曰 包蒙吉 納婦吉 子克家 剛柔接也).

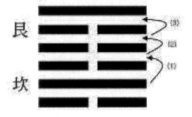

　작은 도랑이 점점 내가 되고 강이 되며 커가듯이, 아이가 경험과 학습을 통해 어른으로 커가는 모습을 보여준다. ☵는 산에서 흘러내려온 물길, 작은 물이 모이고 모여 합류한 강, 사람으로 치면 집을 떠나 구도의 길을 가고 있는 구도자(인생길)이다. 완성을 향하여 배우고 헤치며 나아갈 길이 멀다. 인생길이란 구도(求道)의 길이다.

　작용으로 보면 산에서 흘러내린 작은 물길☵에 불과한 九二 양효가 첫 번째 내☵를 지나고, 두 번째 강☵을 지나며 갈 길을 찾아 헤매는 지류와 합류하며 몸을 불리고, 세 번째 모든 흐름이 멈추고 완성된 넓은 바다를 의미하는 세상으로 나오며 어른으로 성장해가는 과정을 보여준다. 상괘 艮☶은 끝, 완성, 도착을 의미하는 그침(止)이니 물은 바다를 목적지로 흐르며, 아이는 어른을 지향점으로 커간다.

　상(象)으로 보면 산☶에서 흘러내리는 물☵이 갈 길을 잃어버리고 이리저리 헤매는 모습, 어린 아이☵가 길을 몰라 어쩔 줄 모르고 서있는 모습☶이니 괘명이 몽(蒙)이다. 성인은 이 상을 보고 계몽(啓蒙)을 읽어내니, 어리석고 유치함은 계몽으로 깨우쳐야 함을 가르친다. 인습☵에 젖어 제 자리에 머물러 있는 사람☶을 가르쳐서 깨우치는 것도 계몽(啓蒙)이다.

　어린아이☵와 같은 유치한 상태에서 배움을 통해 어른☶으로 성장해 나가는 모습, 서울을 가로 지르는 한강도 그 근원을 찾아가면 작은 샘물을 만나게 되니, 모든 만물의 시작은 맑고 순수한 어린아이☵와 같은 것이다.

　六五는 산중턱에 생긴 작은 샘물로 힘이 미약하여 흐르지도 못하는 조그만 샘터이다. 사람으로 치면 아직 몽매蒙昧함에서 깨지 못한 간난아기라고 할 수 있다. 때묻지 않아 순수하지만 아직은 어려서 스스로 걷지 못한다. 물이 조금씩 모이면서 산 아래 비탈길로 흐르기 시작하니 처음에는 길을 찾지도 못하고 이리저리 헤매는 동몽(童蒙)의 상이다. 그러나 六五는 완성을 향한 출발점이면서 시작이고, 인간 본원本源으로 자아自我의 자리이며, 유순柔順하지만 군왕으로서의 위엄을 갖춘 자리이기도 하다. 九二 양과 서로 응하니 九二를 푯대 삼아 나아간다. 자아(自我)를 찾아 나선 구아(求我)의 길은 결국 자기자신의 본(本)을 찾는 것이고 나를 찾아 나선 구도(求道)의 길이니 결국 길을 나선 자기 본래의 자리로 돌아가는 것이다.

산에서 물이 흘러 작은 내를 만들고 강으로 흘러서 마침내 바다로 향하는 것처럼, 어린아이(童蒙)가 어머니의 품을 벗어나서 세상으로 나아가 청년기==를 거치며 어른==으로 성장해 나간다. 샘터를 떠난 물==이 물줄기를 찾아 떠나는 모습, 작은 내부터 시작하여 강을 거쳐 바다로 향하듯, 엄마 품을 떠난 동몽(童蒙)이 자아(自我)를 찾아 여정을 떠나는 모습이다.

九二는 깊은 산속== 작은 샘터를 떠나 길을 찾아 나선 구도자==의 모습, 나아가는 목적과 방향은 뚜렷하다. 비록 목적지인 바다에는 도달하지 못하고 여전히 길을 찾아 험난한 구도의 길을 가는 상태이지만 넓은 바다에 도착하여 모든 것을 내려놓고자 하는 물==의 모습인 것이다. ==은 이미 샘터를 떠난 구도자의 상이니, 괘상으로 보면 동몽(六五)의 스승이며 푯대이다. 중도中道로서 험(陰)을 포용하며 바른 길을 나아가니 九二는 포몽包蒙의 상이 된다.

▷ 괘사(卦辭)

蒙 亨 匪我求童蒙 童蒙求我 初筮告 再三瀆 瀆則不告 利貞
몽 형 비아구동몽 동몽구아 초서고 재삼독 독칙불고 이정

몽은 형통하도다. 내가 童蒙을 구함이 아니라 童蒙이 나(自我)를 찾아 나섬이로다. 처음 점을 치거든 알려주고, 두 번 세 번하면 초심이 더럽혀짐이니, 더럽혀진 즉 알려줌이 무슨 의미가 있겠는가? 곧고 바르게 함이 이로우니라.

蒙 亨

사물 초기의 유치한 상태가 몽(蒙)이니 사람으로 치면 어미 품을 갓 벗어난 어린아이로 산 속의 조그만 샘터에서 흘러나온 물이 갈 길을 찾아 헤매는 모습이 바로 인생행로를 시작하는 어린아이(童蒙)의 모습이다. 어린아이는 시간이 흐름에 따라 배움과 경험, 그리고 학습을 통해 점점 자아(自我)를 키워나간다. 물은 자신의 길을 찾아 나서 내를 이루고 강을 따르며 바다를 향한다. 이렇듯 동몽(童蒙)은 인생행로를 따라 자아를 찾아가며 어른으로 성장해 가니, 그러므로 몽(蒙)이란 형통(亨通)한 것이다.

匪我求童蒙 童蒙求我

구아(求我)란 나(我)를 찾는 구도(求道)를 의미한다. 몽매(蒙昧)한 동몽(童蒙)에 그대로 머물러 있다면 어찌 도(道)가 스스로 나(我)를 찾아와 문을 두드릴 수 있겠는가? 도(道)란 무위자연(無爲自然)이니, 스스로 문을 열고 나아가 깨우치지 않는다면 동몽을 면치 못한다. 산☶에서 샘물이 어느덧 넘치게 되고 흘러내리는 물줄기☵가 스스로 길을 찾아 떠나듯, 동몽이 스스로 자아를 찾아 구도의 길을 떠나니 몽(蒙)은 형통하다. 미몽(迷夢)을 벗어나지 못한 동몽(童蒙)이 자신의 울타리를 깨고 나와 아(我)를 구함은 곧 나를 찾는 구도의 여정을 나서는 것이니 바로 몽괘(蒙卦)의 본뜻이다. 아(我)란 자아(自我)가 되고 몽매함을 깨우쳐주고 도와주는 스승이 된다.

조그만 샘터에 물이 가득차면 저절로 흘러내리듯이, 미몽을 벗어나지 못한 동몽이 때가 되어 자발적으로 앎을 구하고자 할 때 계몽을 받은 것이 좋다. 굳이 앎을 구하지 않을 때 가르침은 효과가 없으니 몽매함을 일깨우는 계몽교육은 때가 중요하다.

初筮告 再三瀆 瀆則不告 利貞

아이가 세상에 나와 처음 인생길을 선택할 때처럼 막막한 일은 없다. 그러므로 이를 처음 점을 친다 라고 표현하였고, 점을 알려준다 함은 부모가 백지같이 순수하고 유치한 단계인 어린아이(童蒙)에게 인생이라는 길을 가르쳐 주듯, 아(我)를 찾아 인생길을 떠나는 동몽(童蒙)을 가르치고 깨우치는 초기의 계몽(啓蒙)을 뜻한다(童蒙求我 志應也).

교육에는 2 가지가 있으니 고기를 직접 잡아주는 것과 고기를 잡는 법을 알려주는 것이다. 아이가 처음 점을 친다는 것은 스스로의 선택과 결정을 통해 인생길을 찾아 나섬을 의미한다. 서(筮)를 점대로 보면 점을 치는 데에 쓰는 댓가지가 되니, 고기를 잡아주는 것이 아니라 고기를 잡는 법, 즉 아이에게 낚시대를 쥐어 주는 것을 뜻한다.

구아(求我)를 행함에 있어 너무 망설이고, 한곳에 집착하여 머물게 된다면 몽(蒙)의 뜻에 어긋나게 된다. 처음 점을 본다는 것은 동몽이 자아(自我)를 알고자 시도함을 말한다. 즉, 몽매(蒙昧)의 틀을 깨고 천지가 세상에 나를 낸 뜻을 찾아 처음으로 길을 나섬을 말함이니(初筮告), 험난(險難)으로 인하여 망설이게 되어 초심을 잃어버린 채 두 번 세 번 몽매(蒙昧)함에 그대로 머물고 타협하면서 자신의 초심을 반복하게 된다면 이는 몽(蒙)의 의미를 더럽히는 것이 된다(再三瀆). 더럽혀 진다는 것은 아직도 동몽(童蒙)이 미몽(迷蒙)을 벗어나지 못한 채 계속하여 점을 치며 헤매고 있음을 뜻함이니, 마음의 눈이 닫힌 장님에게 천지가 어찌 뜻을 보여줄 수 있겠는가(瀆則不告)? 재삼독(再三瀆)한다고 함은 인생의 항로를 정하지 못하고 여전히 미몽 속을 헤매고 있음을 말한다.

初筮告 再三瀆 瀆則不告 利貞는 인생은 딱 한번 뿐이라는 것을 의미한다. 선택을 잘못하였다 하여 반복할 수는 없는 것이 인생이다. 그러므로 인생의 첫발을 뗄 때 처음 한번의 선택이 얼마나 중요한지를 강조하는 것이며, 올바른 선택이 자신의 인생을 얼마나 이롭게 하는 것인지를 설명하고 있는 것이다. 동몽(童蒙)이 미몽(迷夢)에서 깨어 아(我)를 찾아 떠나는 구도(求道)의 길

은 항상 곧고 바르게 함이 옳은 것이며(利貞), 실행은 과감하게 결단하고 행하며 덕을 길러야 한다(象曰 山下出泉蒙 君子以 果行育德).

21.2. 다산 정약용의 '술수학'에 대한 비판

다산 정약용이 이른바 "五學" 즉 다섯 가지 학문은 당시에 유행하던 성리학, 훈고학, 문장학, 과거학, 술수학을 가리키며, 이에 대한 비판적 태도를 취하고 있다. 다섯째 술수학에 대한 비판은 다음과 같다.

(출처: 고전번역원)

술수학(術數學)은 학문이 아니라 혹술(惑術)이다.

한밤중에 일어나 하늘을 쳐다보고 뜰을 거닐면서 사람들에게,

"형혹성(熒惑星)이 심성(心星)의 분야를 침범하였다. 이는 간신(奸臣)이 임금의 권세를 끼고 나라를 도모할 조짐이다."

하기도 하고, 또,

"천랑성(天狼星)이 자미성(紫微星)을 범하였다. 내년에는 틀림없이 병란(兵亂)이 있을 것이다."

하기도 하고, 또,

"세성(歲星)이 기성(箕星)의 분야에 와 있다. 우리나라가 이 때문에 편안할 수 있을 것이다."

하기도 한다. 그런가 하면 갑자기 공포에 젖어 흐느끼며 도선(道詵)의 《비기(秘記)》와 《정감록(鄭鑑錄)》의 참설(讖說)을 말하면서,

"아무 해에는 반드시 병란이 일어날 것이다."

하거나, 또는,

"아무 해에는 반드시 큰 옥사(獄事)가 일어나 피가 흘러 시내를 이룰 것이고, 이 때문에 인종(人種)이 끊어질 것이다."

한다. 그리하여 자기의 인척(姻戚)과 친구들에게 토지와 가옥을 팔고 선조의 분묘(墳墓)를 저버린 채 호랑이와 표범이 득실거리는 깊은 산골짜기

로 들어가 난(難)이 지나가길 기다리라고 권고한다. 또 갑자기 근심에 잠긴 안색으로 사이를 두었다가 말하기를,

"예전에 우리 노선생(老先生)께서는 귀신과 통하였으므로 귀신을 부릴 수가 있었다. 그래서 편지를 발송한 지 한식경(食頃)이면 이미 8 백 리까지 닿을 수가 있었기 때문에 멀리 있는 사람들이 즉시 편지를 뜯어보고는 자제들을 데리고 산골짜기로 들어가 난을 피하였다. 또 노선생께서는 나뭇잎을 소매 속에 넣었다가 냅다 뿌리면 이것이 모두 병사와 마필이 되어 떠들썩하였다."

하고, 행장을 풀어 세 폭(幅)의 그림을 내어놓고는,

"이것은 진인(眞人 도사(道士))이 옥황상제에게 조회하는 그림이고, 이것은 신선(神仙)이 학(鶴)을 타고 날아가는 모습을 그린 그림이고, 이것은 목마른 말이 시내로 달려가는 그림이다. 이것들은 모두 명당(明堂) 자리인데, 다른 사람은 아무도 모르고 나 혼자만이 그 혈(穴)과 좌향(坐向)을 알고 있다. 참으로 이 자리에다 묘를 쓴다면 자손들이 크게 길(吉)할 것이다."

한다. 그리고 다음날 아침에 세수를 깨끗이 하고 의관(衣冠)을 정제한 다음 단정히 앉아서 태극도(太極圖), 하도(河圖), 낙서(洛書), 구궁(九宮)의 수(數)에 대하여 이야기하고, 이기(理氣)와 선악(善惡)의 동이(同異)에 대하여 변론한다. 이럴 때는 그대로 점잖은 하나의 성리학(性理學) 선생인 것이다. 아, 실상이 없는 명예를 도둑질하여 무거운 명망(名望)을 짊어지고 여러 어리석은 사람들에게 추대받는 사람은 바로 이 술수학을 하는 선생들인 것이다. 참되고 올바르고 거짓 없는 선비로서 선왕(先王)의 도(道)를 강명(講明)하면서 효제(孝悌)를 근본으로 삼고 보이지 않는 일에 삼가는 한편, 예악(禮樂)과 형정(刑政)의 글을 연구하는 이가 있으면, 이렇게 비웃는다.

"저 사람은 내일의 일도 모른 채 불이 붙은 나뭇더미 위에 앉아서 시(詩)와 예(禮)를 얘기하고 있으니, 어떻게 우리와 함께 할 수 있겠는가?" 성인(聖人)은 글을 천하 사람에 남겨 깊은 뜻을 담아 각기 스스로 사용할 수 있게 하였다. 때문에 공자(孔子)는 《주역(周易)》의 십익(十翼)을 지었고 주자(朱子)는 《참동계(參同契)》의 주석(註釋)을 내었으나 뒷사람들은 그 깊은 뜻을 몰랐다. 그리하여 저 우매하고 슬기롭지 못한 사람들은 술수학만을 높이고 《주역》과 《참동계》는 하찮게 여기면서 날로 유음(幽陰)하고 사벽(邪僻)한 데로만 줄달음치니 누가 이를 금지할 수 있겠는가?

천문지(天文志)와 오행지(五行志)에 기록된 내용을 역대(歷代)로 견강부회(牽强傅會)하여 왔지만 하나도 증험된 것이 없다. 별의 행로(行路)는 일정한 도수(度數)가 있어 이를 문란시킬 수가 없는 것이다. 따라서 여기에 미혹될 하등의 이유가 없는 것이다. 중국의 연경(燕京)에서 마술을 부리는 사람들은 은전(銀錢) 한두 닢을 받고 그 기술을 연출해 보여주는데, 통역관(通譯官)으로 갔던 사람들이 해마다 이에 대해 매우 자세하게 말하여 주고 있다. 따라서 이 마술에 미혹될 하등의 이유가 없는 것이다. 청(淸) 나라의 학자 서 건학(徐乾學)은 자기 아버지를 장사(葬事)지낼 적에 풍수설(風水說)을 배척하면서 이는 《주역》에 참여시킬 수 없다고 하였다. 따라서 풍수설에 미혹될 하등의 이유가 없는 것이다. 이에 의거 미루어 나간다면, 복서(卜筮) 간상(看相) 성요(星耀) 두수(斗數) 등 술수(術數)로 부연하는 모든 것은 다 혹술(惑術)일 뿐 학문이 아니다.

요(堯) 임금은 미리 알지 못했기 때문에 곤(鯀)에게 일을 맡겼다가 실패하였고, 순(舜) 임금도 미리 알지 못했기 때문에 남방을 순행하다가 창오(蒼梧)의 들에서 붕(崩)하였고, 주공(周公)도 반역할 것을 미리 알지 못했기 때문에 관숙(管叔 주공의 형)으로 하여금 은(殷)을 감시하게 하였고, 공자(孔子)도 미리 알지 못했기 때문에 광(匡) 땅에서 양호(陽虎) 때문에 액(厄)을 당하여 죽음을 당할 뻔하였다. 그런데 이제 미리 알지 못하는 것을 병통으로 여겨 기필코 미리 아는 자를 찾아서 귀의하려 하니, 이 어찌 미혹스러운 일이 아니겠는가? 저들은 괴이한 일만을 좋아하면서 은 연중 스스로 미리 아는 성인(聖人)인 것처럼 자처함은 물론, 이것이 수치 스러운 것인 줄 전혀 모르고 있다. 이런 사람과 어떻게 손잡고 같이 요 순의 문하로 들어갈 수 있겠는가?

이 다섯 가지 학(學)이 번창하게 되면 주공(周公)과 중니(仲尼 공자의 자(字)의 도(道)가 폐쇄되어 시행될 수 없게 될 것이다. 앞으로 이를 귀일 시킬 사람이 누군가가 있어야 할 것이다.

21.3. 응기(應氣)

사주명국이란 천간 4字와 지지 4字로 이루어진 텍스트이다. 텍스트에 불과한 사주팔자에 사람이 태어나면서부터 죽을 때까지의 운명이 들어있다고 한다. 과연 여덟 글자 사주에는 거부할 수 없는 하늘이 부여한 나의 운명이 들어 있는 것일까?

예를 들어 충(沖)은 평생 나를 따라다니면서 충하는 것일까? 과연 합(合)은 영원히 나를 묶어 놓는 작용을 할까? 정해진 격(格)이 평생 나를 규정지을 수 있을까?

사주팔자 명국은 기본적인 나의 좌표가 기록된 텍스트이다. 과연 내 운명은 텍스트에 쓰여진 대로 나아갈까?

태어나면서부터 사람은 사주팔자를 품고 이 세상에 던져진다. 어떤 씨앗은 모래밭에 던져지고, 어떤 씨앗은 바위 위에 놓여 지기도 한다. 어떤 씨앗은 검불 위에, 어떤 씨앗은 흐르는 물 위에 자신의 운명이 맡겨진다. 어떤 씨앗은 운 좋게도 기름진 전답에 뿌려진다. 같은 꽃송이에서 생겨나 같은 날 같은 시간에 꽃봉오리가 터지면서 함께 세상 밖으로 나왔지만 놓여 진 위치와 환경은 저마다 다르다. 같은 기운, 같은 성향을 가졌지만 출발점은 서로 다른 것이다. 그러므로 동일한 기운과 성향을 가졌더라도 주어진 여건에 따라 자신의 기운을 펼쳐내는 방식은 서로 다를 수밖에 없다. 한 뱃속에서 자라 서로 비슷한 성향과 기운을 가졌다고 해서 주어진 여건에 관계없이 동일한 작용으로 대응할 수는 없는 것이다.

물기 없는 모래밭에서는 가급적 수분을 아껴야 하고, 검불 위에 떨어진 씨앗은 땅에 닿기 위해 뿌리를 길게 느려야 하므로 생장하는 木氣와 뿌리를 내릴 土氣를 필요로 한다. 바위 위에 떨어진 씨앗은 바위 틈새를 비집고 들어가 뿌리를 강하게 내려야 생명을 부지할 수가 있으며, 기름진 전답에 뿌려진 씨앗은 자신의 역량을 충분히 발휘하여 생명을 키워나갈 수 있다. 그러므로 생명은 자신의 처한 환경을 무시하고 앞으로 나아가다 가는 생명을 부지하기가 어렵다. 같은 사주팔자를 가지고 태어난 씨앗이라도 처한 환경에 따라 자신의 기운을 각각 다르게 적용하고 외부 환경에 응하며 나아가야 하는 것이다.

생명은 자신이 처한 환경에서 타고난 사주(四柱)와 응기(應氣)를 적절하게 사용하며 상호작용하는 지혜를 가져야 한다. 사주에 길한 오행이 충을 당하는 경우, 현실에서는 내 기세가 허약해질 때 충(沖)은 흉신으로 밀고 들어와 작동하기 시작한다. 내 기운이 강왕(剛旺)하다면 충(沖)은 오히려 잠자고 있는 나의 본능을 깨워 왕성하게 활동하도록 도와줄 것이다.

나를 도와주는 기운은 길신이고, 나를 힘들게 하는 기운은 흉신이다. 길신과 흉신은 정해져 있는 것이 아니다. 내 기운이 약해지는 틈을 파고 들어 나를 쓰러트린다면 흉신이 발동하는 것이고, 대운으로 들어오는 오행이 명국을 충하여 좋은 기운이 발동하도록 해준다면 길신이 된다. 용신, 기신, 구신, 희신, 격국 등 어려운 용어를 들어 멋지게 규정짓는 것이 때로는 오히려 해석의 틀을 고정시키는 결과를 낳을 수 있다.

사주명국 그대로 살아가는 사람은 없다. 태어날 때 받아 든 명국과 비슷한 방향으로 나아가거나, 전혀 다른 곳을 향하여 나아가고 있을 수도 있다. 현재 문점자(問占者)의 실제 상황을 고려하지 않고 텍스트에 불과한 사주팔자만을 분석하여 통변한다면 현실과 괴리된 판단을 할 수가 있다. 그러므로 사주의 주인이 현재 어떤 삶을, 어떤 기세로 살아가고 있는지를 명확하게 판단한 후, 사주명국과의 비교를 통해 향방을 설정해주는 카운슬링(COUNSELING)이 필요하다. 사주명리학은 단순히 운명을 100프로 맞추기 위한 점술법이 아니다. 복잡다단(複雜多端)한 인생을 단순히 여덟 글자로 정확하게 알아낼 수 있다는 것은 혹세무민(惑世誣民)하는 자의 허장성세(虛張聲勢)일 뿐이다.

여덟 글자로 구성된 사주명국은 비록 텍스트에 불과하지만 명주(命主)의 기운과 기세에 발맞춰 상호작용하면서 길흉을 드러낸다. 명주의 선택에 따라 길과 흉이 나뉘면서 서로 나아가는 길이 갈리기 시작한다. 사주명국에 류운(流運)이 들어오면서 생극제화, 합충 등을 통해 기운과 기세가 출렁일 때, 때를 알아 파도를 올라탈 수 있어야 한다. 만물이 춘하추동 사시의 때를 알아 생로병사를 순환하듯이 인간도 때를 알아 행하는 것이 인사길흉(人事吉凶)의 시발점이다. 사주명국의 통변은 글자를 서로 조합하고 그럴듯한 용어와 온갖 신살을 동원하는 짜맞추기식의 길흉판단이 아니라 살아서 움직이고 있는 명주의 강약성쇠(强弱盛衰)를 분석하여 명국과 서로 응기(應氣)시켜 나아가는 길의 향방을 제시할 수 있어야 한다.

21.4.천지의 중화(中和) 작용

우주는 상반된 성질의 대립적 성향의 음양(氣)이 서로 상호작용을 하면서 중화를 이루어 가는 과정으로서 中和는 大和를 지향한다(保合大和 乃利貞/계사전). 중화는 저마다 다르다. 나를 이루는 중화, 너를 이루는 중화, 무리를 이루는 중화, 사회, 국가, 지구, 더 나아가 은하와 우주를 이루는 중화들이 모여 또다시 더 큰 중화를 이루어 가는 과정에서 점차 大和(우주적 조화)를 향해 나아간다. 사주팔자는 나를 이루고 있는 中和의 요소로서 陰陽五行을 말한다. 하늘은 氣의 작용으로 상(象)을 만들고, 땅은 질적인 요소로서 하늘을 만나 형(形)을 만든다(在天成象 在地成形). 때로는 양이 강하고, 때로는 음이 강하니 음양의 대소·장단·강약에 따른 미묘한 차이로써 균형과 조화를 이루어가는 과정에서 길흉이 발생한다. 합충생극은 중화를 이루는 상호작용의 원리이다.

천간(양)과 지지(음)가 서로 상호작용(생극합충)을 통해 중화를 이루는 과정에서 人中(我)을 의미하는 지장간을 낳는다. 대운과 세운은 흘러가는 시간으로서 사주명국과의 생극합충 작용으로 중화작용을 이루는 발동과 접응의 원리로써 길흉을 발생시킨다.

생극합충(生剋合沖)의 상호작용으로 中和를 이루는 과정은 음양의 대소장단약의 차이에 의해 주어진 時空(환경)에 따라 다양한 中和가 발생하며, 역시 음양의 대소·장단·강약의 차이에 따른 다양한 양태의 길흉이라는 인사만사(人事萬事)가 발생한다. 길흉이란 음양의 상호작용에 따른 변화에 불과하며, 이 변화가 나에게 득(得)이 되면 길(吉)이 되고, 실(失)이 되면 흉(凶)이 되는 것일 뿐 근본적으로 절대적 길흉이란 없다. 또한 실이 되더라도 내 기세가 강하면 득으로 변화시킬 수가 있는 것이니 세상만사 하기 나름인 것이다.

-천간은 생극, 지지는 합충 작용으로 중화를 이루어 간다. 천간의 합충은 사실상 생극을 의미한다.

-음양의 상호작용은 생극과 합충으로 이루어진다.

-간지의 십신, 육친, 물상화 등을 통해 생극과 합충을 인사길흉으로 해석한다.

-기타 형파해나 각종 신살 등은 통변을 위한 부차적인 기능이다.

지장간은 잠재된 하늘의 기운으로 명국의 발동, 류운의 접응을 통해 상호작용한다. 류운은 명국의 발동과 접응으로 상호작용을 하면서 생극과 합충을 통해 길흉을 만든다.

지장간은 명국의 천간에 투출함으로써 발동하고, 류의 천간에 투출함으로써 기세가 발동한다. 류운의 지장간은 명국의 천간에 투출함으로써 기운이 접응한다. 류운의 천간과 지지도 명국에 같은 글자가 나타남으로써 기운이 접응한다. 발동과 접응은 길운이 들어오는 것을 의미한다.

발동과 접응이 년주, 월주, 일주, 시주인지에 따라 근묘화실의 원리로 해석한다. 예를 들어, 일간에 류운이 접응해오면 일간의 기운이 강화되는 것이다. 만일 일간을 극하면 극해가 되고. 일간이 극하면 극제가 된다(이 경우 일간이 허약하면 오히려 일간이 류운을 이기지 못해 갇히게 된다). 일간이 류운을 생하면 생설이 되어 기운이 누설되고, 생을 받으면 생조되어 기운이 왕해진다. 류운에 일간과 같은 글자가 들어오는 경우 일간의 기운이 비화(比和)되어 길하다.

일간을 기준으로 하는 오행생극은 그 자체가 길흉을 의미하는 것이 아니라 십신, 육친을 만드는 순환작용의 원리이다. 길흉은 생극(生剋)과 합충(合沖)을 통해 분석한다. 다만 기세가 태과하면 덜어내고 부족하면 더해주며 중화를 이룸으로써 기운이 자연스럽게 소통할 수 있도록 길을 열어주면 길하게 작용한다.

　오행의 생극과 합충 등의 작용은 모난 곳을 다듬어 둥글게 하며 중도를 찾아가는 상호작용을 의미한다. 밀고 당기며 상충(相沖)하고 화해하면서 균형과 조화의 중(中)을 찾아가는 상호작용의 과정 속에서 인간은 생로병사(生老病死), 흥망성쇠(興亡盛衰)의 수레바퀴를 굴린다. 생극이나 합충 그 자체가 길흉을 의미하지는 않는다. 어떤 이는 生하는 과정에서, 또 어떤 이는 剋하는 과정에서 吉을 만나기도 하고 凶에 맞닥트리기도 한다. 또 合이나 沖하는 과정에서도 吉凶을 만난다. 吉凶이란 내게 得이면 吉이요, 失이면 凶이다. 상대적이면서도 상보적이다. 평화로운 사자 가족의 식사 시간은 사자에게는 吉한 시간이지만, 밥상 위에 올려진 미약한 동물에게는 더 없이 흉한 날일뿐이다. 음양이 동체양면(同體兩面)이듯이 길흉도 상반된 양면의 상호작용을 통해 하나의 중(中)을 지향한다. 陰과 陽은 서로 대립하면서도 상대는 내가 존재하기 위한 필수적인 전제조건이 되듯이, 吉과 凶도 동체양면의 상으로 상호 대립(對立)하면서도 대대(對待)하며 상호보완적 관계에 있다. 상대가 없으면 나도 존재할 수 없는 상호 의존적인 관계로서 상대적이면서도 상보적인 것이다. 비가 오는 날은 우산 장수에게는 大吉이지만, 한지(韓紙) 장사에게는 그런 大凶도 없다. 그러나 화창한 날은 우산 장수에게는 흉이지만 한지 장사에게는 더없이 길한 날이니 전체적으로 보면 하나의 길과 흉은 음과 양처럼 하나의 태극을 이루고 있는 것이다. 낮과 밤이 서로 성질은 다르지만 상호 교차하면서 하루를 만들어 내는 것이니 바로 주역 계사전에서 말한 一陰一陽之謂道(음과 양이 서로 한번 음하고 한번 양하며 가는 것이 도)의 깊은 뜻이다. 순자는 "천지가 합함에 만물이 생겨나고, 음양이 교제함에 변화가 일게 된다(天地合而萬物生 陰陽接而變化起)"라고 하여 음양을 범주로 삼아 사물의 변화를 설명하였고, 관자는 "만물은 음양 양자가 서로를 낳으며 제삼자를 형성한다(凡萬物陰陽 兩生而參視)"라고 하여 만물의 생화를 음양의 대대와 상호작용의 원리로 설명하였다. 또한 「계사전」은 "강(剛)과 유(柔)가 서로 밀고 당기며 변화를 만든다(剛柔相推而生變化)"라고 하여 우주만물이 생장수장(生長收藏)의 이치로써 생로병사를 순환케 하는 근원이 바로 '음양의 대립과 상호작용'임을 밝히고 있다. 즉, 만물은 이 대대자의 차이에 의해 변화가 일어남으로써 생로병사의 균형을 이루어나가는 것이다.

21.5. 발동(發動)과 접응(接應)

천지운행은 내가 어떻게 할 수는 없지만, 나는 스스로 선택할 수 있는 자유의지가 있다. 지장간은 천지의 상호작용에 의해 발현된 物性으로 사주에서는 곧 '나(我)'를 의미한다. 사주명국은 우주 시공간에 태어난 나의 좌표를 의미한다. 내가 우주의 어느 시공간에 위치하고 있는지, 내가 누구인지를 말해준다.

대운과 세운은 시간의 흐름에 따라 변해가는 우주의 기운이다. 나는 시공(時空)의 변화에 따라 상호작용하며 함께 흘러간다.

지장간(人元)은 天地의 상호작용으로 발현된 잠재된 "나(我)"가 되므로 나의 명국인 사주팔자의 천간과 지지에 따라 내(지장간)가 어떻게 발동하는가에 의해 상호작용이 달라지고 기세의 흐름이 바뀌게 된다. 干支는 天地의 기운이니 내가 바꿀 수는 없다. 그러나 人元을 상징하는 지장간은 곧 나 자신이므로 내가 어떻게 어떤 명국의 干支와 상호작용하는가에 따라 운세는 달라지게 된다.

  (1) 사주명국 지지궁에 암장되어 있는 지장간이 천간에 투출하였는가?
     -기세를 의미한다.
  (2) 사주명국 지지궁에 암장되어 있는 지장간이 류운(流運)에 투출하였는가?
     -잠재된 나의 기운(지장간)이 들어오는 운(류운)에 응기하여 發動하는 것을 의미한다. 이 경우 나의 잠재력이 주체적으로 자발적

이고 적극적으로 류운에 참여하는 것을 의미한다.

(3) 류운의 간지가 명국에 어떻게 접응하는가?

－명국의 간지와 글자가 일치하는 것을 간지접응(간지응기)이라
한다.

(4) 류운(流運)이 품고 있는 지장간(나)은 명국인 四柱八字와 어떻게
접응(接應)하는가?

(5) 류운은 근묘화실의 원리에 따라 어느 간지와 작용할 것인가를 판
단한다. 간명의 목적에 따라 상호작용하고자 하는 사주의 연월일
시를 선택하여 생극과 합충형파해 등을 분석한다.

(6) 류운의 간지가 명국의 근묘화실에 따라 균형을 깨는가 또는 조화
를 이루는가에 따라 조후, 억부 등의 원리로 삶의 균형을 분석한
다.

(7) 월지장간인 용사신(用事神)의 투출, 발동, 접응으로 나의 명국의
기세와 방향을 설정하고, 합충형파해 등으로 균형을 분석한다. 균
형을 이루고자 하는 과정에서 길흉이 발생한다. 생이 길이되고
흉이 되며, 극이 길이 되고 흉이 된다. 다만 길흉이란 내게 득이
되면 길이요 실이 되면 흉일 따름이다. 내게 도움이 되는 간지를
상신(相神)이라 한다. 吉神과 凶神의 차이는 得即吉이요 失即凶
으로 판단한다. (용사신 참조)

(8) 명국에 접응해 들어오는 류운의 간지가 명국의 팔자의 기세를 어
떻게 변화시키는가를 살핀다. 음양의 편재, 오행의 편재에 따른
기세의 편중여부를 분석하여 전체 기운과 기세의 향방을 분석한
다.

시공간(時空間) 속의 '내'가 지장간을 어떻게 운용하며 발동하는가에

따라 나의 운세의 향방(向方)이 달라진다. 간지와 지장간 외에 향방을 달라지게 하는 요소는 바로 시공간 속에서 살아 움직이고 있는 육신을 가진 '나(我)' 자신이다. 내가 어떻게 나의 잠재성인 지장간을 운용할 것인가에 따라 운의 향방은 달라진다. 동일사주임에도 운명의 흐름이 다른 것은 바로 '지장간과 나' 라고 하는 선택적 의지에 달려 있다. 즉 동일사주의 흐름이 서로 갈리는 것은 바로 시공간에서의 나의 좌표인 '지장간의 발동(發動)' 그리고 사시순환에 따라 시간이 흐르면서 류운(流運)이 명국에 접응해 들어오는 방식에 따라, 즉 '류운이 접응'하는 명국의 선택지(根苗花實)에 따라 운세가 달라지는 것이다.

인구수를 비례하여 사주의 통계를 내어보면 동일사주가 대략 50여명 정도가 나온다고 한다. 그렇다면 대한민국 대통령도 50여명이 되어야 하지 않겠는가? 사주를 공부하는 자는 이것이 무엇을 의미하는지 알아야 할 것이다. 그러므로 사주를 간명하는 자는 100%로의 정확성보다 확률적 가능성과 잠재성의 분석을 통해 運路를 카운슬링(COUNCELING)하는 것이 옳은 자세라 할 수 있다. 인문학적 소양과 경험적 지식 또한 무시할 수 없다.

대운은 10년 단위의 운세의 흐름이지만 세운은 지금의 운세의 흐름이다. 류운은 근묘화실의 원리에 따른 연월일시 중 어느 간지와 상호작용할 것인지를 간명(看命)의 목적에 따라 선택한다. 전체적인 운세, 궁합, 직업, 이동, 사업의 향방 등등 간명의 목적에 따라 발동과 접응(干支應氣)의 목적과 선택지가 달라진다.

음양오행의 기운이 내재된 干支로 구성된 四柱八字는 상반된 성질인 음양이기(陰陽二氣)의 상호작용에 의해 펼쳐진 오행의 생극작용으로 인사길흉(人事吉凶)을 판단한다.

-**발동(發動)**: 명국의 지장간(人元)이 류운(流運)에 드러나는 것을 人元이 발동한다고 한다.

-**접응(接應)**: 류운이 명국에 응기하는 것을 류운(流運)이 접응한다고 한다.

-**지장간이 투간되었을 때**, 류운이 접응해 오는 경우 발동과 접응이 동시 발생함으로써 응기(應氣)가 가장 강하게 일어난다.

21.6.왕상휴수사(旺相休囚死)

　일간(我)과 12운성(流運)과의 상관관계를 통해 왕상휴수사(旺相休囚死)의 관점에서 인사길흉(人事吉凶)을 분석한다.

　(1) 旺: 일간과 류운(流運)이 서로 같은 기운이면 비화(比和).　(大吉)
　(2) 相: 일간을 류운이 생하는 것을 생조(生助).　(吉)
　(3) 休: 일간이 류운을 生하는 것을 생조(生助), 생설(生泄).　(吉, 凶)
　　　-生助하면서 나의 기운도 누설(漏泄)된다(生泄).
　(4) 囚: 일간이 류운을 剋하는 것을 극제(剋制),극설(剋泄).　(吉, 凶)
　　　-극제(剋制)하면서도 나의 기운은 소모한다(剋泄). 일간이 기운이 강하면 극제, 일간의 기운이 허약하면 극설이다.
　(5) 死: 일간을 류운이 극하는 것을 극해(剋害).　(凶)

　왕상휴수사를 활용하여 길흉을 판단하는 경우 여러가지 상황을 조합하여 판단하여야 한다. 단순히 규칙에 의하여 길흉을 판단하는 것은 하책에 불과하다. 일간을 기준으로 신강 신약, 합, 충 등 일간인 내게 영향을 주는 요소들의 다양한 작용을 고려하여 종합적으로 판단할 때 생조도 흉(凶)이 될 수 있고, 극해도 길(吉)이 될 수 있는 것이다. 즉, 일간이 내게 득(得)이 된다면 극해 극설도 길이 될 수 있는 것이고, 실(失)이 된다면 비화 생조도 흉이 될 수 있는 것이니 모든 것은 종합적으로 판단하여야 할 것이다.

21.7.신강과 신약의 판별

사주팔자의 중화를 이루는 억부(抑扶)는 기본적으로 일간의 신강 또는 신약을 기준으로 한다. 기본적으로 모든 용신의 취용은 강한 기운은 누르고 약한 기운은 부양(扶養)시켜주는 억부의 원리를 기본으로 한다. 활용하는 방식에 있어서 여러가지 용신으로 분류되지만 근본적으로 억부용신으로 통칭할 수 있다.

신강의 특성은 기본적으로 외적 성향이고, 신약의 특성은 내적 성향이라 할 수 있다. 신강은 외부로 부딪히는 외적지향성, 투쟁성이 강하고, 신약은 내적지향성, 철학성이 강하다. 신강은 외적으로는 강해 보이나 부러지기 쉽고, 신약은 외적으로는 유순해 보이나 내면이 강하다.

일간에 가장 큰 영향을 미치는 것은 월지이다. 단순하게 일간과의 관계로써 신강 신약을 판단할 수도 있지만 초보자의 입장에서는 오류가 생길 수 있다. 그러므로 이를 수리화하면 판단의 오류를 줄일 수 있다.

기본적으로 일간을 포함하여 일간을 생조하는 인성과 비겁은 +1점, 그 외 일간의 기운을 설기하는 식재관은 -1점을 매긴다. 월지에 인·비가 오면 +2점을 주며, 반대로 식·재·관이 오면 -2를 준다. 또한 월지를 포함하여 삼합이나 방합을 이루면 +1점을 추가한다. 그 외의 식·재·관이 월지를 포함하여 삼합이나 방합을 이루면 -1점을 추가한다. 월지를 포함하여 인·비가 반합을 이루면 +0.5점, 식·재·관이 월지를 포함하여 반합을 이루면 -0.5점을 추가한다.

모든 수를 합산하여 플러스(+)가 나오면 신강, 마이너스(-)가 나오면 신약으로 판단하되, (+1 ~ -1)의 범위에서는 중화로 보아 다른 경우의 수와 조합하여 강약을 판단하며, 이 경우 용사신으로 격을 이끌어갈 수 있다.

신약이라면 일간을 생조하는 인성과 비겁 중에서 용신을 정하고, 신왕하면 일간의 기운을 설기하는 식상 재성 관성 중에서 용신으로 정한다. 용신이 지지에 통근하고 희신의 도움을 받는다면 일간을 강하게 지지할 것이며, 용신이 있으나 지지에서 같은 오행이 없어 통근을 하지 못하고 용신을 생해주는 희신이 없다면 무력하다. 金水용신이라면 木火운에서 기력을 잃고, 木火용신이라면 金水운을 지날 때가 고통스럽다. 신약하면 운(運)에서는 인성과 비겁운을 만나야 길하고, 신왕하면 식상·재성·관성운을 만나야 길하다.

☞사주팔자의 수리화

-1	+1	-1	+1
丁	乙	丙	壬
亥	未	午	寅
+1	-1	-2	+1

(-7) + (+4) + (-0.5) = -2.5

寅午반합 -0.5을 추가하면 총합계가 -2.5이 되므로 신약사주에 해당된다. 전체적으로 火氣가 강하므로 이를 억제(抑制)하고 신약한 일간을 부양(扶養)하는 수(水)가 용신(소용지신)이 되며, 金水운으로 흐를 때 명국이 원활하게 작용한다.

21.8.음양의 대립과 상호작용

天干	天	陽	空
地支	地	陰	時
地藏干	人	中	變

지장간은 년월일시 각각의 지지궁에 속해 있으며, 지지의 시간적 흐름에 올라타 변화하는 천간이다. 대운, 세운에 투출함으로써 현실 속에서 작용하는 기운이다. 지장간은 천(天)과 지(地)가 상호작용함으로써 길흉을 드러내는 마당(人)이고, 음(陰)과 양(陽)이 상생과 상극 작용을 통해 상호작용하는 결과물(中)이며, 공간(空)과 시간(時)이 상호작용하면서 균형과 조화를 지향하며 변화(變)하는 현실이다. 즉, 지장간은 천간이 지지의 시간적 흐름에 갇혀 사시의 흐름에 따라 변화하는 존재로서 지지궁에 들어가 있는 천기(양)이다. 대운과 년운에 투출함으로써 시간의 흐름을 타고 작용한다. 月지장간이 투출하면 사회적 기운이 활성화되고, 日지장간이 투출하면 일간(나)의 기운이 활성화되고, 時지장간이 투출하면 미래지향적인 기운이 활성화되기 시작한다. 십신, 육친, 합충을 활용하여 인사를 판단한다.

天과 地, 陽과 陰은 서로 성질이 다르지만 각각 홀로는 존재할 수 없고, 상대방의 존재를 전제로 존립할 수 있는 상호의존성을 가지고 있다. 상충(相衝)하고 화해(和解)하며 균형과 조화를 만들어내는 과정에서 서로 존재할 수 있으니, 『주역』「계사전」은 이를 "음(陰)과 양(陽)이 서로 한번 음하고 한번 양하며 가는 것이 도(一陰一陽之謂道)"라 정의하였고, "강

(剛)과 유(柔)가 서로 밀고 당기며 변화를 만든다(剛柔相推而生變化)."라고 하여 우주만물이 생장수장의 이치로써 생로병사를 순환케 하는 근원이 바로 '음양의 상호작용'임을 밝히고 있다. 즉, 양과 음은 서로 평등하며 상대적(相對的)으로 대립(對立)하면서도 상보적(相補的)인 대대(對待)관계를 유지하고 있다. 서로 대립관계를 유지하면서도 상대가 없으면 나도 존재할 수 없는 상보적인 관계로 양의 존재 근거는 바로 음이며, 음의 존재 근거는 양이 되는 상호의존적 관계에 있는 것이다.

『관자』는 "만물은 음양 양자가 서로를 낳으며 제삼자를 형성한다(凡萬物陰陽兩生而參視)"라고 했으니 이는 바로 음양을 범주로 삼아 만물의 생성과 변화를 설명하는 것이라 할 수 있다. 만물은 이 대대자(對待者)의 차이에 의해 변화가 일어남으로써 생로병사의 균형을 이루어 나간다. '루프양자중력(LOOP QUANTUM GRAVITY)' 이론을 주창한 카를로 로벨리는 "자연의 사건들은 언제나 상호작용이다. 한 체계에서 모든 사건들은 다른 체계와 관계하여 일어난다"고 하여 모든 특성은 오직 다른 대상과의 관계성으로 존재하는 것이며, 그 속성들은 단 하나로 예측할 수 없으며 오직 확률적으로만 예측할 수 있다고 하였다.

21.9.확률게임

　원자(ATOM)의 상호작용으로 형성된 물질에 생명이 내재되기 시작하고, 어느 순간 생명(理)이 주체적 자아로 성립됨으로써 개체화된 존재로 발현하게 된다. 주체적 자아는 개체의 주인으로서 관리자, 운전자의 소임을 하게 된다. 주체적 사아란 생물이나 무생물에 관계없이 물질의 자기다운 특질을 의미한다.

　원자가 상호작용으로 어떤 특정한 물질을 생성해 내는 것은 원자의 어떤 특성 때문일까? 원자가 모여 생성된 분자물질은 어떻게 각각의 특성을 가진 개체로 형성되는 것일까? 어떤 것은 사람이 되고, 또 어떤 것은 원숭이가 된다. 어떤 유형의 성질이 모여 동물이 되고 식물이 되며 바위가 되는 것일까? 미시계의 원자가 거시계의 분자를 이루면서 어느 시점에서 사물의 특성이 형성되는 것인지 아직 과학적으로 증명된 바는 없다. 생명의 비밀은 개개의 원자들 속에서는 발견되지 않으며, 그것들의 결합형태, 즉 분자 구조 속에 암호화된 정보에 따라 그것들이 합쳐지는 방식 속에서만 발견된다.

　「계사전」은 "비슷한 기운을 가진 유형은 서로 같은 방향으로 모이고, 사물은 무리별로 나뉜다(方以類聚 物以群分)."라고 하여 생명이 생성하는 이치를 개략하고 있다. 이는 유유상종(類類相從)으로 정의할 수 있는데 방이유취(方以類聚)는 미시계의 원자들이 서로 유사한 기운으로 집중되어 서로 다른 각각의 유형으로 응결되는 것을 의미하고, 물이군분(物以群分)은 원자들이 응결되어 이루어진 물질들이 각각의 이치를 따라 무리를 지어 나뉨으로써 물질의 특성이 되는 것을 의미한다. 거시계에서는 고유한 물질의 특성을 가진 개체들은 종족으로 모이고, 그 구성원들은 비슷한 기운, 비슷한 성향끼리 무리를 지으며 유유상종(類類相從)하니 이는 만물의 근원적인 속성이라 할 수 있다.

　원자핵(양성자, 중성자)을 도는 전자(음)는 위치를 정확하게 측정하려 하면 그 입자의 운동량(속도)이 정확하지 않게 되고, 운동량(속도)을 측정하려 하면 그 위치가 정확하지 않게 된다. 즉 이러한 두 양은 결코 동시에 정확하게 측정될 수 없다고 보는 것이 하이젠베르크의 불확정성의 원리이다. 그러므로 오직 확률적으로 예측할 수밖에 없듯이, 인생행로(人生行路)도 태어나는 순간부터 어떤 것도 결정된 바 없으니 모든 상황을 확률적으로 판단할 수밖에 없다. 어떤 기운은 응결되어 원숭이가 되고, 인간이 되며, 돌맹이가 되는가? 이는 미시세계를 불확정성원리, 비결정성이 지배하듯이 거시세계에서도 비슷한 기운끼리 유유상종하고 물이군분하는 확률적 이치가 통용된다. 그러므로 사주의 분석도 100%의 적중보다 확률적 판단으로써 경향적 분석을 통해 카운슬링(COUNSELING)하는 것이 옳다.

22.   지장간의 물상과 괘상의 상관성

◆**12운성은 12벽괘도를 활용 / 火五行 기준**

-**寅申巳亥**: 미래 지향적, 전진, 역마성

-**子午卯酉**: 당해의 당왕한 기운, 도화성

-**辰戌丑未**: 한 해의 마지막 양기를 마무리, 다음 생을 위한 준비, 화개성

◆12운성 도표(양의 크기를 2진법수리로 표현) /火五行 기준

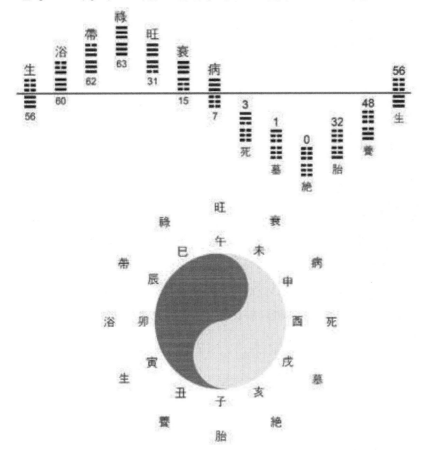

22.1.지지의 생왕고(生旺庫) 특성

▷ 기운에 의한 지지 구분

구분		春	夏	秋	冬
생지(生支)	역마(驛馬)	寅	巳	申	亥
왕지(旺支)	도화(桃花)	卯	午	酉	子
고지(庫支)	화개(華蓋)	辰	未	戌	丑

(1) 생지(生支)

생지는 각 계절이 시작되는 첫 달(孟月)로서 寅申巳亥를 말한다. 절기상 입춘인 寅월은 봄이 시작되는 첫 달이고, 입하인 巳월은 여름이 시작되는 첫 달, 입추인 申월은 가을이 시작되는 첫 달, 입동인 亥월은 겨울이 시작되는 첫 달이다. 생지는 그 계절의 기운이 가장 활발하게 움직이는 시기로서 현실안주보다는 미래를 위해 활동영역을 오가며 분주하게 활동하는 의미가 있기 때문에 생지인 寅申巳亥를 역마(驛馬)라고 부른다. 활동성을 의미한다.

(2) 왕지(旺支)

왕지는 각 계절의 기운이 가장 왕성한 가운데 달을(仲月)을 의미하며, 子午卯酉이다. 절기상 춘분이 있는 卯월은 봄이 한창인 달이고, 하지가 있는 午월은 여름이 한창인 달, 추분이 있는 酉월은 가을이 한창인 달, 동지가 있는 子월은 겨울이 한창인 달이다. 왕지는 기운이 가장 왕성한 계절의 중심으로서, 주변의 기운을 주도하는 의미가 담겨 있다. 그러므로 왕지인 子午卯酉를 도화(桃花)라고도 부른다. 도화는 벌을 끌어들이는 꽃처럼 화려하고 가장 빛나는 시기이다. 전문성을 의미한다.

(3) 고지(庫支)

묘지(墓支)라고도 한다. 각 계절이 마무리되는 끝 달(季月)로서 진술미축(辰戌未丑)를 가리킨다. 辰월은 봄의 마지막 달, 未월은 여름의 마지막 달, 戌월은 가을의 마지막 달, 丑월은 겨울의 마지막 달이다. 고지는 이전 계절의 기운을 수렴하여 보관, 저장하는 의미가 있기 때문에 고지인 辰戌丑未를 화개(華蓋)라고도 부른다. 화개는 수렴하는 정적(靜的)인 기운으로서 근원에 대한 탐구, 뿌리를 찾고자 하는 성향, 존재에 대한 철학적 명상, 종교적 성향이 강하다.

22.2.진술축미(辰戌丑未)

　　진술축미는 최종적으로 한 시대를 풍미했던 양기를 마지막으로 저장하는 묘고(墓庫)의 자리이다. 저장된 묘고의 기운이 마지막으로 끊어지는 자리를 절(絶)이라 하는데, 이는 쓰임을 다하고 다음 생으로 태어나기 위해 희망을 품는 봉생(逢生)의 자리, 즉 절처봉생(絶處逢生)의 자리로서 끝(絶處)은 마지막이 아니라 새로운 시작(逢生)을 준비하는 자리가 된다. 고(庫)는 인사적으로 묘(墓)라한다. 재고(財庫)의 개념으로 본다면 편재가 암장되어 있는 경우로서 충(沖)을 통해 개고(開庫)한다.

　　축토(丑)는 辛金의 고(庫)이고, 진토(辰)는 癸水의 庫이며, 미토(未)는 乙木의 庫가 되고, 술토(戌)는 丁火의 庫가 된다. 축토(癸辛己)는 생명(辛)을 품고 있는 것이고, 진토(乙癸戊)는 생육을 위한 물(癸)을 품고 있는 것이며, 미토(丁乙己)는 생육의 결과물인 열매(乙)를 품고 있는 것이며, 술토(辛丁戊)는 열매가 맺은 생기를 제련하고 정화하는 불(丁)을 품은 것이다.

▷묘(고)의 방위에 따른 인문적 의미

동남 (**夬**䷪)   **火**(丙丁)   서남(**觀**䷓)

辰 (水)   **未** (木)

(乙癸戊)   (丁乙己)

생육, 성장   숙성, 선별

木(甲乙)   金(庚辛)

丑(金)   **戌** (火)

(癸辛己)   (辛丁戊)

잉태(씨), 태동   정화, 순수

동북 (**臨**䷒)   **水** (壬癸)   서북 (**剝**䷖)

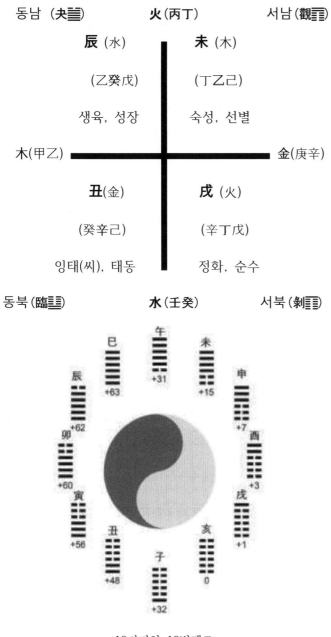

<12지지와 12벽괘도>

22.2.1. 丑 - 癸辛己

거친 언 땅 위를 生氣(三陽)가 터치하는 모습(艮土☶). 동토(己土)가 물러지기 시작하면서 땅 위에 물기(癸)가 보이면서 금 덩어리(辛)가 모습을 드러낸다. 金(辛)이 묻혀 있는 거친 땅(己) 위로 물(癸)이 흐르기 시작하다. 겨울의 끝자리, 언 땅(丑)에 물기(癸)가 스며 들면서 生氣(辛)가 기지개를 펴기 시작하는 늦겨울에 해당된다. 아직은 추운 겨울이지만 甲木(寅)이 己土(丑)를 극하면서 물(癸水) 속의 生命(辛金)이 甲木으로 흘러 들어간다.

간토(艮土)가 감수(坎水)를 극함으로써 지장간에 암장되어 있던 辛金이 甲木을 타고 봉생을 꿈꾸며 생기(生氣)가 되는 것이다(문왕팔괘도). 즉 겨우내내 癸水에 내장되어 있던 신금이 계수와 함께 甲木으로 들어가 새로운 生命을 꿈꾸는 것이다.

겨울 내내 저장하고 있던 生氣가 없으면 甲木은 죽은 기운일 뿐이다. 즉, 감수에서 겨우내내 보호되고 저장한 생기가 寅宮 絶處에서 逢生의 꿈을 꾸며 卯宮에서 甲木을 타고 생명으로 태동하여 巳宮에서 생한다. 丑土 墓宮(庫)은 이전의 기운을 정리하고 새로운 세상을 꿈꾸는 자리이다. (지구의 사시순환을 상징하는 문왕팔괘도를 보면 艮土가 坎水를 극하면서 生氣를 깨우고, 震木이 艮土를 극하면서 生命이 기적을 하는 모습으로서 乾道(陽)의 生剋 시대가 시작되는 지점이다.)

지지로 보면, 丑土(己)가 子水(癸)를 극함으로써 내재된 생기를 깨운다. 그리고 寅의 甲木이 丑의 己土를 극함으로써 凍土를 녹여 땅 위에 물이 흐르게 하고, 겨우내내 묘고에 저장되어 있던 지장간 辛金(☰생명)은 坤道 시대의 음의 생을 다하고, 새로운 乾道시대의 양의 생을 꿈꾸며 초봄에 녹아내리는 계수(癸水)를 타고 寅時의 甲木으로 흘러 들어 음절양생

(陰絶陽生)으로써 봉생(逢生)을 꿈꾸며(絶), 卯時에서 생명으로 태동할 것이다(胎). /金오행 기준

언 땅이 물러지기 시작하면서 생기가 기척을 하는 상, 고난을 이겨내는 모습

물상	괘상	12벽괘
습토(濕土)	간산(艮山) 土	地澤臨 養(+48)

늦겨울에서 초봄으로 이어지는 시기, 언 땅이 서서히 녹으면서 물기가 서서히 스며드는 땅으로서 새싹(생명)이 기척을 하는 때이다. 계절이 바뀌는 변혁의 시기이지만 새로운 시작을 위하여 꿈과 희망을 품고 전진하는 모습을 상징한다.

(1) 물상: 癸水☵에 내재된 辛金☰(생명)이 초봄의 기운을 타고 계수와 함께 서서히 땅 위로 모습을 드러내려 하는 모습이다.

(2) 괘상: 艮卦☶로서 두터운 땅(2개의 음)에 양기 하나(三陽)가 터치하고 있는 모습이다.

(3) 12벽괘: 양기가 서서히 차오르고 있는 지택림(地澤臨☷☱)의 상이다.

(4) 문왕팔괘도: 艮土☶가 坎水☵를 극함으로써 생명을 깨우는 종시(終始)의 지점이다(土克水). 즉 곤도(坤道)의 음의 시대를 마치고 건도(乾道)의 양의 시대를 시작하는 시점이다.

22.2.2. 辰 -乙癸戊

물기(癸)를 머금은 비옥한 땅(戊)에 나무(乙)가 자라고 있는 상 - 풍요의 상징

물상	괘상	12벽괘
옥토(沃土)	손풍(巽風) 木	澤天夬 冠帶(+62)

　이전 계절의 강왕한 기운인 계수를 저장하고 있는 이유는 乙木의 왕성한 성장을 뒤 받침하기 위한 목적에 있다. 甲木이 자라 왕성하게 성장하는 모습이 乙木으로서 물기를 머금은 辰土 위에서 열매를 맺기 위해 왕성하게 활동하는 시기이다. 거침없이 왕성하게 활동하고 있는 모습을 상징한다.

　(1) 물상: 물기를 머금은 옥토 위에 건장한 나무가 왕성하게 활동하고 있는 모습이다.

　(2) 괘상: 초여름의 무성한 숲, 乙木은 손괘(巽卦☴)로서 초음(땅)에 뿌리를 내리고 있는 2개의 양이 왕성하게 활동하고 있는 모습을 보여준다. 이 시기에 나무는 열매를 생하기 시작한다.

(3) 12벽괘: 장성한 나무의 상으로 택천쾌☰는 양기를 가득 채운 모습
을 보여준다.

22.2.3. 未 – 丁乙己

**여름이 키워낸 열매를 받아드려 숙성시키고, 쭉정이를 삭혀 알갱이를 선별하는
시기**

물상	괘상	12벽괘
	곤토(坤土)	天山遯
건토(乾土)	土	衰(+15)

　여름의 뜨거운 양기를 저지하고, 음이 주도하는 가을의 坤道로의 이행
을 순조롭게 하기 위한 중간 과정으로서 금화상쟁을 중재하는 금화교역
의 시기.
　열기(丁)가 이글거리는 건조한 땅(己)에 나무(乙)가 열매를 떨어트리면
이를 숙성시켜 가을로 넘기기 위한 선행작업을 하는 역할을 수행한다.
늦여름과 초가을 사이, 열매를 땅에 떨어트리면 이를 받아드려 쭉정이를
삭힘으로써 알갱이를 선별한다. 새로운 시대를 개창하고자 하는 坤土의

성정을 가진 군자가 나오는 시기로서 중재하고 교섭하고 선별하며 새로움을 만들어내기 위한 포용을 상징한다.

(1) 물상: 열매(양)를 매단 나무가 서서히 땅(☷)에 생기를 담은 열매를 떨어 트리는 모습이다.

(2) 괘상: 건조한 대지, 숙성작용, 중재, 포용, 금화교역

(3) 12벽괘: 늦여름의 뜨겁고 건조한 대지가 떨어진 열매를 받아드려 쭉정이를 삭히고 알갱이를 선별한다. 하괘 천산돈의 3효가 땅에 떨어진 열매의 상이 된다. 열매가 건토(乾土)에 떨어져야 쭉정이를 삭히고 알갱이를 건져내지만, 습토(濕土)에 떨어지면 모두 썩어버린다. 坤土(未)는 丁火가 내재한 조토(燥土)이다.

22.2.4. 戌 – 辛丁戊

뜨거운 불로 금을 녹임으로써 잡기(雜氣)를 정제하는 모습

물상	괘상	12벽괘
	건천(乾天)	山地剝
암토(岩土)	金	墓庫(+1)

정화(丁火)를 품고 있는 것은 庚金(☰)의 잡기를 제거하여 순수한 辛金(☰)를 만들기 위함이다. 정화(淨化), 수신(修身), 명상하는 모습, 수련하여 내면을 쌓는 모습, 산지박괘는 가부좌 틀고 앉아 고요하게 명상하는 부동(不動)의 상을 보여준다. 戌궁는 丁火를 품고 있는 암토(岩土)의 상이다.

(1) 물상: 땅(戌)속 바위(辛) 아래 뜨거운 마그마(丁)가 가득한 상이다.

(2) 괘상: 乾卦(☰辛金)는 잡기(雜氣)가 정제된 모습으로 생명을 상징한다. 兌卦(☱庚金)가 수렴한 양기를 순수하게 정화한 것이 乾卦(☰辛金)로서 생기(生氣)가 된다. 이전 계절의 기운인 丁火(☲)를 저장하고 있는 이유는 庚金☱을 제련함으로써 잡기를 제거하여 순수 생기(☰辛金)를 북방의 坎水☵에 저장하기 위함이다.

(3) 12벽괘: 음 속으로 정제된 생기(생명☰)가 내장되고 있는 모습, 산지박(山地剝)괘는 정제되는 양기 하나가 내면(☷)으로 잠기기 시작하는 모습을 보여준다. 음 속으로 생기가 완전히 내장된 모습은 감수(☵坎水)로서 2효가 된다.

불순한 잡기☷를 뜨거운 불(丁)으로 녹여 정화(淨化)함으로써 순순한 생명☰의 기운을 얻음은 인사적으로 내면을 위한 정신수련, 명상 등 종교적 성향을 의미한다. 坤道시대의 陰生을 다하고, 새로운 乾道시대의 陽生을 꿈꾸는 절처봉생(絕處逢生)의 시기로 이어진다.

22.3.寅巳申亥

인신사해는 각 계절을 시작하는 역마의 성질을 갖는다. 陽氣의 시작인 寅, 陰氣의 시작인 申의 지장간 여기(餘氣)는 戊土가 아니라 己土로 시작한다 (寅: 己丙甲 / 申: 己壬庚). 만물의 시작을 여는 것은 양이 아니라 음이다. 양은 음이 연 세상을 역동적으로 운행시키는 기운이다.

寅에서 丙火가 생하고, 巳에서 庚金이 생하고, 申에서 壬水가 생하고, 亥에서 甲木이 생한다. 오행이 생하는 자리이므로 여기(餘氣)는 항상 토(土)가 된다. 양이 주도하는 건도(乾道)와 음이 주도하는 곤도(坤道)가 상호 전환하는 시절인 寅·申궁의 시작은 陰土(己), 乾道(양)와 坤道(음)가 나뉘어 확연히 구분된 巳·亥궁은 陽土(戊)가 관장한다.

22.3.1. 寅 - 己丙甲

온기(丙)를 품은 땅(己)을 뚫고 나오는 새싹(甲)의 상

물상	괘상	12벽괘
	진뢰((震雷) 木	地天泰 生(+56)

병화를 품음은 갑목을 기르기 위함이고, 꽃(병)을 피우기 위함이다(목생화).

(1) 물상: 초봄 따스해진 기운(丙)을 품은 땅을 뚫고 새싹이 모습을 드러낸다.
(2) 괘상: 땅 속의 양기(생명)가 두터운 땅(2개의 음) 뚫고 나오는 모습
(3) 12벽괘: 지천태는 상하작용력이 +14로 최대이며, 천지창조의 순간, 즉 빅뱅(BIGBANG)을 나타낸다.

22.3.2. 巳 - 戊庚丙

태양(丙)이 무성하게 열린 열매(庚)를 익히는 모습

물상	괘상	12벽괘
	리화(離火) 火	重天乾 祿(+63)

병화가 경금을 품음은 열매를 맺히기 위함이고, 익히기 위함이다.

(1) 물상: 무토(戊) 위 장성한 나무에 무성하게 열린 열매(庚)를 강렬한 태양(丙)이 익히는 모습이다.

(2) 괘상: 음기(2효)가 내부에서 양기의 발산을 억제시키고 질서를 세우는 상. 수렴의 기운이 움 트다. 음기가 내부에서 양기를 잡아 균형을 이룬다(열매를 맺는다.)

(3) 12벽괘: 한 여름, 나무에 무성하게 열린 열매가 陽氣를 최대한 끌어 모아 익어간다. 음기가 발산하는 양기를 억제하고 분별함으로써 질서를 잡아간다.

22.3.3. 申 – 己壬庚

수렴된 알갱이(庚)를 물(壬)로 정제하는 모습

물상	괘상	12벽괘
	태택(兌澤)	天地否
	金	病(+7)

壬水를 품음은 庚金(열매)를 정제하기 위함이고, 순수 생명(辛金)을 낳기 위함이다.

(1) 물상: 곤토가 쭉정이를 걸러내어 수렴된 알갱이를 모아 물로 정제하는 모습이다.

(2) 괘상: 가을의 숙살지기가 작용함으로써 양기가 음에 수렴되는 상이다. 坤土☷에 떨어진 열매를 수렴하여 정제한다. 가을의 숙살지기는 쭉정이를 버리고 알갱이를 수렴하는 기운이다. 건조한 조토(己☷)에 떨어진 열매(庚)의 껍질을 삭혀 알갱이가 수렴되면 물(壬)로 정제하여 찌꺼기(잡기)를 씻어내는 냄으로써 酉궁에서 순수생명(☰)이 된다.

(3) 12벽괘: 가을의 숙살지기로 양기가 완전히 분리된 모습, 열매가 나무와 분리되어 양기의 공급이 끊어진 모습이다.

22.3.4. 亥 - 戊甲壬

땅 속 임수(음)가 생명(양)을 품고 있는 모습

물상	괘상	12벽괘
	감수(坎水)	重地坤
	水	絶(0)

  임수가 甲木을 품음은 갑목을 낳기 위함이고, 다음 세대의 생명을 잇기 위함이다.

(1) 물상: 물(壬)이 꽁꽁 언 땅(戊) 속 깊이 생명의 씨앗(甲)이 보관되어 있는 상이다.

(2) 괘상: 양기(2효)가 음기에 의해 생명의 씨앗으로 저장되어 보호받고 있는 모습, 임수는 거대한 음기로 움직이는 기운이 아니며 양기를 보이지 않게 보호하고 있다.

(3) 12벽괘: 추운 겨울, 생명의 씨앗이 누구도 해를 끼치지 못하는 꽁꽁 언 땅속 깊이 저장되어 있는 모습, 음기가 깊숙이 감싸고 있어 양기(생명)는 보이지 않는다.

22.4. 子卯午酉

당해의 당왕한 기운이 왕성하게 발휘하는 시기이다. 양극음생(陽極陰生)의 시기로서, 새로운 기운이 움트는 시기이기도 하다.

子에서 壬癸水, 卯에서 甲乙木, 午에서 丙丁, 酉에서 庚申金이 강왕한 기운으로 활동하며, 양의 기운이 극에 달하면서 음의 기운이 생하는 시기이다.

22.4.1. 子 – 壬癸

음(땅) 깊은 곳에서 생명이 태동하는 모습

물상	괘상	12벽괘
	감수(坎水) 水	地雷復 胎(+32)

(1) 물상: 추운 계절, 보이지 않는 깊은 땅 속에 강한 음기가 생명의 씨앗인 양을 보호하고 있는 상

(2) 괘상: 가장 추운 때이지만 그럼에도 땅 속 깊은 곳에서 양기가 태동, 움 트는 상, 계수는 흐르는 음기로서 서서히 음기가 움직이기 시작하면서 내부에서는 양기가 기지개를 펴는 시기이다.

(3) 12벽괘: 음극양생(陰極陽生), 계절로는 가장 추운 동지이고 시간으로는 가장 어두운 때이지만 그 내부에서는 양기가 움트고, 생명과 희망이 움틀거리는 지뢰복의 시기이다. 양기(생명)가 움터 괘상에 나타나는 시점이 지뢰복(地雷福)괘로서, 地支로는 가장 추운 冬至, 시간은 子時가 되고, 12운성으로는 생명이 시작되는 胎가 된다. (火五行 기준).

22.4.2. 卯 – 甲乙

음(땅)에 뿌리를 내린 나무가 왕성하게 자라고 있는 모습

물상	괘상	12벽괘
	손풍(巽風)	雷天大壯
	木	浴(+60)

(1) 물상: 양기가 왕성하게 생장하는 상, 청년기의 질풍노도와 같은 성장을 거쳐 꽃을 피우고 열매를 맺는다.

(2) 괘상: 청년기의 장성한 나무로 양기의 결실을 맺기 시작한다. 양기가 질풍노도처럼 성장하는 모습, 열매를 키우며 가장 왕성하게 작용하는 시기이다.

(3) 12벽괘: 양기가 열매를 맺고 키우며 가장 왕성하게 활동하는 뇌천대장의 시기이다.

22.4.3. 午 - 丙己丁

발산하는 양기를 음기(己)로써 분별, 질서를 잡아가는 모습

물상	괘상	12벽괘
	리화(離火)	天風姤
	火	旺(+31)

(1) 물상: 가장 더운 계절로 양기가 최고조로 왕성하게 작용하는 모습. 그러나 음기가 움트면서 양기의 발산을 저지하며 양기를 수렴하기

시작하는 때이기도 하다.

(2) 괘상: 가장 뜨거운 시기이지만 그럼에도 음기가 내부에서 서서히 태동을 시작하는 모습, 서서히 내부에 음기(己)가 태동하면서 양기의 활동성을 제어하고 분별하여 질서를 세우는 작업을 통해 본격적으로 열매를 익히기 시작한다.

(3) 12 벽괘: 계절로는 가장 뜨거운 시기이고, 가장 밝은 때이지만 그 내부 바닥에서는 음기가 움트고 양기를 분리시켜 수렴을 시작하는 천풍구의 시기이다.

22.4.4. 酉 - 庚辛

음에 의해 수렴된 알갱이(양기)를 정제하는 모습

물상	괘상	12벽괘
	건천(乾天)	風地觀
	金	死(+3)

(1) 물상: 음기가 왕성하게 생장하는 상으로 양기를 수렴하여 정제하는 모습이다.

(2) 괘상: 음기가 극에 달해 양기를 완전히 수렴하여 정제하는 시기, 정제된 알갱이(양기)는 다음 시기에 태어날 생명의 씨앗이 된다.

(3) 12벽괘: 음기의 성장이 가장 왕성한 시기로서 양기가 완전히 분리되어 정제되는 시기, 알갱이(양기)를 정제하는 목적은 다음 세대를 위하여 잡기(雜氣)가 없는 가장 순수한 생기(생명, 씨앗)을 저장하기 위함이며, 관(觀)괘는 제를 올리기 전의 경건한 초심(初心)을 의미한다.

23.사주팔자 해석의 기본원리

23.1.사주팔자 명국(命局)시스템

天干	天	陽	理	空	體	추상적 영역 (天)	五行	정신	生氣	본질적 형이상
地支	地	陰	氣	時	用	현실적 영역 (地)	調喉	육신	形氣	현상적 형이하
藏干	人	中	物	變	象	잠재적 영역 (人)	천간 투출, 류운 발동 등으로 人事吉凶을 발생시키는 영역			

천간이 하늘(天)이라면 지지는 땅(地)이 되고, 지장간(地藏干)은 "나(人)"가 된다. 천간은 추상적인 공간이고 지지는 계절이 작용하는 구체적인 공간이며, 지장간은 나의 잠재적 영역이 된다. 천간과 지지의 작용이 총체적이고 추상적인 의미를 가진다면, 지장간은 일간과의 작용으로 나의 현실적인 인사길흉을 드러내는 구체적인 영역이 되며, 일간(我)이 상황에 따라 표출하는 잠재적 능력을 나타낸다.

년주는 과거(조부모, 유년), 월주는 현실(부모), 일주는 지금(나), 시주는 미래(자식)가 되므로 일간을 중심으로 각각의 좌하(座下) 자장간과의 오행 생극작용을 통해 육친으로 인적관계를 살피고, 십신으로 인사길흉을 살핀다.

천간의 오행생극, 지지의 조후(調喉)를 통한 천간과의 조력관계, 지장간의 인사(人事)문제, 합충(合沖)을 통한 역동적인 기(氣)의 작용, 12운성을 통한 시간의 파동(波動)을 통해 총체적인 류운의 흐름을 살핀다.

길흉은 조후(調喉), 상신(相神)으로 판단하고 중화(中和)를 통해 조절한다.

상신(相神)이란 일간에게 생극제화를 통해 득이 될 수 있도록 역할을 담당하는 천간 지지를 말한다.

日干: 개인적 성향, 본성 (추상적 특성 - 나)

日支: 개인적 환경 (현실적 영역 - 가정)

月干: 사회적 성향 (추상적 특성-나)

月支: 사회적 환경 (현실적 영역-사회)

일주와 월주는 현재시제와 현실을 의미한다.

년주는 과거시제, 시주는 미래시제를 의미한다.

천간은 성향을 나타내고, 지지는 환경을 의미한다.

월주(月柱)가 명국 전체의 성격을 지배한다. 월지의 지장간 중에 천간에 투출하는 것을 우선으로 하고, 투출이 없다면 본기 중기 여기 순으로 용사신으로 정한다. 월지장간, 즉 용사지신(用事之神)이 류운에 발동하는 경우 강하게 작용한다. 계절을 이기는 것은 없다. 제어할 수는 있지만 계절 자체를 이길 수는 없으며 순응해야만 한다. 계절의 기운을 품고 있는 월지장간은 용사신으로서 명국과 류운 전체를 통어(統御)한다. 용사신을 억부하여 명국에 도움이 되도록 활용하는 것을 상신(相神)이라고 한다.

명국이 중화를 이룰 때 사주팔자는 원활하게 돌아간다. 중화지기인 소용지신(所用之神)으로 일간에 득이 되는 오행을 소용신으로 정하고, 소용신을 억부하여 희신과 기신을 파악한다.

길흉의 원리는 '득즉길 실즉흉(得卽吉 失卽凶)'으로서, 명주에게 得이 되면 吉이요, 失이 되면 凶이다.

23.2.사주팔자의 통찰

時干	日干	月干(꼴)	年干	天干 추상성 오행
時支	日支	月支(값)	年支	地支 현실성 오행 기운 시간, 조후
미래 (實)	현재 (花)	현실 (苗)	과거 (根)	
선택적 의지 노년 자식 미래 가정궁	인위(人爲) 나(我) 배우자 후원자, 배경 현재 부부궁	무위(無爲) 자연, 계절 꼴값(격), 용사신 부모 현실 사회궁	숙명(宿命) 선택불가 조부모 어린시절 과거	지장간 잠재성 가능태

  년주(年柱)는 내가 선택할 수 없는 과거시제로서 어린시절, 조부모를
상징하며 숙명을 의미한다. 년간의 지장간이 月日時干에 투간하는 경우,
근묘화실(根苗花實)의 원리로써 내가 선택할 수 없는 숙명이나 어린시절
환경, 조부모의 영향력 등과 관련지어 해석한다.

  월주(月柱)는 계절로서 내가 순응해야 하는 거스를 수 없는 현실, 즉
자연의 힘이다. 부모를 상징하며 월지장간은 명국 전체를 관정하고 지배

하는 강력한 용사신의 역할을 수행한다. 용사신이 월간에 투출하면 '꼴'을 강화시킨다. 천간에 투간한 월지장간이 용사신이 되고, 투출이 없으면 정기 중기 여기 순으로 용사신의 역할을 수행하며, 년간 일간 시간에 투출하여 근묘화실의 원리에 따른 역할을 수행한다. 또한 류운에 발동하여 운과 접응하므로써 운을 통어한다.

일주(日柱)는 현재의 나의 상황이다. 어느 정도 자신의 의지로 선택할 수 있는 인위적인 자리이다. 지장간은 부부, 나를 지지하는 후원자, 백그라운드에 해당된다. 년월일시 천간에 투간하여 자신의 잠재된 능력을 발휘한다. 일지장간은 부부궁으로 배우자를 상징하며, 이 경우 투간하면 배우자의 활동성이 강화된다. 배우자의 투출, 그리고 육친관계, 그리고 류운과의 접응관계를 살펴 혼인관계를 분석한다. 월지장간은 거스를 수 없는 계절의 기운, 용사신으로서 강력하게 명국과 류운을 지배하지만, 일지장간은 계절에 순응해야 하는 존재(我)로서 천간과의 감응을 통해 상호작용함으로써 잠재력을 발휘한다. 용사신은 상신(相神)의 억부를 파악하여 길흉득실을 판단한다.

시주(時柱)는 미래시제로서 나의 미래, 자식을 상징하며 아직 오지 않은 미래로서 어느 정도 자유의지로써 선택이 가능할 수 있다. 좌상(座上) 천간에 투출하면 그 기세가 강화된다. 시지(時支)는 그 시간의 폭이 작다. 그러므로 그 시간을 제때 포착하지 못하면 기회는 쉽게 스쳐 지나간다.

년주와 월주는 의지로 선택할 수 없는 불가항력의 무위자연의 힘이므로 숙명적으로 받아드릴 수밖에 없다. 다만 상신을 써서 일간인 내게 이롭도록 기운을 조절할 수 있다. 월지장간 용사신은 명국과 운을 지배하는 힘이 강하다. 과도한 경우 또는 미진한 경우 생극제화 또는 합충 등을 사용하여 기운의 억부를 조절한다.

일주와 시주는 자신의 의지로써 선택적으로 활용할 수 있다. 선택하여 사용하는 경우 상신으로써 기운을 조절하여 일간인 내게 이롭도록 기운을 조절한다. 내게 불리한 기운은 상신을 사용하여 기운을 상쇄시킴으로써 영향을 최소화한다. 年干 月干 日干에 투출하는 경우 근묘화실(根苗花實)의 원리로써 상호작용을 분석한다.

23.3.사주팔자와 운(運)의 관계

여덟 글자로 이루어진 사주명국은 내가 태어날 때 작용했던 천지의 기운이 기록되어 있는 텍스트이다. 명운이 기록된 텍스트를 음양오행의 생극, 합충, 십신, 육친, 물상 등 다양한 방법으로 분석하면 일간으로 상징되는 나의 존재에 대한 특성이 드러난다. 그러나 사주팔자는 나에 대하여 본질적인 특성을 기록한 텍스트일 뿐 지금 살아서 움직이고 있는 나 자신의 향방을 제시하는 정확한 자료라고 할 수는 없다.

나는 태어날 때의 나 자신이 아니라 지금의 시공간 속에서 다양한 객체들과 부딪히면서 상호작용하며, 또 그것이 만들어내는 길흉 속에서 움직이고 있는 살아있는 존재이다. 그러므로 시간의 흐름을 의미하는 운(運)이 명국(命局)에 접응할 때 비로소 명국판에 불이 들어오기 시작한다. 말하자면, 시간이 흐르기 시작하면서 음양이 작동하고 그때 비로소 천지의 기운을 내재한 간지의 오행, 즉 木(파랑), 火(빨강), 土(노랑), 金(하양), 水(까망)의 불이 밝혀지는 것이다. 음양이 만물을 작용시키는 플러스(+) 마이너스(-) 전기적 동력원이라면, 오행은 만물의 특성을 구성하는 형질이라고 볼 수 있다

대운과 세운이라는 시간 코드가 접속될 때 비로소 명국판에 불이 들어와 명운(命運)이 비로소 작동하기 시작한다. 당연히 텍스트에 불과한 사주팔자만을 분석하여 현재의 길흉을 논하는 것은 구체적으로 실효성이 없다.

명국에 있는 천간이나 지지가 운에 흐르게 되면 운기(運氣)가 일치하면서 명국판의 해당 간지는 더욱 빛을 강하게 발휘한다. 지장간은 하늘(천간)과 땅(지지)이 상호작용하여 생화한 나(人)를 상징한다. 그러므로

명판의 지장간이 류운(流運)에 드러나게 되면 그때 나의 운기(運氣)가 발동(發動)을 시작한다. 그리고 류운이 품고 있는 지장간이 명판에 드러나는 경우에도 나의 시운(時運)은 명국에 접응(接應)하여 상호작용을 시작하게 된다.

23.4.사주팔자의 생극제화, 합충형파해

다음 그림은 사주라는 집의 내부구조이다. 사주팔자의 분석은 생년월일시의 구조를 기초로 하여 음양오행의 생극(生剋)과 제화(制化), 그리고 합충(合沖), 형파해(刑破害), 월령을 중심으로 하는 용사신, 일간을 중심으로 하는 소용신을 파악하여 틀을 분석하고 들어오는 대운(大運)을 대입시킨다. 팔자는 음양오행이 편재된 개인의 특성으로 자기동일성(自己同一性)을 의미하며, 기(氣)가 흐르는 통로로서 저마다 다양한 모습으로 나타난다. 인간이 태어나는 시점의 기운이 문자로 표상화된 것이 사주팔자라면 운은 명국을 작동시키는 열쇠가 되고 우주의 기운이 접응하는 기(氣)의 통로가 된다.

주역은 "음양불측지위신(陰陽不測之謂神)"이라 하여 기의 흐름은 예측하기 어려운 불확정성의 원리가 작동하고 있음을 말하고 있다. 사주팔자는 불확실성이 작동하는 기의 흐름을 사시순환이라는 변화의 규칙성에 넣어 분석하는 인사적(人事的) 해석 시스템을 의미한다.

인간이 태어난 시간대를 간지로 전환한 사주팔자는 지구의 사시순환이라는 기의 흐름을 공간과 시간으로 구분하여 결합한 틀이다. 그러므로 사주팔자를 해석한다는 것은 변화하는 시공간을 표상한 천간과 지지를 분석함으로써 변화의 흐름을 따라가는 개인의 시공간을 통해 길흉을 판단하는 것이라 할 수 있다.

사주팔자는 개개인마다 음양과 오행이 편재된 특징을 가지고 있다. 이러한 간지 여덟 글자로 구성된 사주명국을 통해 예측하기 어려운 기의 흐름을 분석하고 인간의 삶에 대입하여 예측하는 것이 바로 사주명리학의 본질인 것이다.

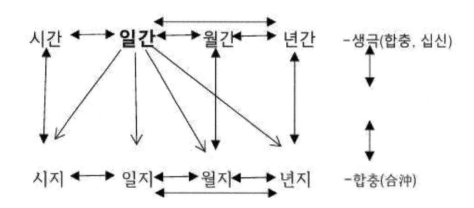

<일간중심의 생극제화>

(1) 음양 오행의 편중

  -음양의 편재와 편중을 파악하여 명주의 특성과 성향을 분석한다.

  -오행과 십신의 균형과 흐름을 분석한다.

(2) 천간

  -오행의 생극제화를 통해 십신, 육친, 합충을 파악한다.

(3) 지지

  -합충형파해, 통근으로 천간과의 협력작용(생조, 생설)관계 파악한다.

  -조후의 균형을 분석하여 운의 흐름을 파악한다.

  -지지십신, 지지오행, 근묘화실(根苗花實)을 분석

(4) 일간

  -일주의 괘상을 세워 주역의 괘사를 분석한다.

-일간의 신강, 신약을 분석하여 중화를 조절하는 소용신(所用神)을 찾는다.

-일간과 월지의 관계 분석한다(생조, 생설, 극제, 극설, 극해).

-지장간 투출 여부로 일간의 기세 파악한다.

-일간을 중심으로 지지와 십이운성의 흐름을 분석한다.

-지지합충을 통한 일간과의 생조 생설 관계 분석한다.

(5) 월지

-일간과 월지의 관계 분석

-조후를 통한 일간의 기세 분석,

-월지장간의 투출로 명국을 주도하는 용사신(用事神)을 분석한다.

-지지합충 관계를 파악

-삼합, 방합을 통한 월간의 기세 분석

(6) 대운과의 상호작용 분석

-지장간의 발동과 운기의 접응을 분석한다.

-지지의 조후를 억부하여 운의 흐름을 순용한다.

-운에서 들어오는 간지가 명국의 여덟 글자를 안정시키는지, 또는 여덟 글자의 균형을 흔드는지를 근묘화실의 원리로써 분석한다.

23.5.사주팔자의 기본분석

時柱	日柱	月柱	年柱
식신	본원	상관	정인
丁	乙	丙	壬
亥	未	午	寅
정인	편재	식신	겁재
사	양	장생	제왕
戊 정재 甲 겁재 壬 정인	丁 식신 乙 비견 己 편재	丙 상관 己 편재 丁 식신	戊 정재 丙 상관 甲 겁재

-乙未일주는 풍지관(風地觀䷓)괘가 되므로 주역의 괘사를 통해 의미를 분석한다.

-일주의 지장간 을목이 일간에 투출되어 있어 일간의 뜻과 기세가 강화된다.

-월주의 지장간 병화가 월간에 투출되어 있어 월간의 뜻과 기세가 강화된다.

-월주의 지장간 정화가 시간에 투출함으로써 용사신의 역할을 수행한다. 수기가 적절하게 화기를 제어함으로써 상신의 역할을 수행한다.

-신약한 을목일간을 수기가 생조함으로써 소용신의 역할을 수행하고 있다.

-수기는 용사신을 제어하는 상신이면서 동시에 일간을 생조하는 소용신

의 역할을 수행한다.

-명국에 없는 금기가 들어오게 되면 식생재의 결과물인 일간의 울타리
(관성)가 강해진다고 할 수 있다.

-일주의 12운성은 양으로 그 생기(+48)는 강하나 보호를 받아야 하는 연
약한 입장으로서, 지장간 을목이 일간에 투출하였으니 일간의 품은 뜻은
강하다고 할 수 있다.

-년주, 월주 일주, 시주의 지장간이 동주(同柱) 좌상 천간에 투간(透干)하
는 경우 그 뜻과 기세가 강화된다.

-월지는 계절적인 기운으로 본원인 일간(나)에게 가장 많은 영향을 끼치
는 오행이다. 월간이 월지와 통근하거나 월지장간이 월간에 투출하는 경
우 월간의 특성이 강화되어 사주의 꼴로서 명국 전체에 영향력 발휘한다.

-월주는 나를 둘러싼 현실, 사회적 환경, 일주는 나의 현재, 가정적 환경
을 의미한다. 년주는 선택할 수 없는 과거시제, 시주는 자유의지로 선택
가능한 미래시제이다.

　월지午火는 가장 뜨거운 여름이면서도 음기가 처음 생하는 시기로서
뜨거운 丙丁 사이에 음토(己)가 미리 들어와 열기를 설기시키고(丙己丁),
이어서 건조한 未土(陰)가 乙木열매를 땅(庫地)에 저장하기 시작한다(丁
乙己). 월지오화는 12개월의 순환을 의미하는 십이벽괘로 보면 初陰이
重天乾(☰)괘의 목을 쳐서 양기를 열매에 저장하는 天風姤(☴)괘의 상이
된다. 여름 막바지에는 땅이 건조하고 태양빛이 내리쬐어야 열매가 숙성
된다(丙火). 그리고 적절한 비가 내려 주어야 하며(癸水), 가을 金氣가 들
어와서 결과물(열매)를 수렴하면 최상이라 할 수 있다(己壬庚).

　월주 丙午는 양인(제왕)이다. 그러므로 월간병화는 지지오화의 협조를
받아 그 힘이 강왕하다. 월간병화는 일간과 월지와의 작용을 통해 그 힘

이 배가된다. 일간을목과 월지오화는 목생화(木生火)의 관계로 월지는 지지식신이다. 현실적으로 하고자 하는 일에 모든 것을 받쳐 몰입하는 성격이라 할 수 있다.

지지는 현실적이지만 천간은 추상적이다. 지지식신은 현실에서 자신을 소진시키며 활동적이지만(육신, 현실적, 형이하학적), 월간상관은 본질적으로 가지고 있는 개혁적이고 진보적인 정신적 성향을 의미한다(정신, 추상적, 형이상학적).

일지는 12운성이 양(養)으로서 일간을 받쳐주는 기세는 약하지만 을목이 투간되어 뜻을 강화시켜 주고 있다. 미토(未土)는 생장 분열하는 여름의 화기를 수렴하고, 열매를 삭혀 씨앗과 껍질을 분리, 수렴하는 음의 시대로 전환케 하는 자리이다. 변혁의 시기로서 교화교역(金火交易)을 주도하는 군자의 자리라 할 수 있다(火生土 土生金).

▷지지합충

-월간병화의 뿌리인 午는 寅午(戌) 반합이 되어 丙火의 뿌리를 공고하게 한다. 일간을목은 亥(卯)未 반합으로 지지를 받는다. 卯는 천간乙木이 대신한다. 목화통명을 이루고 있다.

- 寅午合은 지지의 뿌리를 강하게 하므로 丙壬沖으로 쉽게 흔들리지 않는다.

-丁壬合木은 거리가 있고 중간에 생극작용이 있어 중화되어 일어나지 않는다(水生木 木生火).

-지지가 午未合火, 寅午合으로 화기(火氣)일색이고, 오화식신으로 일간乙木은 기운의 설기(泄氣)가 심하여 항상 목이 마르다(지식욕, 명예욕 등).

-월지는 木火식신으로 갈증해소를 위해 분주하다. 한가지에 만족하지 못

하고 동시에 2가지 이상을 진행한다. 임수가 병화를 극하여 火氣를 극제하는 희신으로 작용하고 을목일간을 생조하여 건조함을 막아주며(상관패인傷官佩印), 해묘미 삼합으로 일간을 지지하니 일간 목기(木氣)의 누설을 막아 식상(食傷)을 쓸 수 있도록 한다.

▷ 조후(調喉)

　일간이 시공간(時空間)과 상호작용을 통해 만들어내는 음양오행의 생극작용은 그 자체가 길흉은 아니며, 십신과 육친 등의 인사(人事)를 생하는 순환원리를 의미한다.

　조후의 억부, 천간과의 상호관계를 분석하고, 운의 흐름에 따른 길흉을 조절한다.

　乙木일간은 태양인 丙火를 기뻐한다. 乙木은 월지午火와 未土의 건조한 토양으로 인하여 항상 목이 마르다. 일간乙木은 음기가 처음 생하면서 양(陽)의 확장을 절제시키고 양기를 수렴하기 시작하는 午月木으로서 열매(丁)를 매달기 위해서는 癸水와 丙火가 필요하다. 즉, 지지에 寅午合 午未合 등으로 火氣가 강왕하여 일간乙木의 설기(泄氣)가 극심하니 水氣(壬)의 적절한 공급이 필요하다. 그러므로 金水 운로(運路)의 흐름이 중화를 지향하는 팔자의 운행에 길하다고 할 수 있다.

▷ 생극제화(生剋制化)

　인성 壬水가 일간을 생하고(水生木), 또한 명국을 지배하는 강왕한 식신상관 丙丁 화기를 제어하는 水克火작용으로 일간의 설기(泄氣)를 안정시키는 역할을 한다(상관패인傷官佩印).

　월지장간(용사신) 정화(丁火)가 時干에 투출하여 때를 기다리고 있고, 時支 해수(亥水)가 戊甲壬을 품고 일간을 강하게 생조한다.

23.6. 일주와 월주의 관계

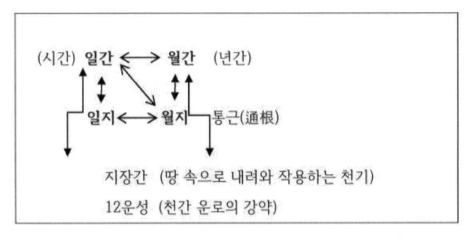

(시간) **일간** ←→ **월간** (년간)

일지 ←→ **월지** 통근(通根)

지장간 (땅 속으로 내려와 작용하는 천기)

12운성 (천간 운로의 강약)

일주와 월주는 현실적인 나의 상황을 의미한다. 년주는 과거시제(나의 뿌리, 조상), 시주는 미래시제(자식, 노년)를 의미한다. 일간인 내가 당장의 영향을 받고 있는 것은 계절오행(月支)이다.

년주는 내가 선택할 수 없는 과거시제이고, 월주는 역행할 수 없는 계절적 기운으로서 일간이 이미 경험하고 있는 현실이다. 일주는 일간에게 주어진 현재, 즉 오늘을 상징한다. 이미 주어진 오늘을 거부할 수는 없지만 무엇을 할 지는 선택할 수 있다. 시주는 아직 오지 않은 미래시제를 상징한다. 시간은 시시각각 변해가는 미래이므로 일간의 자유의지로써 선택가능한 미래시간이 된다.

일간(日干)은 사주팔자의 주인인 '나'가 된다. 월주는 계절 오행이다. 지구상의 생명에게 가장 영향을 주는 것은 계절이다. 어느 누구도 계절을 역행하여 삶을 유지할 수는 없다. 그러므로 일주와 월주와의 관계가 나의 삶의 명국 전반을 실질적으로 지배한다고 볼 수 있다. 물론 생로병사(生老病死)라는 큰 흐름은 년간(年干)으로 이미 운명이 지어져 있겠지만, 오늘 하루하루 그것을 인식하며 살아가지는 않는다. 태어나서 늙고 병들어 죽는 것이야 어찌 피할 수 있는 일이겠는가? 그것을 인정하고 숙명적으로 받아드리고 사는 것이 지구 상에 태어난 나의 피할 수 없는 운명 아니겠나? 그러므로 이미 정해진 운명인 년간과 시시각각 변해가는 앞으로의 변화를 의미하는 시간은 또 다른 변수이다.

일지의 지장간이 일간에 투출(透出)되면 일간의 기운이 강화되어 일간이 품은 뜻과 기세가 강해진다. 유근(有根)하다고 한다. 유근이란 천간과 같은 오행이 지장간에 있는 경우를 말한다.

통근(通根)이란 지지오행과 천간오행이 같은 경우를 말한다. 이 경우 천간은 지지가 록지(祿地)가 되므로 기세가 비화되어 그 힘이 배가(倍加)된다.

일간이 좌하의 일지와 통근하면 기세가 비화되어 일간의 기세가 강화된다.

일간이 월지와 통근하면 득령(得令)하였다 하며, 일간은 길한 기운을 얻는다. 년지(뿌리, 근원), 시지(미래)와의 통근은 그 다음이다.

천간이 좌하 지지의 지장간에 뿌리를 두면(유근), 즉 지장간이 천간에 투출되면 천간의 뜻이 강화된다.

일간이 좌하의 지지와 통근하면 록지가 되어 천간의 기세가 강화된다. 천간과 지지가 같은 오행으로 천간과 지지가 비화되어 그 힘이 배가 되기 때문이다.

월지의 지장간이 월간에 투출되면 월간의 품은 뜻이 강화된다. 이것을 월간이 유근(有根)하다고 한다.

월지장간이 투출하게 되면 명국전체를 통어하는 용사신(用事神)이 된다(후술 참고).

월지의 12운성이 건록이 되면 월간오행이 강화된다. 천간과 지지가 같은 오행으로 천간과 지지가 비화(比和)되어 그 힘이 배가(倍加) 되기 때문이다. 이 경우 명국 전체에 대한 지배력이 강화된다.

일지의 12운성이 약하면 일간도 그 기운이 신약하고 일지의 운성이 강하면 일간도 신강하다.

일간과 월지와의 오행, 십신 관계를 살펴 일간의 사회적 성향이나 직업관계를 분석한다.

일간과 월지의 현실적 작용을 통해 월간의 추상적 성향이 현실적으로 드러나게 된다. 월지와 일지의 관계를 통해 현재의 구체적인 상황을 분석한다.

천간은 지지의 조후 작용을 통해 기세가 강화되거나 설기된다.

일주와 월주를 해석하는 방식은 일주와 시주, 일주와 년주와의 관계 해석에도 동일하게 적용한다.

23.7. 일간(我)

일간(日干)은 "나(我)"로서 명주(命主)가 된다. 일원(日元), 본원(本元)이 되며, 모든 천간 지지와 작용하여 음양과 오행의 생극제화를 통해 십신, 육친 등 인사적 변화를 만들어내는 주체가 된다.

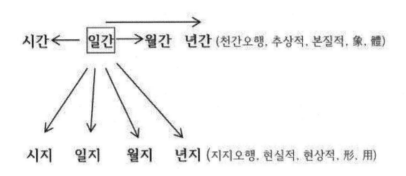

일간은 천간오행으로 추상적이고 본질적인 '나'를 의미한다(象). 일간은 사주명국의 주인으로서 천간과의 생극작용을 통해 인사적인 문제를 정한다.

일간과 지지는 오행생극을 일으키지 않는다. 지지는 환경적 요인으로서 사계절의 순환에 따라 한난조습이라는 조후 작용으로 오행과 같은 기운일 뿐, 그 기운 자체가 오행은 아니므로 생극이 일어나지는 않는다. 오행 생극은 천간오행의 작용이다.

목화토금수는 오행이 목화토금수의 기운과 성질이 있다는 것을 비유할 뿐 실제 물상으로서의 목화토금수를 의미하지는 않는다.

천간오행은 본질적이고 추상적이며 형이상학적인 기운으로서, 하늘을 유행하며 생극작용을 통해 만물을 생화한다. 목화토금수 오행이 응결(凝

結)하면 형질(形質)로서 만물이 되고(形), 해결(解結)되면 생기(生氣)로 돌아간다(象).

지지는 천간오행이 지구로 내려와 순행하며 만들어내는 계절적 기운으로서 오행의 기운으로 비교될 뿐, 실제 오행이 아니므로 천간오행과 구분하여 지지오행이라 한다. 지지는 천간의 기운을 도와주거나 기운을 설기시키는 작용으로 천간의 오행작용에 협조하거나 저지하는 역할을 한다.

天干은 地支의 도움을 받으면 그 기운이 강화되고, 지원을 받지 못하면 기세를 얻지 못한다.

천간의 기세는 천간과 지지의 통근여부, 지장간의 투출여부, 천간이 12운성의 기세를 어떻게 올라타고 있는지 등으로 판단한다.

時柱	日柱	月柱	年柱
식신	본원	상관	정인
丁 亥	乙 未	丙 午	壬 寅
정인	편재	식신	겁재
사	양	장생	제왕
戊 정재 甲 겁재 壬 정인	丁 식신 乙 비견 己 편재	丙 상관 己 편재 丁 식신	戊 정재 丙 상관 甲 겁재

월간병화는 상관으로 지지오화의 제왕의 자리에 앉아 있어 양인으로 그 기세가 강력하다. 또한 지장간에서는 여기인 병화가 천간에 투출하였으니 그 천간의 품은 품은 뜻이 강화된다.

월지오화는 지지식신으로 12운성은 장생이다. 일간을목인 내가 월지오화와 작용하여 월간병화(꼴)를 돕는다. 지지식신으로서 자발적으로 온몸(木)을 불사르며 행하고, 항상 새로움을 추구한다.

지장간 중기인 을목이 투출하였으니 을목일간은 기세가 강력하다. 기운을 마무리하고 중재하는 힘이 강하다. 월지장간 丙火가 투간한 상관이 사주의 꼴을 이루고, 인수의 극제로 수기(秀氣)가 됨으로써 乙木이 투간한 일간과 목화통명(木火通明)으로 자신의 뜻을 강하게 추구한다.

　월지오화가 식신격을 이루고 있으며(값), 투출한 용사신 식신정화가 명국을 통어하며, 소용지신 임수가 강왕한 화기를 제어하며 용사신의 상신으로서 역할을 수행한다.

23.8. 日干(我)은 모든 지지와 작용한다.

일간(나)은 모든 지지와 통근하며, 또한 모든 지지와 작용하여 지지십
신을 만든다.

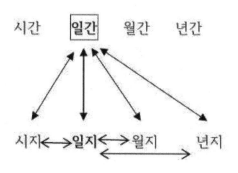

> ►일지는 일간의 나를 둘러싼 계절에 따른 환경적 요인으로서
> 현실적이고 현상적인 배경을 의미한다.

일지는 지지합충(合衝)을 통해 일간을 지지하는 세력이다. 통근이란 천
간이 지지에 왕지나 록지를 갖는 것으로서, 천간과 지지가 서로 같은 오
행을 의미하며 오행의 힘이 비화되어 천간의 기세가 강화된다. 예를 들
어 갑과 인, 을과 묘의 관계가 건록이고, 갑과 묘, 을과 인이 제왕이다.

-년지는 대운을 관장하며 운명의 흐름 전체를 의미한다.
-월지는 일간인 내가 현실적으로 가장 영향을 주고받는 계절적 기운이
다.
-일지는 나를 구성하는 환경적 요인으로서 나의 배경(BACKGROUND)
이 된다.

-시지는 미래시제로서 일간의 미래시 변화를 의미한다.

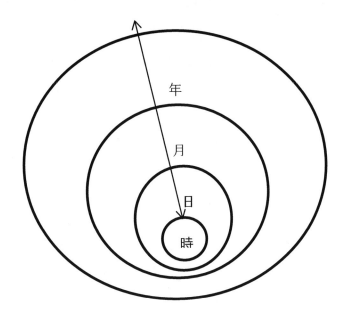

►음양은 천간지지 오행 전체를 관통한다.

　사주의 주인인 일간은 모든 지지와 작용하며 영향을 주고받는다. 지구의 계절적 조후인 12개의 지지를 따라 순환하면서 작용하며 자신의 인사적인 변화를 만들어내는 것은 바로 일간인 나(我)이기 때문이다. 오행 중의 하나인 나(일간)는 오행의 중심이다. 나를 중심으로 다른 오행과 생극을 만들고, 십신 육친 등 인사적인 문제를 발생시킨다.

　지구의 조후인 12지지와 작용하여 인생운행 시간표인 12운성의 흐름, 삶의 활기와 굴곡을 만들어내는 합과 충, 알게 모르게 숨어 작용하는 지장간 등, 삶에 직간접적으로 작용하는 기운을 만들어낸다.

삶의 중심에서 나를 운영하는 것은 바로 "나(我)"이며, 모든 현상의 중심에는 바로 "나"가 있다. 모든 자연적인 기운과 작용하여 변화를 일으키는 것은 바로 "나"이다. 그러므로 모든 책임 또한 "나"가 질 수밖에 없다.

"나"는 자연의 기운 중의 하나이므로 자연의 변화에 순응하며 순리대로 살아갈 때 제일 강하고 길한 기운을 받는다. 그러므로 오행 중의 하나인 나(我)를 중심으로 생극제화 작용에 의해 발생하는 십신과 같은 모든 인사적인 문제는 자연의 기운에 순응하며 순행하느냐, 아니면 불응하며 역행하느냐에 따라 길흉이 갈라지게 되는 것이다.

일간은 계절의 오행인 월지의 영향을 가장 크게 받는다. 만물이 실제적으로 눈에 보이는 현실적인 변화를 강요당하는 것은 바로 계절의 순환으로부터 이기 때문이다. 겨울에 여름 옷을, 여름에 겨울 옷을 입는 것처럼 험한 역행(逆行)도 없다. 주역(周易)의 괘·효사에서 가장 중요하게 말하고 있는 것이 시중(時中)이다. 때를 따라 시의적절하게 중(中)을 이루어야 함을 가리킨다.

하늘을 유행하며 끊임없이 움직이는 천간오행, 사시(四時)가 순환하면서 사계절에 따라 발생하고 사라지는 12개의 조후(지지오행), 일간인 나는 그 오행과 계절이 만들어내는 기운의 변화에 의해 끊임없이 영향을 주고받는다.

일간은 시지의 기운에도 영향을 받는다. 시지는 오늘 이 순간에도 끊임없이 시간의 흐름에 따라 변화하며 나를 미래로 이끌어 가고 있기 때문이다.

-일간은 년지 월지 일지 시지의 영향을 받는다.

-일간은 년지 월지 일지 시지에 록지(祿地)가 오면 강력한 기세를 얻는다.

-일간은 월지에 祿(비견), 旺(겁재), 특히 양인(陽刃)이 오면 월지의 작용으로 강왕해져 폭주할 수도 있다(丙午, 戊午, 壬子).

1년 12개월은 3개월 단위로 나뉘어져 춘하추동 4계절을 나타낸다. 춘하추동(春夏秋冬)은 한난조습(寒暖燥濕)이라는 기후의 변화로서 목(濕) 화(暖) 토(中和) 금(燥) 수(寒)라는 오행기운(조후)을 드러낸다. 만물을 비롯한 인간은 춘하추동이라는 1년의 계절적 기운을 가장 많이 경험하고 느끼며 그에 따라 옷을 달리 입으면서 변화해간다. 인사적 개념으로 보면, 생활에서 가장 많이 직접적으로 영향을 받는 오행은 계절적 기운으로서 만물은 월지(계절)의 영향 아래 직접적으로 놓여있는 것이다.

사주팔자는 일평생이라는 기간 동안 생장수장(生長收藏)의 이치로 생로병사(生老病死)를 펼쳐낸다. 이것은 계절 오행(조후)이 만들어내는 목화토금수 순환원리로 설명된다. 1일 12시간, 1년 12달, 60갑자로 설명되는 만물의 순환도 결국은 춘하추동이라는 오행생극의 순환을 따라 생장수장의 이치로써 생로병사(生老病死)의 길을 따르는 것이다.

23.9.천간과 지지의 통근

    일간는 모든 지지와 통근할 수 있으나, 시간 월간 년간은 동주 지지와 통근한다. 다른 지지와 통근하는 것은 일간뿐이다. 왜냐하면 일간은 사주의 주인으로서 모든 천간과 생극작용을 통하여 십신, 육친을 만들고, 지지와의 작용으로 12운성, 지장간을 발화시켜 인사문제를 간섭하기 때문이다. 천간의 오행은 앉은 지지와 한 몸처럼 어울려 있으니 동주한 간지가 가장 영향력이 큰 것이다.

    일간은 년지와 작용함으로써 이미 운명지어진 큰 흐름을 판단하고, 월지와 작용함으로써 당해 현실적인 문제를 판단하고, 일지와 작용함으로서 지금의 나를 판단하고, 시지와 작용함으로써 미래를 판단한다(根苗花實근묘화실).

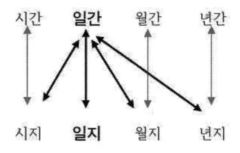

<지지의 상호관계성>

-년지는 월지, 일지, 시지의 계절변화를 포함한다. 그러므로 내부의 변화에 일일이 개의치 않는다

-월지는 일지와 시지의 계절변화를 포함한다. 그러므로 그들의 작은 변화에 일일이 개의치 않는다.

-일지는 시지의 오행의 변화를 포함하고 있지만 사주의 주체로서의 일간은 미래시제인 시지와 작용을 한다.

　아들은 아버지의 속성을 지녔고, 손자는 아들의 속성을 지녔으므로 아버지는 아들과 손자의 속성을 모두 포함하고 있어 굳이 아들과 손자의 속성을 구별하지 않는다. 아버지는 자식의 작은 변화를 모두 포용하는 것이다. 다만 명주(命主)인 나는 과거에도 영향을 받을 수 있고, 현재는 물론 미래에도 영향을 줄 수가 있으니 모든 지지와 작용을 한다.

　월지는 년지의 영향이 크고, 일지는 월지의 영향이 크며, 시지는 일지의 영향을 크게받는다. 그러나 년지는 월지의 영향이 크지 않고, 월지는 일지의 영향을 크지 않고, 일지는 시지의 영향을 크게 받지 않는다. 그러므로 오늘은 내일의 원인이 된다.

　현재가 寅卯辰 월로 봄이라면, 오늘 아무리 기후 변화가 심하고 매서운 바람이 불어도 봄바람일 뿐이고 봄비일 따름이다. 제 아무리 바람이 불고 천둥번개가 쳐도 겨울비는 내리지 않는다. 년주는 월지의 계절기운을 모두 포함하고 있으므로 그 해(年) 안에서 일어나는 작은 변화에 일희일비하지 않는다. 월간은 그 계절 안에서 일어나는 오늘 하루 또는 시간대별로 변화하는 작은 기후 변화에 일일이 개의치 않는다.

　다만 사주명국의 주인으로서의 일간인 나는 나를 중심으로 일어나는 모든 변화를 직접 만지고 느끼며, 영향을 주고받으며 변화해 나가는 것이므로 모든 지지(년월일시)와 작용을 한다.

　천간은 하늘을 유행(流行)하는 오행이지만, 지지는 12개로 구분되는 각각의 계절에 고정되어 있는 계절적 오행기운이다. 지지라는 집에 암장되어 있는 지장간은 자신의 잠재적 특성이나 잠재력을 의미하므로 천간으로 투출하면 그 기운이 강화된다. 명주의 주인인 일간이 들어오는 경우에도 각각의 년월일시 지지궁에 암장되어 있는 천간은 발동한다. 또한 대운이나 세운에 사주명국의 지장간이 투출하게 되면 장간이 품고 있는 명주(命主)의 잠재적 특성이나 잠재력이 오행과 십신의 합충, 생극작용을 통해 인사길흉(人事吉凶)으로 드러난다. 이것을 지장간이 류운에 '발동'한다고 한다.

발동과 통근의 차이

통근은 동주좌하 지장간에 뿌리를 둔 것을 의미한다. 이 경우 유근(有根)한 천간은 그 힘이 강화된다. 발동은 지장간이 천간에 투간하여 근묘화실의 원리에 따라 작용하는 것을 의미한다. 예를 들어 시지장간이 월간에 투출하면 월간에 발동하여 월간이 가지고 있는 작용력과 상호작용하는 것이다. 이 경우 월간이 시지에 뿌리를 두었다고 하지는 않는다. 천간은 동주자좌(同柱自坐)와 통근하는 경우 가장 큰 힘이 된다. 통근과 발동은 같은 내용의 다른 이름이라고 할 수도 있겠다.

년간은 년지와 통근하고, 월간은 월지와 통근하며, 시간은 시지와 통근하는 것이 가장 강력하다.

모든 오행은 월지의 영향력을 받는다. 계절인 월지를 역행하는 오행은 있을 수 없으며, 월지장간은 용사신이라 하여 천간에 그 모습을 드러내어 발동할 때 명국과 운을 주도적으로 운전해 간다. 이 경우 용사신의 힘은 일간의 상황을 고려하지 않고 운행하므로 일간은 쇠왕에 따라 용사신의 영향을 크게 받아 길흉이 달라질 수 있다. 그러므로 용사신의 기운을 조절하는 상신의 역할이 가장 중요하다. 팔자의 균형을 조절하는 소용지신과의 관계도 살펴봐야 한다.

23.10. 지장간의 투출

천간은 동주좌하(同柱座下) 지지의 지장간에 뿌리를 두어 천간의 기세
와 뜻을 강화시킨다.

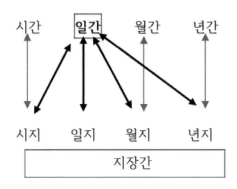

지장간은 하늘을 유행(流行)하는 동적(動的)인 천간오행이 땅으로 내려
와 지지궁에 입주한 오행으로서 천간오행의 뿌리가 되어 천간의 뜻을 강
화시킨다.

하늘의 천간이 자신의 땅(지지)에 내린 뿌리가 지장간이다. 천간이 지
지에 뿌리를 내린 것을 유근(有根)이라 하며 천간의 품은 뜻이 강화된다.
지장간이 천간에 모습을 드러내는 것을 투출(透出)이라 한다.

지장간은 지지궁에 머무는 천간으로서 지지라는 시공간에 제한된다.
지지는 고정된 계절적 기운으로서, 지지궁에 입주한 천간은 하늘의 천간
과 달리 각각의 지지에 고정된 천간으로서 정적(靜的)이다. 그러므로 지
지궁에 입주한 지장간은 기본적으로 지지궁에 뿌리를 둔 자신의 하늘천
간과 기운이 통한다.

그러나 일간은 사주명국의 주인으로서 모든 지지와 적극적으로 작용하며, 당연히 지지궁에 입주(암장)한 천간(지장간)과도 소통하며 작용한다.

월지장간은 명국시스템에 내재되어 있는 用事之神(用事神)으로 년월일시 모든 천간에 투출하여 팔자를 통어하며 자신의 뜻을 강화시킨다.

▶천간과 지장간의 작용

지지궁에 입주한 천간(지장간)은 해당 지지의 기후를 규정해주는 기운으로 작용력은 해당 천간에 국한된다. 예를 들어 시지에 입주한 천간(지장간)은 시지에 해당되는 짧은 기간 동안에 작용하는 기운이므로 해당 동주 천간에는 투출하여 기세를 강화한다.

지장간은 지지궁에 암장된 기운으로 각각의 지지의 크기에 맞는 기운이다. 예를 들어 시지의 지장간은 年支에 비해 기간이 짧아 년간에 투출하여 전체를 관장하기가 어렵다. 천간은 하늘을 유행하는 동적인 기운으로서 기간은 정해지지 않지만 지지궁에 입주(암장)한 천간(지장간)은 12개의 단위로 나뉜 지지에 고정되어 있는 기운으로서, 해당 지지의 계절을 규정해주는 기운이기 때문이다. 만일 동주(同柱) 외에 다른 천간에 투출한다면 명국에서는 그 기운을 제대로 발휘하기 어렵다. 명국시스템에 내재된 사주팔자는 금묘화실의 원리에 따라 때가 이를 때 작용하는 것이며, 류운에 지장간이 발동할 때 비로소 작용을 시작한다.

지장간의 투출은 년월일시의 천간에 모두 가능하지만 일간과 월간의 투출이 유의미하며 미래시제인 시간과 과거시제인 년간의 투출은 영향력이 크지 않다. 일주(日柱)는 나 자신이고, 월주(月柱)는 명국 전체를 제어하므로 투출의 영향력이 크다고 할 수 있다. 사주명국 시스템에서는 지나간 과거는 투출되어도 영향력이 미미하며, 아직 오지 않은 미래도 현실에 미치는 영향은 크지 않다. 다만 류운에 투출되어 발동하는 경우 비로소 지장간의 기운이 작용을 시작한다.

23.11. 일주의 분석

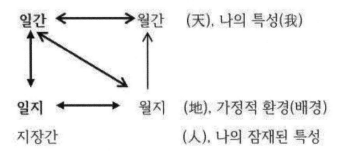

일간은 사주명국의 주인으로서 나의 본질적인 특성을 의미한다. 일지는 일간이 속해 있는 가정, 가족의 환경적 배경을 의미한다. 일지장간은 일간이 품고 있는 잠재된 특성으로서 언제든 운의 흐름에 따라 발현될 수 있는 기운이다.

월주의 12운성이 성숙기(건록, 제왕, 쇠)일 때 일간은 그 기세가 신강하다. 지장간이 일간에 투간(透干)하거나, 12운성이 성숙기(건록, 제왕, 쇠)일 때 일간의 기세가 신강하다.

일간은 명국의 주인인 나를 의미한다. 월지의 영향을 가장 크게 받는다. 만물은 계절(월지)의 영향을 벗어날 수가 없다. 또한 월주는 육친으로는 부모에 해당되니, 부모의 영향을 제일 크게 받는 것과 같은 이치이다.

만물은 계절적인 환경적 요인으로 월주의 영향을 가장 크게 받는다. 계절오행을 거스르고서는 생명을 유지할 수가 없다. 명국의 귀천은 계절오행에 순응하느냐, 역행하느냐에 달려있다. 그러므로 월주의 12운성의 강약에 따라 일간(나)의 기세인 신강 중화 신약을 판단한다. 지지합충의 변화적 요소를 고려한다.

천간은 하늘을 유행(流行)하는 오행이지만, 지지는 12개로 구분되는 각각의 계절에 고정되어 있는 계절적 오행기운이다. 지지라는 집에 암장되어 있는 지장간은 자신의 잠재적 특성이나 잠재력을 의미하므로 천간으로 투출하면 그 기운이 강화된다. 명주의 주인인 일간이 들어오는 경우에도 각각의 년월일시 지지궁에 암장되어 있는 천간은 발동한다. 또한 대운이나 세운에 사주명국의 지장간이 발동하여 투출하게 되면 장간이 품고 있는 명주(命主)의 잠재적 특성이나 잠재력이 오행생극작용, 합충형파해 등을 통해 인사길흉(人事吉凶)으로 드러난다. 이것을 지장간이 류운에 '발동'한다고 한다.

23.12. 월주의 분석

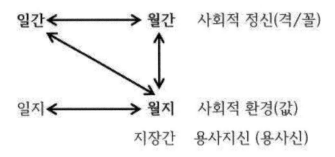

월간은 일간(나)과 월지의 작용에 의해 그 뜻이 강화된다. 즉, 천간오행(월간)은 일간(나)과 지지오행(월지)의 작용을 통해 본래의 성질을 제대로 발현시키게 되는 것이다.

월간은 명주가 본래적으로 품고 있는 사회적 성향(추상적, 정신)을 의미한다. 월지는 현실적인 계절적 오행으로서 천간오행의 기세를 결정하는 사회 환경적인 요인(현실적)이 된다. 월간오행은 월지오행의 뒷받침 없이는 고유의 역할을 제대로 수행하지 못한다. 즉, 월지의 사회적 활동성에 의해 월간이 품은 추상성이 강하게 발현되는 것이다.

월간이 사회적 특성으로서의 정신적 영역이라면, 월지는 사회적 활동 영역으로서 육체적 영역이라 할 수 있다.

월간이 '꼴'이라면 지지는 '값'이 된다. 지지궁에 내장된 용사신은 실제 활동하며 꼴값을 하는 도구이다. 즉 월간이 군인이라면 지지는 총이 되고 용사신은 총탄이 된다.

지장간에 월간오행이 뿌리를 두고 있으면 천간의 뜻이 강화된다(有根). 월간와 월지가 같은 글자이면(通根), 즉 12운성이 건록지가 되면 비화관계가 되어 월간의 기세가 더욱 강화되는 것이다. 연간, 시간의 분석도 월간의 분석원리와 동일하다.

월지는 다른 지지(시지, 일지, 년지)와의 합과 충을 통해 에너지를 발화시켜 역동적이게 한다. 그럼으로써 월간오행의 기세가 더욱 강화되거나 약화된다. 월지는 사주명국 전체의 기세를 조절하는 계절 오행기운으로 명주의 사회적 환경이 된다.

월간은 일간의 사회적 성격을 규정하는 오행으로 명주의 추상적, 정신적, 사회적 특성을 나타내며, 사주팔자의 형이상학적 특성을 규정하는 '꼴'이 된다. 다른 오행과 마찬가지로 월간의 '꼴'도 기세의 강약에 따라 억부의 원리로써 중화(中和)를 조절한다.

월지는 사주명국 전반에 영향력을 미치는 계절오행(조후)으로서 명주의 현실적 실제적 활동성을 의미한다. 월지는 내장하고 있는 용사신을 통해 사주팔자 명국 전체를 관장하고 제어하며, 특히 일간과 월간에 영향을 준다.

일간(명주)에게 월간은 '꼴'이 되고, 월지는 사용'값'이 된다. 그러므로 꼴값을 제대로 써야 일간이 제대로 서게 되는 것이다.

23.13. 시간(時干)의 중요성

명리의 발생지인 중국의 전국시대와 한대(漢代)에는 년주를 위주로 간명하였다. 이는 개인의 능력보다는 조상이나 가문의 권세에 의해 개인의 운명이 결정되는 시대였기 때문이다. 여기에서 년주는 '조상(가문)/과거', 월주는 '부모/현실', 일주는 '부부/현재', 시주는 '자식/미래'을 나타낸다.

그런데 당대에 들어와서 이허중은 '이허중명서'에서 '년주를 근본으로 하되 일주를 주인으로 본다'라고 하여 가문과 조상보다는 개인을 운명의 추체로 보게 되는 관점을 드러낸다. 물론 년주의 영향이 여전히 남아있던 시기이기 때문에 년주를 완전히 벗어나지 못하고 년주와 일주를 병립하는 중간 시대적인 관점을 취했다.

송대(宋代)에 들어와서 자평법(子平法)에서는 본격적으로 완전히 년주(가문)의 영향을 벗어나 월주와 일주 중심의 간명법을 채택하게 된다. 조상이나 가문보다 부모의 역할과 개인의 역량을 중시하기 시작한 것으로서 본격적으로 개인을 운명의 주체로 보기 시작하였다.

현대는 어떤 관점을 취하는 것이 옳을까?
현 시대에도 개인은 여전히 부모의 품을 벗어나지 못하고 있지만, 과거와는 달리 개인의 주체적인 영역이 점차 넓어지면서 개인화되어 가고 있는 과정선상에 있다. 즉, 개인이 주체적으로 선택하는 미래시제인 시주(時柱)의 의미가 점차 그 중요성을 더해가고 있다. 그러므로 일주과 월주, 일주과 시주의 종합적인 분석이 더욱 중요해지고 있는 시점이라 할 수 있다. 현시대의 인문학적 관점에서 보면 운명의 주인은 각각의 개인이다. 사주명국에서 일간(日干)은 명국의 주인으로서 운명의 주체이며, 여전히 부모의 영향 아래, 월주(月柱)의 영향을 받으며 자신의 주체적 역량을 발휘해 미래시제인 시주(時柱)를 개척해 나간다. 바야흐로 日干(개인)의 주체적 역량에 의해 운명이 결정되는 시대가 본격적으로 도래한 것이다.

계절로 상징되는 부모는 월주(月柱)이다. 인간을 위시하여 온갖 동식물은 어려서는 부모(계절)의 품을 벗어날 수 없겠지만, 성장하면서는 시대적인 상황에 따라 부모의 영향을 벗어나 좀더 빨리 독자적인 영역을 구축하려고 할 것이다. 과학의 발전에 따라 계절의 영향력을 줄이듯, 이른 시기에 부모의 품을 벗어나게 되면 운명의 해석은 점차 시간(時干)의 중요성에 무게를 두기 시작할 것이다.

23.14. 꼴과 값

'꼴'이란 월간(月干)으로 일간 명주의 정신적 '틀'을 의미한다. 월간은 사주명국 전반에 영향력을 미치는 일간의 사회적 정신(특성)으로서 생극제화가 균형을 이루고 있으면 길하게 작용하고, 균형을 이루지 못하고 있으면 흉하게 작용한다. 월간이 월지와 통근하거나, 지장간에 뿌리를 두고 있거나, 지지가 삼합을 이루어 월간을 생조하면 월간의 지배력이 강화된다. 월간의 기세가 강하거나 약하거나, 길하거나 흉하거나, 또는 기세가 약하여 영향력이 무의미하더라도 명국 전체를 지배하는 기운은 유지된다. 즉, 오행의 생조(生助), 극해(克害,) 극설(克泄) 등의 강약에 따라 명국 전반에 대한 월간의 정신적 특성이 강화되거나 약화될 뿐이다.

월간은 사주명국의 추상적 특성을 가늠하는 명주의 틀(정신적 그릇)이다. 월간이 의미하는 틀(꼴)은 생극제화에 의해 개개인에 따라 작을 수도 있고 큰 수도 있다. 다만 상신(相神)을 활용하여 월간을 억부함으로써 일간의 득실을 제어할 수 있을 때 길(吉)이 된다.

월간이 정신영역이라면 월지는 육신영역이라 할 수 있다. 월간이 추상적이라면 월지는 현실적이며 실질적으로 명국 전반을 지배하는 격(格)이 된다. 육신은 정신을 따르므로 월간의 꼴은 월지의 실행력에 영향을 미친다. 월간과 월지가 서로 조화를 이룰 때 명국에 담긴 오행의 상호작용이 원활하게 돌아간다.

월간은 명국의 정신적 '꼴'로서 일간의 그릇(틀)이 되며, 월지(지장간)는 계절적 기운으로서 명국 전체에 영향을 주는 사용 값이 된다. 월지가 품고 있는 월지장간(用事之神)은 명국 시스템에 내장되어 있는 용사지신

(用事之神)으로서, 월간의 꼴과 더불어 억부와 조후로써 사용 "값"을 조절한다. 즉 틀(그릇)에 따라 일간 명주가 용사신을 제대로 쓰면 '꼴값'을 하는 것이고, 제대로 쓰지 못하면 '꼴값'을 못하는 것이다.

꼴은 사주의 짜임새, 일간의 정신적, 추상적, 형이상학적 틀로서 여러 가지 물건을 담는 그릇이다. 즉, 그릇의 종류와 특징이 사주의 정신적 성향이 된다. 그리고 월지는 사주의 격으로 일간 명주의 실질적 사회적 성향이 된다.

비겁은 조직능력과 추진력을 나타내고, 식상은 창의능력과 표현능력, 재성은 현장에서 뛰는 실천능력과 제어능력, 관성은 맡은 바 책임을 다하는 수행능력과 조직관리능력, 인성은 계획능력과 설계능력을 나타낸다. 격은 [식신격, 상관격, 편재격, 정재격, 편관격, 정관격 편인격, 정인격, 비견격, 겁재격] 등 십신격으로 분류된다. 각각의 특징은 십신의 성질을 준용한다.

명리학의 대명사인 심효첨의 자평진전은 격(格)을 [재격(財格), 정관격(正官格), 식신격(食神格), 인수격(印綬格), 칠살격(七殺格), 상관격(傷官格), 양인격(陽刃格), 건록월겁격(建祿月劫格) 등 팔정격으로 분류하고 있다.

비겁	조직능력과 추진력
식상	창의능력과 표현능력
재성	실천능력과 제어능력
관성	수행능력과 관리능력
인성	계획능력과 설계능력

23.15. 용신(用神)에 대한 정의

용신은 월지장간을 쓰는 용사신(用事之神)과 일간 외 7개의 간지에서 일간의 억부를 통하여 도와주는 일반 용신, 즉 소용신(所用之神)으로 나뉜다. 본서에서의 용신(用神)은 월지장간을 중심으로 하는 용신, 즉 용사지신(용사신)과 일간을 억부하는 소용지신(소용신)을 의미한다. 일반적으로 일간에게 필요하여 일간이 쓰는 일반적 의미의 용신, 즉 소용지신은 반드시 월령에서만 찾지 않고 일간을 제외한 나머지 7개 간지에서 모두 찾는다는 점이 용사지신과 다르다.

『자평진전』에서 용신은 "팔자에서 용신은 오로지 월령(月令)에서 찾는다"[2]라고 하여 용사지신을 지칭함으로써 일반적인 소용지신과 구별하고 있다. 서대승도 "용신은 손상이 되면 안되고, 일주(日柱)는 건왕한 것이 가장 좋다. 취용(取用)은 태어난 월(月)에 의거한다"[3]라고 하여 용신을 월령에서 찾고 있다.

『적천수』에서는 용신을 소용지신과 구별하여 용사지신으로 표현하고 있다. 즉, 월령의 인원(人元)은 용사지신이며 집의 방향을 정하는 것이라 정의하고 있다.

"월령은 제강부서이며 집으로 비유하면 인원은 용사지신으로서 집의 방향

---

[2] 심효첨, 『子平眞詮』, "八字用神 專求月令"
[3] 서대승, 『子平三命通變淵源』, 「繼善篇」, "用神不可損傷 日柱最宜健旺 (……) 取用憑於 生月"

을 정하는 것이니 선택하지 않으면 안된다."[4]

"월령은 사람의 집과 같고, 월지 중의 삼원은 집의 방향과 도로를 정하는
것이니 선택하지 않을 수 없다."[5]

인원(人元)은 지장간에 암장되어 있는 천간을 말하며, 용사(用事)는 '권
력을 장악하다, 일을 처리하다, 일을 담당하다'의 의미이다. 따라서 원문
(原文)에서는 월령에 암장된 지장간 중 용사지신은 사주명국의 권력을 장
악한 신(神)으로서 명(命)의 방향을 정한다고 보고 있다. 원주(原住)에서
도 원문의 취지와 동일하게 월령(月令)을 강조하고 있다. 삼명(三命)은
삼원(三元) 즉 천원(天元) 지원(地元) 인원(人元)을 의미한다.

용사신은 [본기-중기-여기] 순으로 하며, 천간에 투간하여 드러난 것을
우선으로 삼는다.

월지가 일간과 오행이 같을 경우, 일간과 오행이 다른 여기나 중기가
투간하면 그것을 용사신으로 정한다.

월지장간이 투간하지 않으면 월지의 본기를 용사신으로 삼는다. 지장
간이 동시에 투간하면 본기 중기 여기 순으로 용사신을 정한다. 예를 들
어 辛이 寅월에 태어나고 중기인 丙이 투간되면 용사신은 정관이 되지만,
또 본기인 甲이 투간되면 정재가 되는 것이니 정관은 이에 겸하는 神이
된다.

---

[4] 유기(유백온), 적천수 原文, "月令乃提綱之扶 譬之宅也 人元爲用事之神 宅之定向也"
[5] 유기(유백온),『滴天髓』(原注), "月令如人之家宅 支中之三元 定宅中之向道 不可以不
卜"

참고로 서락오는 『자평진전평주』에서 심효첨의 『자평진전』의 원의(原意)와 다르게 용사지신을 일반적 의미의 용신, 즉 소용지신으로 평주함으로써 혼란을 야기하고 있다.

"용신은 팔자 중의 소용지신(所用之神)이니, 팔자 중에서 왕약(旺弱)과 희기(喜忌)를 살펴서 돕기도 하고 억제하기도 하는데, 즉 돕거나 억제하는 신(神)이 용신(用神)이 된다."[6]

『자평진전』의 용신은 용어상으로는 『자평삼명통변연원』의 용신을 따르고, 의미상으로는 『적천수』 원문의 용사지신을 취한 것이다. 따라서 『자평진전』에서의 용신은 용사지신의 의미로서 사주의 전체 국을 '관장하는 신(神)'이라고 할 수 있다. 그러므로 『자평진전』의 용신(用神)은 용사지신(用事之神)의 줄임말이므로 다른 원전의 소용지신(所用之神)과는 확실히 구별할 필요가 있다. 그러므로 『자평진전』에서의 용신(用神)은 용사지신(用事之神)의 의미로서 '之'는 단순수식 기능의 어조사이므로 줄여서 '용사신(用事神)'으로 해석할 것을 제안한다.[7]

본서는 학술논문 「자평진전의 용신고찰」에서 고전을 인용하여 논리적으로 설명하고 있는 용신에 관한 상기 이론을 따라 **"용사신(用事神)"**으로 칭한다.

계절 기운을 품고 있는 용사신은 명국과 운 전체를 통어하는 강력한 신으로서 이를 이길 수 있는 신은 없다. 다만 일간에 득이 될 수 있도록 월령을 중심으로 재관인식(財官印食)은 순용(順用)하고, 살상겁인(殺傷劫

---

[6] 서락오, 『子平眞詮平註』, "用神者 八字中所用之神也 八字中察其旺弱喜忌 或扶或抑 卽以扶抑之神爲用神"

[7] 이명재, 「자평진전의 용신고찰」, 『동방문화와 사상』 제12집, 동양학연구소, 2022, p.35.

刃)은 역용(逆用)하는 것으로 중화(中和)를 조절한다.

용사신이 천간에 투출되어 있을 때 운이 접응해 들어오면 용사신의 기세가 가장 강왕하다. 이때 용사신은 스스로 발동하여 적극적으로 류운에 참여하여 활동한다.

월지장간이 명국을 통어하는 용사신이라면, 일지장간은 나의 잠재성, 가족, 부부 등 나의 백그라운드가 된다. 지장간이 투출하면 잠재성이 드러난 것으로 활동성이 강화된다. 예를 들어 부부궁으로 통변할 경우 일지장간이 투출하면 처 또는 남편의 활동성이 강화되고, 류운이 접응하는 경우 응기(應氣)가 됨으로써 다양한 통변이 가능해진다.

시지장간은 미래시제이므로 일간보다 기세는 약하지만 일간(나)의 미래, 또는 자녀(子女)가 되므로 활용도가 높다.

년지장간은 이미 지나간 과거시제이므로 활용도에 있어서 다른 지장간보다는 영향력이 약하다.

☞ **용신(用神): 용사신(용사지신)과 소용신(소용지신)으로 구분한다.**
　　用事之神: 사주명국(월지장간)에 시스템화되어 있는 용사신(用事神)
　　所用之神: 중화지기(中和之氣)를 만들어가는 용신(억부, 조후, 병약,
　　　　　　　　통관, 전왕)

<소용신(所用神)>

상황에 따라 억부나 조후로써 명국을 중화지기로 이끄는 오행은 상황에 따라 시의적절하게 기운을 조절하는 조화용신으로서 소용지신(所用之神)이라 한다. 일반적으로 활용하는 용신을 지칭하며, 용사신(用事神)과 구별하여 소용신(所用神)이라 칭한다. 일반적으로 다음과 같은 용신이 사용된다.

▷ **억부용신(抑扶用神)**

태강한 기운은 누르고 태약한 기운은 도와주어 일간이 균형과 조화를 이루게 한다. 일간과 격의 조화를 추구한다.

▷ **조후용신(調喉用神)**

월령의 한난조습(寒暖燥濕)의 득실에 따라 일간의 기운을 조절한다. 너무 더우면 차가운 수기(水氣)로 조절하고, 너무 추워 한냉(寒冷)하면 화기(火氣)로 시의적절하게 온난(溫暖)한 기운을 만들어준다. 습냉(濕冷)하면 건조(乾燥)하게, 건조(乾燥)하면 습윤(潤濕)으로 중화시킨다.

▷ **전왕용신(專旺用神)**

사주의 기세가 한쪽으로 치우친 경우 그 기운을 그대로 순응하는 것으로 용신을 정한다.

▷ **통관용신(通關用神)**

두개의 기운이 대치하고 있어 강약을 구별하기 힘들 경우에 화해시키는 것으로 통관용신을 삼는다. 水氣와 火氣가 대치하고 있는 경우 木氣가 들어오면 水生木 木生火의 관계가 되어 자연스럽게 상생관계로 흐르게 된다.

▷ **병약용신(病藥用神)**

생조하거나 억제함으로써 길(吉)하게 하는 것을 상하게 한다면 병(病)이 된다. 이러한 병(病)이 되는 것을 제거하는 것이 약(藥)이다. 병이 제거된다면 본래의 기운을 행사하는데 어려움이 없게 된다.

23.16. 음양의 편재와 사물의 특성[8]

太虛는 氣가 온 천하에 가득하여 어느 한 편으로 편재한 상대적 상태가 아닌 음양의 渾淪 상태라 할 수 있다. 태극은 음양의 상대성으로 분별이 되는 氣의 상태이며, 氣가 서로를 상대하며 상호작용하는 것을 음양이라 하니 태극과 음양이란 관점에 따른 개념상의 차이라 할 수 있다. 음양이 剛柔相推 작용을 통해 만물을 생화하는 것은 음양의 大小·長短·强弱의 미세한 차이가 만들어내는 다양한 불균형이 다양한 상호작용을 일으킴으로써 변화무쌍한 변화를 낳는 것을 의미한다. 음양이 모두 일정하게 同量이라면 음양의 상호작용은 일어나지 않는다. 만물이란 음양의 상대적 불균형이 야기되면서 역동적인 작용이 일어나 만들어지는 變化體를 의미한다. 즉, 다양한 형태의 不均衡은 다양한 형태의 中和를 이룸으로써 다양한 형태의 器物을 만들어내는 것이다.

「태극음양도」를 보면, 태극의 S-LINE을 따라 형성되는 음양의 대소·장단·강약의 미세한 차이가 무수하고 다양한 양태의 접점을 만들어내고 있음을 알 수 있다. 온 우주에 존재하는 만화만상은 이러한 다양한 음양의 상호작용에 의해 천차만별을 이루는 것이므로 어느 하나라도 동일한 것이 있을 수 없다. 즉, 음이 많거나 양이 많거나 만물은 각기 다른 다양한 특성을 가진다. 우주적 통일체인 태극의 관점에서 보면, 일체를 이루고 있는 음양은 부분적으로는 氣의 편재와 편중을 경험하고, 이러한 불균형은 상호작용을 통해 中和를 이루며, 中和와 中和는 상호작용을 통해 더 큰 지향점인 大和를 이루면서 太極圓이라는 하나(一)를 이루어 간다.

---

[8] 박규선, 『양자물리학과 주역』, 부크크, 2024.

어떤 상태가 한쪽으로 치우쳐 머무는 일이 없어야 무방(無方) 무체(無體)의 상태라 할 수 있다. 낮과 밤, 음과 양에 치우쳐 머무는 것은 物이다.[9]

物이란 음양의 치우침, 즉 음과 양의 불균형으로 잠시 머무는 일시적인 상태, 즉 "변형과 변화의 끝없는 흐름 속에 있는 일시적인 단계"를 의미한다. 양자 물리학적으로 말하면 '소립자들은 단지 양자장(場)의 국부적인 일시적 응결에 불과'한 것이다.

음양의 대소·장단·강약의 미세한 차이가 만든 미묘한 불균형이 다양한 중화의 형태, 다양한 품물(品物)의 형상을 만든다. 완전한 균형과 조화는 작용이 멈춘 상태로 무방무체(無方無體)의 상태가 된다. 사물이란 음과 양이 한쪽으로 편재되어 치우쳐 잠시 머무는 변화의 일시적 형태(客形)를 가리킨다. 객형(客形)이란 잠시 머물다 가는 손님처럼 잠시 형체를 이룬 사물을 의미한다. 음양의 상호작용은 음양의 치우침으로 인한 상호모순에서 비롯되며, 이러한 음양의 편재와 편중으로 인한 불균형이 만물의 창조와 생멸의 원동력이 된다. 즉 음양의 불균형은 균형을 이루기 위한 에너지의 역동적인 이동을 불러일으키며, 이는 만물을 생장성쇠(生長盛衰)시키는 동인(動因)이 되는 것이다.

하나의 기(氣)가 나뉘어 음과 양이 분별된다. 양이 많은 것이 하늘이고 음이 많은 것이 땅이다. 그러므로 음과 양이 나뉘어 형질(形質)을 갖추게 된다. 음과 양이 한쪽으로 편재되어 성정(性情)이 나누어진다. 형질도 나뉘면, 양(陽)이 많은 것은 강(剛)이 되고 음(陰)이 많은 것은 유(柔)가 된다. 성정도 나뉘면, 양이 많은 것은 양의 끝이 되고 음이 많은 것은 음의 끝이

---

[9] 張載, 『正蒙』, 「乾」, "體不偏滯 乃可謂無方無體 偏滯於晝夜陰陽者物也"

된다.[10]

　양의 부류의 사물이든지 혹은 음의 부류의 사물이든지 간에, 음과 양의
성분은 어느 한쪽의 하나만 있는 것이 아니라 음 속에 양이 있고 양 속에
음이 있는 것이므로 사물 간의 차이는 음과 양의 성분이 많고 적음에 달려
있다는 것이다.

　예를 들자면, 인간이라는 기물(器物)보다 더 큰 초인적 존재라 할지라도
결국은 음양이기(陰陽二氣)의 상호작용이라는 틀을 벗어나지 않는다. 아무
리 복잡하고 강력한 기운을 가진 초정밀 조직체일지라도 대소·장단·강약에
따른 미세한 불균형과 모순에 의한 상호작용, 균형과 조화를 이루려는 에
너지의 이동과 상충작용 등에 의해 다양한 형태의 중화를 이루어가는 과정
에서 다양한 유형의 기물(器物)로 조직화되는 것에 불과한 것이다. 이러한
조직화 과정을 통해 기물 내에 다양한 리·상·수(理·象·數)가 내재하면서 인
간의 지각범위를 벗어나는 초월적인 기물(器物), 그것이 비록 창조자 신(神)
이라 할지라도 음양의 상호작용이라는 큰 틀을 벗어나지 않는다.

10　邵雍, 『皇極經世』, 「觀物外篇」, "一氣分而陰陽判 得陽之多者爲天 得陰之多者爲地 是故陰陽半
　　(判)而形質具焉 陰陽偏而性情分焉 形質又分 則多陽者爲剛也 多陰者爲柔也 性情又分 則多陽者
　　陽之極也 多陰也者陰之極也"

23.17. 용사신(用事神)

　명국의 틀을 잡는 것은 월주이다. 월간은 사주명국의 틀(그릇), 즉 꼴을 의미하고, 월지에 암장된 지장간은 명국 전체를 관장하고 제어하는 용사신이 된다. 즉, 월지장간은 사주명국에 시스템화 되어있는 용사지신이다. 월지장간 용사지신이 명국을 중화지기로 이끌면 명국은 안정되고, 기운이 편재되면 작용력이 활성화되어 명국은 활동적이 된다. 이 경우 기운이 지나치게 강왕하거나 쇠약하여 일간을 해치게 되는 경우에는 상신(相神)으로 억부함으로써 중화지기(中和之氣)를 조절한다.

　　팔자에서 용신은 오직 월령에서 구한다.[11]

　무릇 사주를 보는 자는 용신이 어떤 지를 먼저 살핀 후에 비로소 순용할 것인지 아니면 역용할 것인지, 배합하여 균형을 이루었는지를 살피면, 부귀빈천의 이치가 자연히 드러날 것이다. 월령에서 용신을 구하지 않고 망령되이 용신을 취하려 한다면 거짓에 빠져 진리를 잃는 격이다.[12]

　사주명국은 우주의 기운이 모여 나라고 하는 존재를 특징짓는 좌표를 의미한다. 일간은 나머지 7개의 오행과 시의적절하게 조화된 나 자신의 표상이다. 태어날 당시의 우주적 기운이 적절하게 중화를 이루어 나라고 하는 좌표를 찍은 것이라 할 수 있다. 사람은 저마다 특징화되어 있는

---

[11] 沈孝瞻, 『子平眞詮』,「用神論」. "八字用神, 專求月令."

[12] 沈孝瞻, 『子平眞詮』,「用神論」. "凡看命者, 先觀用神之何屬, 然後或順或逆, 以年月日時遂 干遂支, 參配而權衡之, 則富貴貧賤自有一定之理也, 不向月令求用神, 而妄取用神者, 執假失 眞也."

좌표를 가지고 있다. 누군가는 음양의 편중, 오행의 편중 또는 중화적이라는 자신만의 사주의 특색을 가지고 있다. 어떤 이는 火五行이 편중되어 있고, 또 어떤 이는 木五行, 金五行 또는 水五行이나 土五行이 편향되어 있을 수도 있다. 이것은 우주를 통틀어 다른 이와 차별화되는 나 자신의 모습을 의미한다. 우주의 부분으로서 개개의 사물들은 음양오행이 편중되어 각각 특성을 가진 좌표를 가지고 있지만 우주 전체적으로 보면 태극처럼 음양은 일체로써 균형을 이룬다. 음이 부족하면 양이 채워주고 양이 부족하면 음이 채워주어 전체적으로는 균형이 잡힌 태극원(太極圓)을 이루는 것이다. 만일 부분부분 모두가 중화를 이루고 있다면 우주는 그 순간 작용을 멈추고 말 것이다. 사주팔자는 음양과 오행이 편재와 편중으로 저마다 특색이 있는 균형과 조화를 이룸으로써 설정된 나의 좌표인 것이다. 그러므로 나의 특성이 기록된 좌표를 무시하고 무조건 중화를 지향한다면 나만의 독특한 개성을 무력화시키는 결과를 가져올 수도 있다.

독특한 좌표를 가진 개개인이 모여서 서로 상호작용함으로써 중화(中和)를 지향하며, 우주 전체적으로 서로 다양한 중화들이 모여 더 큰 단위인 대중화(大中和)인 대화(大和)를 지향한다(保合大和乃利貞). 그러므로 음양과 오행이 서로 다양한 편재와 편중을 이룸으로써 저마다 독특한 좌표를 가지고 있는 사람과 사람이 만날 때는 중화지기(中和之氣)를 고려하는 것이 좋다. 예를 들어 火氣가 강왕한 경우 水氣를 가진 사람을 만난다면 내 기운이 중화되어 절제가 된다. 사람과 사람이 모여 집단을 이룬다는 것은 독특한 사주팔자들이 모여 중화를 이룸으로써 또 다른 성격의 집단을 구성하는 것을 의미하며, 그러므로 무리마다 어떤 성향의 개개인들이 모였느냐에 따라 그 무리의 중화적 특성이 달라지는 것이다. 즉, 중화라는 것은 모두가 동일한 것을 의미하는 것이 아니라 다양한 구성분자들에 의해 성격을 달리하는 것이다. 중화(中和)는 모여 더 큰 우주적 중화인 대화(大和)를 지향한다. 『주역』 중천건괘 「단전」에서는 이것을 "중화(中和)를 보전하여 더 큰 대화(大和)를 이룬다(保合大和 乃利貞)"라고 정의하고 있다. 그러므로 개인적으로 볼 때 무조건 중화를 지향하는 것보다는 나 자신만의 독특한 사주팔자의 개성을 제대로 살리는 것이 좋으며, 중화가 좋다 하여 무조건 중화를 지향한다면 오히려 나 자신의 특성이 무력해질 수도 있는 것이다.

그러므로 명국을 해석할 때, 나는 너와 다른 독특한 존재라는 것을 우선 인식해야 한다. 나는 음양오행의 상호작용으로 생화된 독특한 천상천하유아독존(天上天下唯我獨尊)이며, 천지만물과 상호관계성을 통해 전일성(全一性)으로 존재하는 환존(環存)인 것이다. 일간은 사주팔자 내의 다른 오행과 상호작용을 통해 특징화되는 나 자신이다. 특히 계절의 기운인 월지의 영향이 일간의 특징화에 가장 큰 영향을 주게 되며, 그러므로 월지장간(용사신)을 일간의 득실을 위하여 가장 시의적절하게 쓰는 것이 최선의 방법이라 할 수 있다. 다만 월지장간 용사신이 지나치게 강왕하거나 쇠약하여 일간을 해하게 되는 경우 중화지기인 상신을 활용하여 용사신의 기운을 억부(抑扶)함으로써 일간의 득실을 저울질한다.

월지장간 용사신의 성격에 따라 명국의 작용성이 정해진다. 음양은 기운이 편중될 때 오히려 중화를 이루기 위한 활동이 강화된다. 『주역』 「계사전」에서는 이것을 "강(剛)과 유(柔)가 서로 부딪히며 변화를 만들어낸다(剛柔相推而生變化)"라고 하였다. [태극음양도]를 보면 태풍의 눈과 같은 평형점인 태극의 중심을 제외하면 음과 양은 S선의 볼록면과 오목면을 따라 음양의 편중 상태를 나타내고 있음을 알 수가 있다. 즉 음양이 S선을 따라 대소·장단·강약(大小·長短·强弱)으로써 다양하고 미세한 상호작용이 이루어지면서 태극이 품고 있는 천지인(만물)을 낳는다. 음양오행의 기운이 균형을 이루었을 때가 명국은 가장 안정되고 기운의 흐름이 원활하다.

용사신이 천간에 투출되거나 류운에 발동될 때 운이 가장 활성화된다. 용사신이 투출 없이 암장되어 있는 경우, 지장간 중에 정기(正氣)를 우선 사용하며, 중기(中氣) 여기(餘氣) 순으로 사용한다.

용신(用神)이란 일간에 이익이 되는 방향으로 사주명국을 주도적으로 이끌어가는 오행을 가리킨다. 즉 사주명국의 오행을 조화시켜 일간에 득이 되는 방향으로 이끄는 힘이다. 사주팔자 전체에 가장 많은 영향을 미치는 것은 계절 기운인 월지이다. 월지는 월지를 구성하고 있는 월지장간이 복합적으로 작용하는 힘이다. 그러므로 월지를 구성하고 있는 월지장간이 시스템화 되어 내재된 用神, 즉 用事神이 명국을 用事하는 神이 되는 것이다. 월지장간이 천간에 투출하면 용사신으로 강하게 작용한다. 오행의 생극에 따라 용사신이 생조받으면 작용이 강화되고, 설기(泄氣)되면 작용이 약해진다. 만일 용사신이 극해(剋害)를 받아 일간에 해를 끼치게 된다면 흉이 된다. 그러므로 생극은 그 자체가 길흉을 의미하지는 않으며 일간을 기준으로 득즉길 실즉흉(得卽吉 失卽凶)의 원리를 적용한다.

용사신이 년월일시 천간에 모습을 드러내면 근묘화실(根苗花實)의 원리에 따라 용사신의 역할과 작용을 해석한다. 일간에 투간하면 내가 주체적인 힘이 강왕하지만 독고다이가 될 수도 있다.

지장간은 座上(좌상) 천간에 투출될 때가 가장 강하게 작용한다. 그러므로 용사신이 투출하지 못하고 월지장간에만 암장되어 있다면 운(運)에 드러날 때 비로소 용사신으로서 발동하게 된다. 용사신이 운에 모습을 드러내는 것을 '발동'한다고 한다. 운에서 사주팔자의 오행과 같은 기운으로 오면 명국에 '접응'한다고 한다.

용사신과 함께 상황에 따라 균형과 조화를 위한 상신(相神)으로서 억부와 조후 등도 분석한다. '조후, 억부, 통관, 병약, 전왕' 용신 등은 시간이 흐름에 따라 발생하는 일간의 길흉득실에 시의적절하게 사용하는 것이 올바른 방법이라 할 수 있다.

월지장간을 이루고 있는 용사신은 일간(나)에 가장 많은 영향을 주는 기운이고, 사주 여덟 글자를 가장 강하게 하는 주도하는 용사신이다. 그러므로 용사신이 천간에 투출하여 자신의 힘을 시의적절하게 발휘할 때가 일간이 가장 힘을 얻는 시기가 된다. 계절의 기후를 나타내는 것이 월지이고, 따라서 각 월에는 반드시 그 계절을 주도하는 기운(지장간)이 내포되어 있다. 즉, 월지는 만물에 가장 많이 영향을 주는 조후(調喉)를 의미하므로 조후와 더불어 월지장간 용사신을 함께 판단한다. 조후란 일간(나)에 필요한 기운의 균형을 잡아주는 오행이다. 즉 일간에 이득이 되도록 오행의 중화를 잡아 정상화시켜 주는 오행이 곧 조후용신이다.

용사신이 일간에 지나치게 강왕하거나 또는 미약하여 균형을 잃게 되면 억부로써 기세를 조절하여 균형을 이루어 준다. 오행이 균형과 조화를 이룰 때 가장 활발하게 움직이며 각 오행의 시의적절한 쓰임은 순활(順滑)하게 돌아간다.

-일간을 중심으로 일어나는 생극작용은 십신과 육친 등 인사(人事)를 만드는 순환원리일 뿐 길흉을 생산하지 않는다.
-명국에서 분석의 기준을 정하고, 운에서 길흉을 분석한다.
-지지는 생극하지 않고 합충형파해를 통해 중화를 조절한다.
-지장간은 동적인 천간이 땅 위를 유행(流行)하다가 12개의 고정된 지지궁에 각각 암장된 것이므로 장간끼리는 서로 생극하지 않는다. 충(沖)으로 지장간의 문이 열리면 비로소 생극한다.

-그러므로 동적인 천간은 정적인 지지궁에 암장된 장간과 서로 생극하지 않는다(動靜論). 투출함으로써 발동과 접응으로 명국과 운로의 생극작용에 참여한다.

-용사신의 경중(輕重)을 따져 상신(相神)으로 조절한다. 용사신이 과강하면 극제, 극설을 통해 강함을 조절하고, 과약하면 중하게 하는 상신(相神)을 활용하여 일간을 이롭게 한다.

◆ 상신(相神)

용사신이 명국을 이끌며 최적의 상태를 이룰 수 있도록 도와주는 것이 相神의 역할이다. 즉 용사신을 도와 최적화된 국(局)이 이루어지도록 활동하는 神이다.

월령에서 이미 용사신을 얻으면 다른 자리에 또한 반드시 상신이 있으니, 군주에게 재상이 있는 것과 같이 일간의 용사신을 돕는 것이 이것이다. 예컨대 정관이 재의 생을 만나면 정관은 용사신이 되고 재는 상신이 된다. 재가 왕성하며 정관을 생하면 재는 용사신이 되고 정관은 상신이 된다. 그러나 이것은 곧 일정한 법이지 통변의 현묘함은 아니다. 요약하여 말하면, 전체 국의 격이 이 한 글자에 의지하여 이루어지면, 모두 그것을 일러 상신이라 한다. 용사신을 상하게 하는 것은 일간을 상하게 하는 것보다 심하고, 상신을 상하게 하는 것은 용사신을 상하게 하는 것보다 심하다. [13]

---

[13] 『자평진전』, "月令旣得用神 則別位亦必有相 若君之有相 補我用神者是也 如官逢財生 則官爲用 財爲相 財旺生官 則財爲用 官爲相 煞逢食制 則煞爲用 食爲相 然此乃一定之法 非通變之妙 要而言之 凡全局之格 賴此一字而成者 均謂之相也 傷用神甚於傷身 傷相甚於傷用"

월지는 명국전체를 지배하는 조후이다. 월지장간이 투출한 용사신은 일간이 거스를 수 없다. 그러므로 용사신의 기운을 억부할 수 있는 상신의 역할은 천금과도 같다. 명국에 상신이 없다면 일간의 균형을 조화시키기가 어렵다. 그러므로 이 경우 운에서 상신을 기다리거나 소용신으로 시의적절하게 일간을 억부함으로써 일간을 보호한다. 소용신은 일간이 자신의 조화를 위해 때(時用)를 따라 필요로 하는 신이다. 용사신이 시의적절하다면 명주인 일간을 위해 더할 나위 없다.

용사신이 과강하면 극제(剋制), 극설(剋泄), 생설(生泄)이 상신(相神),
용사신이 과약하면 생조(生助), 인성, 비겁록인(比劫祿刃)이 상신(相神),
용사신이 과강하면 생조(生助), 인성, 비겁록인(比劫祿刃)이 기신(忌神),
용사신이 과약하면 극제(剋制), 극설(剋泄), 생설(生泄)이 기신(忌神),

추운 북극에 사는 사람이 갑자기 무더운 적도에 산다면 적응이 쉽지 않을 것이다. 마찬가지로 뜨거운 지역의 아프리카인이 에스키모인이 거주하는 얼음 집(이글루)에 산다면 제대로 삶을 영위할 수가 없을 것이다. 만물은 저마다 자신이 위치한 시공에서 기후적 환경과 태양, 달, 별 등이 어우러진 우주적 기운들이 상호작용을 통해 시의적절하게 응결된 기의 형체라 할 수 있다. 그러므로 각자의 특성은 다를 수밖에 없다. 마땅히 자신만의 특성을 유지한 채 상황에 따른 중화지기(中和之氣)를 활용할 수 있을 때 삶은 원활하게 흘러간다.

23.18. 용사신(用事神)과 소용신(所用神)

용사신(用事之神)은 주신(主神)이고, 소용신(所用之神)은 부신(副神)이다. 용사신은 일간이 태어난 계절, 월령에 내장된 신으로서 명국과 운을 지배하고 통어(統御)하는 주신이다. 용사신이 제대로 작용하지 못힐 때 상신으로서 소용신을 사용한다. 상신이란 용사신을 도와 일간에 도움이 되는 신을 의미한다. 그러므로 용사신의 기세를 중심으로 간지의 상호작용을 통해 길흉을 분석하고, 용사신을 중심으로 상신으로서 소용신을 활용한다.

사주 원국에 월령을 얻은 천간이 없다면 어떻게 되는 것인가? 억부에는 월령을 억부하는 것과 일간을 억부하는 것 두가지가 있다. 월령을 얻은 천간(용사신)이 있는 경우는 용사신을 억부하고, 월령을 얻은 천간, 즉 용사신이 없을 경우는 일간을 억부하는 소용신으로 중화지기를 저울질한다.

용사신은 월지에 내장된 장간(藏干), 즉 명국전체를 통어하는 계절 기운으로서 어느 누구도 거부하거나 역행할 수 없다. 그러므로 부분부분의 중화를 조절하는 소용신은 명국과 운을 지배하는 용사신의 기세를 조절할 수는 있어도 가로 막을 수는 없다.

용사신이 천간에 투출하였을 때 투간한 천간은 고정된 용사신이 되며, 상신이 이를 억부함으로써 성격(成格)시킨다. 예를 들어 월령용신(용사신)이 식신이면 신왕신약을 막론하고 재성을 상신으로 본다. 왜냐하면 식신을 부수는 인성을 재극인으로 억제하여 식신을 보호하기 때문이다. 그러나 소용신은 일간을 억부하는 관점에 따라 용신이 변한다. 즉, 관성이 인성을 보면 관인상생격이 되는데, 신왕하면 관인상생격보다는 재생관격을 용신하게 된다.

일간을 억부하는 억부론의 용신 관점은 일간의 신강·신약에 따른 사주팔자의 상황에 따라 달라지는 반면에, 월지장간에 시스템화되어 있는 용사신은 투출하여 천간에 고정되므로 상황에 따라 달라지지 않는 고정된 법칙을 지닌다.

월지장간 식신이 투출하고 일간이 신왕한 명조일 때, 인성이 투출(透出)하면 기신이 되므로 재(財)로써 인성을 제극하면 식신은 용사신으로 성격이 된다. 따라서 식신은 용사신이 되고 재성은 상신으로서 역할을 수행한다.

억부용신에 있어서도 재성이 용신이 되는 원리는 동일하다. 그러나 신약하면 일간을 생조하는 인성이 용신이 되지만, 신강하면 인성은 기신이 되어 재를 약신으로 반기게 된다. 또한 관성은 인성을 보면 관인상생격이 되는데 현대 사주학에서는 신왕하면 관인상생격보다는 재생관격을 용신하게 된다.

식신은 인성으로 파극하면 격이 부서지니 인성은 기신이 된다. 그러므로 식신이 용사신으로 투출하면 신왕신약을 막론하고 재성을 상신으로 보게 된다. 용사신을 부수는 인성을 재극인(財克印)하여 보호하기 때문이다. 용사신이 투출하지 못했거나, 기운을 조절하지 못하여 태과함으로써 명국을 벼랑으로 이끈다면 소용신의 중화지기를 계산하거나, 운(運)에서 상신을 기다려야 할 것이다.

☞ **용사신(用事之神)과 소용신(所用之神)**
-소용신은 희기신을 활용, 일간을 억부함으로써, 일간의 득실을 저울질한다.
-상신은 용사신을 억부, 일간의 득실을 저울질한다.
-소용신(所用神)을 도와주는 신을 희기신(喜忌神)이라 한다.

-용사신(用事神)을 도와주는 신을 상신(相神)이라 한다.

-용사신은 월지장간이 투출한 천간으로서 고정되어 있고, 일간의 득실에 미치는 용사신의 태과 태약은 상신으로써 억부한다.

-신강·신약에 따른 생극제화(生剋制化)의 저울질에 따라 일간의 길흉득실이 달라지므로 일간의 필요에 따라 소용신은 달라진다.

-소용신은 일간을 억부하여 일간의 길흉득실(吉凶得失)을 계산하는 것이므로, 가족, 육친의 길흉, 건강 등 개인의 대소사(大小事)를 판단한다.

-용사신은 월령용신으로서 직업, 조직 등 사회적 활동의 대소사를 판단한다.

-용사신이 상신의 도움을 받지 못해 성격을 이루지 못하면 소용신으로써 일간의 득실을 저울질한다.

-월령을 얻은 천간이 있는 경우 용사신을 억부하고(用事之神), 월령을 얻은 천간이 없는 경우 일간을 억부한다(所用之神). 용사신은 일간의 필요에 상관없이 강제력을 가지며, 파격이 되면 일간에게 도움이 되지 않으므로, 이 경우 상신의 도움조차 없다면 일간의 필요에 따라 쓰는 소용신의 도움을 받는다. 용사신은 만물이 거스를 수 없는 계절의 기운을 품고 있는 신으로서 용사신이 파격이면 소용신의 도움을 청할 수밖에 없다. 용사신(用事神)은 일간의 의지와 관계없이 사주팔자(四柱八字)를 이끌어 가는 강력한 힘이지만 소용신(所用神)은 일간의 소용(所用)하는 바에 따라 시의적절하게 활용하는 신이다. 그러므로 소용신은 세운과 월운처럼 쉽게 출렁이는 개인 소사를 중심으로 간명하고, 용사신은 대운처럼 장기간에 걸쳐 변화하는 사회적 대사를 위주로 간명한다.

-상신의 억부를 받지 못하고 태과하여 성격이 되지 않은 용사신은 운에서 같은 기운이 들어오거나 생조받을 때 기의 흐름이 더욱 과격해져 주

변을 파괴하는 폭포가 생기거나 또는 주변 생명을 생육하는 커다란 호수를 만듦으로써 일간의 득실이 갈릴 수 있다. 이 경우 태과한 용사신을 제극하는 상신이 들어오면 성격(成格)이 되어 용사신은 대길(大吉)을 만들어 낸다.

-용사신이 성격(成格)이 되면 大吉, 월지장간이 용사신으로 투간하지 않았거나 성격이 되지 않으면 소용신을 사용하거나 운(運)에서 상신(相神)을 기다린다. 소용신이 용사신의 상신 역할을 할 때 용사신의 작용이 가장 좋다.

-용사신이 성격이 된 경우 운에서 상신이 들어오면 명국과 운을 주도적으로 이끌어 일간의 생존을 돕는다. 용사신이나 소용신의 목적은 일간의 생존적 환경을 보다 조화롭게 일구어 생존 가능성과 생존의 질을 높이는 것이다.

☞　　　　　**대운과 세운의 분석**

-소용신과 용사신은 명국과 운에서 서로에게 미치는 영향의 득실을 계산하여 일간의 길흉을 저울질한다.

-천간은 월령용신인 용사신으로 격을 삼고 상신으로 억부하여 일간을 돕는다.

-지지는 월령을 중심으로 조후를 계산하여 운의 흐름에 맞춤으로써 길흉을 분석한다.

-상황에 따라 용사신은 대운, 소용신은 세운을 본다. 용사신은 명국을 용사(用事)하는 월령용신으로서 사회적 활동의 대소사(大小事)를 위주로 분석하며, 소용신은 일간에게 소용되는 건강, 육친 등 개인의 대소사(大小事)를 위주로 한다.

-용사신(격국용신)과 소용신(억부용신)이 서로 다른 경우가 많다. 이것은

용사신은 월령용신으로서 사회성(외부)을 판단하며, 조화용신인 소용신은 개인사(내부)를 판단하기 때문이다. 그러므로 사회적 성공과 가정사는 서로 다르게 나타날 수가 있다. 비록 사회적으로는 성공했어도 가정적으로는 불행한 경우가 있으며, 가정적으로는 안정되고 행복하지만 사회적으로는 그럭저럭 평범하게 사는 경우도 많이 있다.

-대운(大運)은 강물에 띄워진 큰 배, 세운(歲運)은 작은 배, 월운(月運)은 쪽배로 비유할 수 있다. 10년 단위의 대운은 명국의 월주와 같아 움직임이 크므로 월령용신인 용사신으로 분석하기에 적합하고, 세운과 월운은 작은 변화에도 쉽게 영향을 받아 출렁거리므로 일간의 소용하는 바에 따라 달라지는 소용신으로 분석한다. 1년 단위의 세운은 월운과 달리 용사신과 소용신으로 상호득실을 계산하여 판단할 수 있다. 그러나 반드시 그러한 규칙에 얽매이기보다는 사주명국과 류운의 상황적 판단에 따라 용사신과 소용신을 활용해야 할 것이다.

☞ **용사신과 아이덴터티(IDENTITY)**

중화라는 명목으로 무조건 용사신을 가로막아 그의 기세를 꺾는다면 오히려 자신의 뿌리를 죽이는 형국이 될 수도 있다. 용사신은 월령이 품고 있는 지장간으로서 일간이 선천적으로 내재하고 있는 타고난 나만의 특이화된 아이덴터티이다. 용사신을 막지 마라. 생극제화를 통해 도와주라. 소용신을 활용하라(억부, 조후, 병약, 통관, 전왕). 병신(病神)과 약신(藥神)을 활용하라. 상신(相神)은 많을수록 좋다.

적당한 편재와 편중이 좋은 사주다. 적당한 기울기가 있어야 기(氣)의 흐름이 좋다. 사주팔자는 기본적으로 결핍을 근간으로 하며 바로 그것이 명주(命主)의 아이덴터티를 규정한다. 완전한 균형이란 존재하지 않는다. 다만 중화를 지향할 뿐이다. 시소가 완전한 평형을 이루는 순간 상호작용은 멈춘다.

태극은 정 가운데 지점을 중심으로 이루어지는 음양의 S자 문양은 氣의 편재와 편중의 대립을 나타내며, 그것이 곧 음양의 상호작용을 일으키는 동인(動因)이 된다. 그러므로 음양의 편재와 편중이 일으키는 상호작용은 만물을 낳는 우주작용의 근원적인 원리라 할 수 있다.

만일 명국이 음양오행의 편중이 심할 때 용사신도 역시 같은 기운으로 가중되는 경우에 상신의 생극(生剋) 생설(生泄) 작용으로 용사신이 제어된다면 용사신은 과도한 기운의 절제와 절도있는 활동으로 일간을 주도해 나갈 것이다.

일간이 극신약하고 상신인 인성, 비겁록인(比劫綠刃)이 없다면, 이 상황에서 용사신이 운에서 극해(剋害), 극설(克泄), 생설(生泄)로 접응해 들어온다면, 엔진오일 없는 차의 엑셀을 밟는 형국, 연료가 바닥난 차를 몰고 고속도로에 진입하여 엑셀을 밟는 형국이 되니 오히려 일간을 완전히 탈진시켜 위험에 처하게 만들 수 있다. 한순간의 영광을 위해 몸을 던지는 불나방이 되기 쉽다. 이 경우 일간이 극신약하더라도 명국에서 비겁록인이나 인수가 적당히 보조해주고 있다면, 또는 운에서 상신이 들어온다면 용사신은 일간을 힘차게 리드한다. 즉, 극신약한 일간에 연료를 주입할 수 있으면 용사신은 마음껏 사주 여덟 글자를 운전해 나갈 수가 있는 것이다.

우주 전체는 태극도처럼 총체적인 음양의 균형을 이루고 있지만, 음과 양이 맞닿은 S선을 따라 부분 부분별로 음양의 불균형을 이룬다. 우주는 불균형들이 모여 상호작용을 통해 균형과 조화를 추구해간다. 즉 불균형과 모순은 우주 만물이 순환하는 근원적 원리라 할 수 있다. 그러므로 각기 부분들은 기본적으로 음양의 편재와 편중을 통해 각자의 독특한 캐릭터를 구성한다. 편견이란 그 사람의 독특한 절대적 주체성을 뜻한다. 음양의 대소·강약·장단의 초미세한 차이에 따라 다양한 양태의 중화가 만들어지며, 이에 따라 각각의 중화는 서로 다른 다양한 캐릭터를 형성한다. 우주 전체의 부분에 불과한 인간은 음양의 대소·강약·장단의 미세한 차이가 만들어내는 다양한 형태와 양태, 즉 음양오행의 편재와 편중을 이루며, 이는 모든 사람이 서로 다른 독특한 아이덴터티를 소유하는 소이연(所以然)이 된다. 음양오행의 편재와 편중은 존재마다 서로 다른 원인이 되고, 이러한 편재와 편중에 따라 상호작용이 다양하게 일어남으로써 각자는 다양한 길흉을 경험하며 나아가는 것이다.

☞ 용신의 활용

용사신이 명국 천간에 투출해 있다면, 용사신은 명국 전체와 접응하는 운에 지배력을 강화하여 전체를 통어한다. 용사신(用事神)이 명국 천간에 투출하지 못하였다면, 명국은 所用神으로 균형과 조화를 위한 상호작용을 계산한다. 이 경우 월지에 암장해 있던 용사신이 운에 발동한다면 이미 명국을 제어하는 소용신과의 힘의 균형을 통해 중화를 제어함으로써 길흉을 판단한다. 용사신이 운에 발동하는 경우 사주팔자와 더불어 운을 통어한다.

-**용사신(用事神)**: 명국의 지장간에 내재된 시스템화된 용신으로서, 천간에 투출 또는 운에 발동함으로써 용사(用事)한다. 용사신은 음양과 오행의편재와 편중을 명주의 특성으로 한다. 용사신은 계절기운이 내재된 월지장간 용신으로서 지구가 일간 명주에게 주는 특이화된 나만의 기운이다. 주로 기(氣)의 큰 파도인 대운을 분석한다. 상신의 도움을 받는다.

-**상신(相神)**: 용사신을 억부하여 일간의 길흉득실을 저울질하는 신이다.

-**소용신(所用神)**: 일간을 억부하여 일간의 득실을 저울질하는 신(조후, 통관, 억부, 전왕, 병약)으로서 일반적인 의미의 용신을 의미한다. 일간의 균형과 조화를 추구하며, 희·기신의 도움을 받는다. 기(氣)의 잔 파도를 조율하는 년

운과 월운을 분석한다.

-희신(喜神): 소용신을 억부하여 일간을 돕는 것이 희신이다.

-기신(忌神): 일간 또는 용신을 해하며, 일간이 병이 들게 하는 신이다.

-약신(藥神): 용사신과 소용신의 기신(病)을 제거하는 것이 약신(藥神)이다.
  기신(병)을 극파, 극설, 합거, 충거하여 병을 제거한다.

  인묘진(봄)에는 목기(木氣)가 강하고 사오미(여름)에는 화기(火氣)가 강하다. 신유술(가을)에는 금기(金氣)가 강하고, 해자축(겨울)에는 수기(水氣)가 강하다. 기본적으로 사주팔자는 月令에 내재한 용사신을 기본 용신으로 한다. 즉, 용사신은 일간이 태어난 해당 월령이 품고 있는 암장된 천간(월지장간)으로서 일간이 선천적으로 내장하고 있는 八子(팔자)와 運(운)을 통어하고 이끌어 가는 강력한 기운이다.

  사주팔자를 통어하는 것은 월령(月令)이며, 명국의 천간 그리고 운에서 들어오는 천간과 생극제화로써 상호작용하며 팔자(八字)를 주도적으로 이끌어 나가는 것은 월지(月支)가 품고 있는 잠재적 가능태, 즉 용사신이다. 부분의 중화를 담당하는 소용지신도 용사지신 앞에서는 겸손해질 수밖에 없다.

  균형과 조화를 근간으로 하는 우주적 상호작용 원리는 사주에서도 그대로 작용한다. 즉, 명조에서는 중화와 기의 유통을 중요시한다. 오행이 편고하거나 유통이 제대로 되지 않는다면 흉하다고 본다. 생극제화라는 것은 기의 흐름, 즉 음양오행을 유통시켜 중화를 이루기 위한 상호작용의 원리이다. 소용지신은 음양오행이라는 기를 유통시켜 중화를 이루기 위해 사용되는 신을 의미한다.

☞ 시의적절한 기(氣)의 편재와 편중

태극도를 보면 음양이 서로 대소·장단·강약을 이루며 태극원을 이루고 있음을 알 수 있다. 태극도의 음과 양이 서로 대대하고 있는 S라인 접면의 어느 특정 지점을 예로 들면, 음이 크면 양이 작고, 양이 크면 음이 작아 서로 태극원의 테두리를 벗어나지 않고 음양의 균형을 이루고 있다. 그러므로 그 지점은 음양이 서로 상호작용을 통해 균형과 조화를 이루고 있는 지점으로서, 그 지점에서 생성된 사물은 당연히 음양 중 어느 한쪽의 편재된 특성을 지니게 된다. 즉 음양의 불균형은 사물의 특성, 즉 아이덴터티를 이루는 원리라 할 수 있다.

우주는 전체적으로 보면 [태극음양도]처럼 음양이 상호 균형을 이루고 있지만, 우주를 구성하고 있는 각각의 부분부분은 각자의 구역에서 기의 편재와 편중을 경험하며, 그 편향된 부분부분이 모여 상호작용을 통해 전체적인 균형과 조화를 이루어 나간다. 즉, 부분으로서의 인간은 음양오행의 편중과 편재가 자신의 특성일 수밖에 없는 숙명을 지니고 있다.

용사신은 사주로 이루어진 명국을 규정하는 월령(月令)으로서 월지에 내재된 천간이다. 월지장간 용사신은 바로 자기자신을 규정하는 신이며, 자신의 특성인 편재와 편중을 활용하여 나 자신의 생존을 도모해가는 운명적인 신이다.

23.19. 용사신과 소용신의 간명 원리

아프리카의 흑인이 북극의 이글루에 거주하여 생존한다는 것은 상상하기 어렵다. 반대로 에스키모인들이 아프리카의 작렬하는 태양 아래에서 생존한다는 것은 대단히 고통스러운 일로서 삶에서 어떤 상황이 벌어질지는 아무도 모른다. 왜냐하면 그만큼 현지의 삶에 최적화되어 있기 때문이다. 흑인의 까만 피부는 뜨거운 태양과 자외선에서 스스로를 보호하기 위하여 진화된 것으로서 북극과 아프리카의 생명체들은 환경 적응에 따른 DNA의 진화과정이 서로 다르다.

우주 전체적으로 보면 음과 양은 서로 동등하고 적절한 양으로 균형을 이루고 있다. 그러나 부분적으로는 에너지의 불균형을 이루고 있으며, 이에 따른 에너지의 이동이 일어나 상호작용이 야기됨으로써 만물이 생육된다. 모든 생명체가 음양의 완전한 균형을 이루고 있다면 시나브로 생명력을 잃고 소멸될 것이다. 완전한 태극원을 이루고 있는 전체의 부분적인 구성요소인 만물은 각각 음양으로 상징되는 에너지의 불균형에 최적화되어 생존하고 있으며, 그러한 불균형에 최적화된 사물 하나하나가 모여 우주 전체적으로는 완전한 균형과 조화를 이룬다. 태극음양도의 S 라인을 따라 형성된 음양의 접점은 양이 크고 음이 작든지, 음이 크고 양이 작든지 두가지 경우의 수로서 전체적으로는 태극이라는 음양의 완전한 원을 이루며 균형과 조화를 이룬다.

그러므로 전체를 구성하는 부분으로서의 인간을 사주팔자로 분석할 때에는 음양오행의 불균형에 최적화된 상태를 무시하고 생극제화의 균형만을 강조한다면 이 또한 흑인에게 이글루를 제공하는 것과 다름이 없다. 흑인에게는 뜨거운 자외선을 견디기 위한 흙집을 제공하고, 에스키모인에게는 현지상황에 맞는 얼음집 이글루가 최고의 선택이 될 것이다.

예를 들어 乙木일간에 식신상관이 강왕한 명국은 그 자체가 그 일간에게 최적화된 상태라 할 수 있다. 이 경우 강왕한 화기(火氣)를 적절하게 제어해주며 일간을 생하는 수기(水氣)가 상신이 될 것이고, 수기없이 화

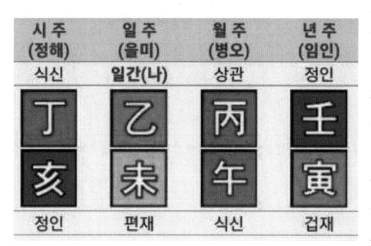

시주 (정해)	일주 (을미)	월주 (병오)	년주 (임인)
식신	일간(나)	상관	정인
丁	乙	丙	壬
亥	未	午	寅
정인	편재	식신	겁재

기가 운(運)에서 들어온다면 乙木이 탈진되므로 기신(病)이 될 것이다. 수기(水氣)가 적절하게 일간을 생해주는 경우 일간은 식신상관 화기(火氣)를 도구로 쓰는데 거리낌이 없다.

午火월지장간 丁火가 투출하니 식신이 용사신이 된다, 그러나 식상이 중하니 일간이 신약하여 식상을 제대로 쓸 수가 없다. 이 경우 인수로 일간을 생조하고 식상을 억제할 수가 있으니 상신(相神)이 된다. 만일 인수가 없다면 파격이 되고 운에서 인수가 들어오면 성격이 된다. 소용지신의 관점에서 보면 식상이 중하여 일간이 신약하니 식상을 극제하고 일간을 생조하는 壬水가 억부용신이 되며, 조후(調喉)의 관점에서 보면 명국이 조열하므로 水運으로 흐르면 좋다. 병약(病藥)의 관점에서 보면 병신(病神)인 火氣를 극제하는 壬水가 약신(藥神)이 된다.

일간인 나에게 도움을 주는 용신은 많을수록 좋다. 용신은 일간을 중심으로 기의 흐름을 좋게 하는 역할을 수행한다.

용사신(월지장간)은 일간에 특화된 기운, 지구가 내게 주는 최적화된 에너지라 할 수 있다. 그러므로 월지장간이 투출하여 용사신으로 용사(用事)할 때, 적절하게 제어해주는 상신(相神)이 있다면 일간은 더이상 바랄 것이 없다. 적절한 제어라 함은 용사신이 강왕하면 설기해주고, 과약하면 생조해주는 것을 말한다.

용사신은 일간이 쓰는 나만의 아이데덴터티로서 기의 편재와 편중으로 이루어진다. 즉 용사신은 기의 편재와 편중을 특색으로 하므로 억지로 중화를 만들어 주면 오히려 지구가 내게 주는 내 사주의 독특한 개성을 무력화시키는 결과를 가져온다.

용사신은 자신을 돕는 상신이 중요하다. 용사신의 활동을 무력화시키는 것이 기신이고, 도와주는 것이 상신이다.

용사신은 기본적으로 대운을 중심으로 상호작용을 분석한다.

소용신은 일간을 중심으로 사주팔자의 균형과 조화를 이루는 중화를 원리로 한다. 일간을 기준으로 팔자의 중화를 이루는 데 필요한 것이 소용신이다. 소용신은 작은 변화에 영향을 받는 일간의 균형을 맞추어 주는 필요한 용신을 의미한다. 그러므로 시냇물 같은 변화를 의미하는 세운과 비가 올때마다 잦은 변화가 일어나는 시골동네의 도랑 같은 월운과의 상호작용을 분석한다.

소용신은 희신과 기신을 중심으로 분석한다. 소용신을 도와는 것이 희신이고, 희신을 무력화시키는 것이 기신이다.

▷ 용사신(用事神)

월지(月支)는 만물의 생사여탈권을 쥐고 있는 조후(調喉)이다. 사시를 순환하는 계절기운을 역행할 수 있는 만물은 그 어디에도 없다. 그러므로 월지가 내장하고 있는 지장간이 투출하는 경우에는 사주 여덟 글자를 용사(用事)하는 강력한 용사지신(用事之神)이 된다. 용사신은 명국전체를 통어(統御)하는 조후의 중심으로서의 월지가 품고 있는 지장간이며, 목적을 가지고 일간의 길흉에 간여하지 않는다. 그러므로 일간의 길흉에 관계없이 투간한 용사신은 상신의 시의적절한 억부가 없다면 일간을 무시하고 폭주할 수도 있다. 일간을 위한 용사신의 활용은 상신에게 달려있다 해도 과언이 아니다. 용사신은 변화의 흐름이 큰 대운을 중심으로 보며 상황에 따라 세운을 함께 분석한다.

▷ 소용신(所用神)

일간이 생존에 필요한 소용지신으로서 천간을 중심으로 본다. 소용신은 필요에 따라 시의적절하게 일간을 억부함으로써 일간의 중화를 조절하며 길흉을 판단한다. 소용신은 변화의 흐름이 빠른 년운과 월운을 중심으로 간명한다. 억부, 조후, 병신, 통관, 전왕 용신등이 활용되며, 생극제화의 원리는 일반적으로 억부의 원리를 사용한다.

▷ 조후용신(調喉用神)

만물을 사계절에 따라 생장성쇠시키는 기후 조건에 의해 사주의 균형을 판단하는 원리로 월지를 중심으로 간명한다. 일간과 월지의 상호관계를 분석하여 기후의 편재와 편중을 분석하고 운의 흐름에서 길흉을 판단한다. 즉, 火氣가 태왕하면 운에서 화기를 설기하는 金水土운이 길하고 木운이 흉하다. 金氣가 태왕하면 金氣를 생설(生泄)시키는 水운이 길하며, 극설(剋泄)하는 木火운이 그 다음이며 금기를 생조(生助)하는 土운이 흉하다. 만물의 생사는 사계절의 조후를 벗어날 수 없다. 기후조건의 균형은 추상적인 개념이 아니라 자연과학적 틀에서 만물의 생로병사를 이해한다.

　평지의 시냇물은 그 흐름이 느리고 잔잔하며 평안하다. 경사도가 있다면 그 유속은 더 빨라지며 물의 흐름은 좀더 원활 해진다. 우주는 동적이며 끊임없는 음양의 상호작용을 통해 변화해가며 조화를 유지한다. 우주의 부분에 불과한 지구는 우주적으로 보면 음양오행의 편재와 편중으로 이루어져 있다. 그래서 지구는 춘하추동 사시순환을 통해 기의 편재와 편중에 의한 에너지의 이동을 야기함으로써 끊임없는 상호작용을 일으키며 만물의 균형과 조화를 유지해간다. 지구의 일부분에 불과한 인간과 사물도 역시 음양오행의 결핍, 그리고 편재와 편중으로 이루어져 있으며 그 부분들이 모여 지구의 균형과 조화를 형성해 간다. 그러므로 부여받은 시공간에서 음양오행의 편재와 편중, 또는 결핍으로 규정된 '나'는 기의 흐름을 원활하게 함으로써 최적화된 균형과 조화를 이루어 생존을 도모하는 것이 우주적 원리에 부합되는 것이다.
　그러나 완전한 평형은 흐름이 평안하지만 역동성은 없다. 기울기가 어느 정도 편향되어 있다면 오히려 기의 흐름이 좋다. 물론 기울기가 지나치게 편향되어 있다면 폭포가 생길 것이고 주변을 파괴시키거나 거대한 흐름을 만들어낼 수도 있다. 부분에 불과한 인간은 계절이라는 기의 흐름을 역행할 수는 없지만 그 흐름을 제대로 올라타 편재와 편중을 이용한다면 평안하고 잔잔할 수도, 역동적인 흐름을 만들 수도, 폭포처럼 거대한 파괴나 역동성을 경험할 수도 있을 것이다. 그 속에서 내게 득이 되면 길이요, 내게 실이 되면 흉을 되는 인사적 득실(得失)을 경험하는 것이다(得卽吉 失卽凶).

23.20. 병약설(病藥說)

　다음은 중국 명대(明代)의 장남(張楠)선생이 저술한『命理正宗』에 나오는 병약설(病藥說)에 관한 이론이다. 병약용신 사주간명 이론으로 유용하다.

　병(病)이란 무엇인가? 원명의 해로운 신으로 기신(忌神)을 말한다. 그럼 약(藥)이란 무엇인가? 원명의 해로운 신을 제거하는 육신(六神)으로 용신(用神)을 말한다. 주자(朱子)의 '그 병(病)을 따라 그 약(藥)을 써야한다'는 말과 같다. 고서(古書)에서는 '병(病)이 있어야 귀격(貴格)이 되는데, 상함이 없으면 기이한 명조가 될 수 없다. 격(格)에 있는 병(病)을 운에서 제거할 때 재록(財祿)이 함께 따른다'고 했다.

　명리서(命理書)가 만 권이 넘게 있어도 이 네 구절에 그 요점이 모두 있다. 사람의 명은 중화를 이루어야 귀격(貴格)이 된다고 하지만 중화만으로 평안하다고 본다면 어찌 명리(命理)의 오묘한 소식(消息)을 찾아 논할 수 있겠는가?

　지금 부귀한 사람을 보면 반드시 노고와 굶주림의 고통을 당했으나 좌절하지 않고 극복해서 결과를 얻었을 것이다. 간혹 우매한 사람들이 병약설의 원리를 알지 못하고 중화만으로 명조를 살피니 열에 한둘만 제대로 안다고 할 수 있다.

　운에서 약을 쓰면 길하고, 약이 제거되면 흉이다. 운에서 병을 제거하면 막힌 길이 뚫려 순환이 원활하게 되니 만사형통이다. 병을 치료하지 못하면 운로(運路)가 막힌다. 또 재관(財官)만 중요하게 논하나 역시 그 귀취(歸就)와 근원을 하나의 예로 말한 수는 없다. 따라서 병약설의 진의를 모르고 재관(財官)과 중화만을 고집한다면 80~90%는 잃어버리고 간명하는 것이니 병약설이야말로 명리의 참다운 묘리라고 할 수 있다.

만일 사주가 토(土)로 이루어져 있으면 수일간(水日日)은 살중신경(殺重身輕)이 되어 관살(官殺)은 많은데 일간(日干)이 약하고, 금일간(金日干)은 토후금매(土厚金埋)가 되어 묻히고, 화일간(火日干)은 회화무광(晦火無光)이 되어 빛을 발하지 못하고, 목일간(木日干)은 재다신약(財多身弱)이 되어 빈고나 빈천이 따르고, 토일간(土日干)은 비견태중(比肩太重)이 되어 병(病)이 된다. 명에 토(土)가 많으면 목(木)이 있어야 토(土)를 제극(制剋)하고 소토(疎土)시켜 병(病)을 제거할 수 있다.

또 토일간(土日干)에 수재(水財)가 작용하면 비극재(比剋財)하니 비견(比肩)이 병(病)이 된다. 이때는 관살(官殺)인 목(木)이 와서 관극비(官剋比)하면 약(藥)이 되니 길하다.

만일 식상(食傷)이 작용하면 많은 토(土)를 토생금(土生金)하여 병(病)을 설기(泄氣)하니 유리하나, 인성(印星)이 인국식(印剋食)하여 인성(印星)이 병(病)이 되는데 이때는 재성(財星)이 약(藥)이다.

만일 병(病)이 많은데 약(藥)이 약하거나, 병(病)이 약한데 약(藥)이 많으면 운에서 중화시켜야 한다. 병(病)이 많은데 운에서 약(藥)을 만나면 대부대귀격(大富大貴格)을 이루고, 병(病)이 약한데 운에서 약(藥)을 만나면 소부소귀명(小富小遺命)을 이루고, 병(病)도 없고 약(藥)도 없으면 부귀격(富貴格)을 이루지 못한다.

그럼 어떻게 인명(人命)의 오묘함을 탐구하여 지혜를 얻을 것인가? 먼저 일간(日干)의 강약을 살핀 후 월령(月令)의 심천을 보고, 그 다음은 일간(日干)과 월령(月令)의 관계와 지지(地支)의 암장을 살펴야 한다. 예를 들어 화일간(火日干)이 월령(月令)에 화(火)가 하나 있는데 년상(年上)이나 월상(月上)이나 시상(時上)에 화(火)가 있으면 이것이 병(病)인지를 살펴야 한다.

그리고 지지(地支)에 병(病)이 암장(暗藏)되어 있으면 흉한데, 운에서 또 병(病)을 만나면 혼잡불명(混雜不明)한 명이 된다. 이때는 중한 것을 따라야 한다.

만일 화일간(火日干)이 수(水)를 만나고 금(金)을 만나고 토(土)를 만나면 재관(財官)과 인수(印綬)가 병(丙)이 되니 이 셋을 치료해야 한다. 병(病)이 있으면 의원을 불러 치료해야 하는 것과 같다.

만일 팔자가 왕성하거나 약하지 않고, 원명에 재관인(財官印)이 있어 일간(日干)이 손상되지 않고 중화되면 기발할 것도 없으니 평범한 명이 된다. 따라서 재관인수(財官印綬)나 중화를 논하기 전에 병약설(病藥說)이 가장 중요하니 세심하게 살펴야 한다.[14]

---

[14] 장남, 김찬동 역, 『명리정종』, 삼한출판사, 2016, p.68-73.

23.21. 처방

  자연현상은 에너지의 균형과 불균형이 적절하게 배분되면 기후가 안정되지만 어느 한쪽으로 치우치면 폭풍우가 일어나기도 하고 태풍이 불고 화재가 발생하여 에너지의 이동이 급격하게 발생된다. 인간의 몸도 에너지의 순환이 적절하게 이루어지기 위해서는 균형과 불균형이 안정적으로 이루어짐으로써 기의 흐름이 원활하게 이루어져야 한다. 그렇지 않고 어느 한쪽이 태과(太過)하거나 부족하게 되면 기(氣)의 흐름이 과속하거나 지나치게 느려짐으로써 혈관이 막히거나 터지게 된다. 인생이라는 눈에 보이지 않는 운명의 흐름도 결국은 자연의 속성을 지닌 것이니 별반 다르지 않다.

(1) 오행이 과다(過多)하거나 과소(過少)하다는 것은 오행이 제대로 순환하지 못하고 한쪽으로 치우쳐 있다는 것이며, 이것은 십신이 적절하게 활성화되지 못하고 있음을 의미하고, 순환이 막히게 됨으로써 삶이 원활하게 돌아가지 못하게 될 수 있음을 의미한다.

(2) 오행은 생과 극이 적절하게 분포되어야 있어야 오행의 순환이 자연스러워지고, 식신 육친 등 인사적인 문제가 원활하게 돌아가게 된다.

(3) 생(生)을 통하여 극(克)을 만들고, 극(克)을 통하여 생(生)을 만든다. 오행의 생극제화(生剋制化)는 생명순환의 원리이며 그 자체가 길흉을 의미하지 않는다.

(4) 사주명국은 기본적인 운세를 의미한다. 기본적인 운(運)에 합(合)과 충(沖), 그리고 시간의 흐름에 따라 들어오는 대운과 세운을

통해 운세의 변화를 판단한다.

(5) 운세를 분석한 후 처방을 해야 한다. 처방은 생(生)과 극(克)이 적절하게 배분되도록 해야 하며, 제(制)와 화(化)를 통하여 견제함으로써 십신(十神)이 적절하게 활성화될 수 있도록 해주어야 한다.

(6) 길(吉)만으로도, 흉(凶)만으로도 형상(形象)은 갖추어지지 않는다. 吉이 지나치면 凶이 되고, 적절한 凶은 吉이 된다. 길흉(吉凶)이 적절하게 조화를 이루는 것이 최고의 사주이다. 길흉은 서로를 의존하며 상호 존재한다. 吉 속에 凶이 있고 凶 속에 吉이 있다.

(7) 오행이 부족하면 채워주고 과다하면 덜어주고, 막히면 뚫어주고 휑하게 뚫려 흉하면 적당히 막아준다(억부). 더우면 차갑게, 차가우면 온기를 보태 준다(조후).

(8) 조후(調喉)는 실질적으로 우리의 삶에 직접적으로 영향을 미치는 계절적 기운이다. 사주 전체를 제어하는 월지(月支)를 기준으로 편재된 기후 조건을 적절한 오행생극을 통해 생조(生助)와 생설(生泄), 극제(剋制)와 극설(剋泄) 등을 적절하게 조절함으로써 中和(중화)에 이르는 길을 찾는다.

(9) 사주의 균형을 깨는 것을 병신(病神)이라 한다. 병신을 제거하는 것을 약신(藥神)이라 하니 명국에 약신이 있거나 운에서 약신이 들어와 사주의 균형을 잡아줄 때 사주의 운이 좋다.

(10) 완전한 균형은 존재하지 않는다. 시소(SEESAW)가 완전한 균형을 이루는 순간 상하작용은 멈추게 되고, 태풍의 눈 속은 고요할 뿐이다. 적당한 편재(偏在)와 편중(偏重)은 삶의 활력소가 된다. 조화란 음양의 적절한 섞임이지 완전무결한 균형을 의미하는 것이 아니다. 생장수장(生長收藏)의 순환은 음양오행의 시의적절한

편재와 편중으로 인한여 생생(生生)한다. 적당한 기울기가 있을 때 물의 흐름이 좋다는 것을 이해하자.

자연은 때를 따라 변화해간다. 때를 놓쳐 변화를 따라가지 못한다면 그것보다 흉한 것은 없다. 그러므로 명리(命理)는 때를 알고 그 변화의 때를 따라 적절히 대처해 나가는 논리가 철학적으로 뒷받침되어야 한다. 생년월일시(生年月日時)로 표현되는 사주(四柱)는 日月五星의 기운이 녹아 있는 코드로서 명주(命主)가 천상천하 유아독존(天上天下 唯我獨尊)의 존재임을 규정해 준다. 명리는 자연 속에서 그 구성원으로 태어난 사람의 사주를 통해서 시간의 흐름을 따라 변화해 나가는 생로병사(生老病死)의 과정을 분석함으로써 피흉추길(避凶趨吉)의 방법을 찾는다.

사주는 길흉의 때를 알려줄 뿐 자기성찰과 수양을 통한 적극적인 해결을 추구하는 인문학적 철학이 부재하다. 그러므로 사주팔자 명리(命理)를 공부하는 자는 단순히 길흉을 맞추는 것에 만족하기보다는 때에 따라 적합한 대처행위를 변통해 줄 수 있는 인문학적 소양이 풍부한 철학적 논리를 갖추고 있어야 할 것이다.

사주명리학은 점쟁이 술법이 아니다.

사주팔자를 통하여 그 사람의 기본적인 운명과 성정, 성향, 기세, 방향성, 적성 등을 파악하고, 그리고 태어난 풍수적 환경, 부모의 교육환경이나 재산정도, 교육수준(전공), 직업, 배우자 궁합 등을 파악하여 현재의 상태를 분석한후 문점자(問占者)에게 맞는 방향성을 제시하고 카운슬링(COUNSELLING)을 하는 것이 명리학의 기본이 되어야 한다. 한날 한시에 태어난 쌍생아도 삶의 방향이 서로 다른 것이 사실이다. 사주를 통해 선천적으로 주어진 운과 성향, 기세 등을 파악하고, 본인의 자유의지에 의하여 선택하고 결정하는 후천적인 요소를 분석하여 100프로의 확정성(確定性)을 추구하기보다는 잠재되어 있는 개연성(蓋然性)에 무게를 두어 활인(活人)하는 방향으로 상담하는 것이 올바른 자세라 할 수 있다.

23.22. 생극제화(生剋制化)를 통한 사주의 균형

월간이 강왕하면 월간을 생조하는 오행을 극제하여 제어하고, 일간이 쇠하면 일간을 극하거나 설기하는 오행을 극제하여 일간을 보호한다. 기운이 왕하면 극하거나 설기하여 흐르게 하고. 약하면 생조하여 사주의 균형을 이루어 준다. 막히면 뚫어주고, 휑하니 뚫려 기운이 누설되면 막아 기운을 보호한다.

생극제화(生剋制化) 사주팔자를 유통시켜 중화를 이루기 위한 원리이다. 생은 생조(生助)는 것이며, 극(剋)은 극해(剋害)으로써 파괴하는 것이며, 제(制)는 극제(剋制)함으로써 조절하는 것이며, 화(化)는 유통시키며 서로 싸움을 말리고 화해시키는 것이다.

생극제화(生剋制化), 합(合), 충(沖), 형파살(刑破煞) 등은 과도한 기운을 덜어내고 부족한 기운을 채워 중화를 이루기 위한 수단으로서 작용하는 기운이다. 개개인의 입장에서 보면 중화를 이루는 과정에서 득(得)이 되면 길(吉)이 되고, 실(實)이 되면 흉(凶)이 된다. 그러나 나를 벗어나 우주적 관점에서 보면 균형과 조화를 이루기 위한 중화작용일 뿐 기운 자체가 길흉득실을 의미하지는 않는다. 그러므로 생극제화 합충형파해(合沖刑波害)가 작용할 때 기운을 시의적절하게 운용하여 득즉길(得卽吉)이 될 수 있도록 조절할 수 있어야 하며, 그것이 사주통변의 목적이 되는 것이다.

생극제화 합충형파해의 길흉득실(吉凶得失)은 항상 시간이 흐름에 따라 발생하며 순환하고 있다. 그것은 만물을 생장성쇠의 이치로써 순환시키는 음양오행의 상호작용이니, 그 자체가 길흉이 아니라 우주만물을 순환시키는 원리가 되는 것이다.

음양의 상호작용은 중화(中和)를 만들어 내고, 중화는 더 큰 중화를 이루며 궁극적으로 대화(大和)를 지향한다.[15] 선악(善惡)의 개념은 생존 원리에 의해 중화적 가치가 만들어내는 윤리적 장치에 불과할 뿐이며, 다만 선악의 구분은 무리(群)가 상호 생존하기에 유리한 최적의 타협점의 산물이라 할 수 있는 것이다.

리본체론자(理本體論者)인 송대의 정이는 '체용일원 현미무간(體用一源 顯微無間)'이라 하여 보이지 않는 세계의 근원적인 이치가 존재하고 있으며, 그 리(理)가 발현되는 것이 눈에 보이는 현상세계(象)라고 하여 "체(體)와 용(用)은 서로 하나이며, 은미함(微미)과 드러남(顯현)은 서로 간격이 없다"라는 말로써 리(理)와 상(象)과 관계를 해석하고 있다. 도(道)나 리(理)를 설정한 후, 그것에 최고의 가치를 부여하고 그에 따른 도덕적 논리를 전개하는 것이 일반적이지만, 그러나 그러한 논리는 사실상 도(道)나 리(理)를 최고의 인간의 존재론적 가치로서 마땅히 모든 것에 앞서 전제되어야 한다는 당위론적 주장에 불과하다.

현대물리학적 관점에서 극미의 세계를 들여다보면 기본적으로 '양성자(+) 중성자(0) 전자(-)'가 기본적으로 원자를 이루고 있으며, 입자이면서 동시에 파동이라는 불확정성의 원리가 근간을 이루고 있음을 밝히고 있다. 기본체론자(氣本體論者)인 송대의 장재(張載)는 "기(氣)는 대립된 양체(음양)가 하나로 통일되어 있는 일물(一物)이다. 하나로 통일되어 있기에 신묘한 것이며, 대립된 양체(兩體)를 지니고 있으므로 변화하게 된다."라는 말로써 만물을 낳는 음양의 신묘한 이치를 설명하고 있다.

太虛는 無形으로 氣의 본체이다. 그것이 모이고 흩어지는 것은 변화의 일시적인 형

---

15 『주역』, 「계사전」, "保合大和 乃利貞"

태일 뿐이다.[16]

양자장은 근본적인 물리적 실체, 즉 공간 어디에나 존재하는 연속적인 매체로 여겨진다. 소립자들은 단지 그 장의 국부적인 응결에 불과하다. 에너지의 집결로서 그것들은 왔다가 가 버림으로써 개체의 특성이 상실되고 바닥의 장으로 융합된다.[17]

장재(張載)는 『정몽(正夢)』에서 "천지의 氣는 비록 흩어지고 모이고 공격하고 빼앗음이 백 가지 길이나 (무수히 많은 양상을 가지고 있으나), 그 이치는 순하여 어긋나지 않는다"[18]라고 하여 하나(一)에서 분별되어 다양한 형질을 갖추지만, 그 이치는 결국 하나에서 시작된 陰陽二氣를 벗어나지 않는다고 하였다. 음양의 상호작용이 만들어 내는 중화는 무수한 양상을 만들어 내고 각각의 중화는 다양한 가치(윤리적 장치)를 지니지만 동체양면(同體兩面)의 대립적 양체인 음양을 벗어나지 않는다는 것이다. 중화가 함유하고 있는 다양한 윤리적 장치란 '철학, 종교, 도덕, 선악, 윤리……'등 각기 공동체의 생존을 위한 사회적 합의 시스템을 의미하며, 더 크게는 도(道), 리(理) 등 인문철학적 가치를 의미한다.

그러므로 무조건 사주의 틀을 짜 규정짓기보다는 음양오행의 생극제화의 논리를 활용하여 생(生)과 극(克)을 적절하게 배분하고, 제(制)와 화(化)를 통하여 균형을 맞추고 조화를 이루게 함으로써 오행의 순환을 원활하게 한다면 피흉추길(避凶趨吉)을 이루어 보다 안정적인 삶을 영위할 수 있을 것이다. 십신(十神)이나 육친(六親)등 인사(人事)의 원리

---

[16] 장재, 『正蒙』, "太虛無形 氣之本體 其聚其散 變化之客形爾"

[17] 프리초프 카프라, 김용정 김용범 공역, 『현대물리학과 동양사상』, 범양사, 2017, p.275.

[18] 장재, 『正蒙』, "天地之氣 雖聚散攻取百塗 然其爲理也 順而不妄"

를 발생시켜 삶을 순환시키는 생극제화(生克制化)의 원리와 실질적으로 생장수장(生長收藏)의 이치에 따라 만물의 생로병사(生老病死) 현상을 주관하는 계절적 기운인 조후(調喉)는 모든 오행의 상호작용에 적용되는 원리가 된다.

우주만물 중에 하나인 나는 중화를 이루기 위한 역동적인 음양오행의 상호작용 속에서 물극필반(物極必反), 영허성쇠(盈虛盛衰), 생장염장(生長斂藏)의 이치를 깨달아 끊임없이 일어나는 길흉과 우환에 대비하는 피흉추길(避凶趨吉)의 지혜를 발휘해야 할 것이다.

23.22.1. 생(生)

생(生)은 '낳아서 기른다'라는 생조(生助)의 의미가 있는 동시에 기운이 누설(漏泄)되는 의미가 있다. 아생자(我生者)인 경우 我는 생하면서 기운이 설기(泄氣)된다.

(예) 水生木: 水가 木을 생함으로써 水의 기운이 설기되고, 木은 생조(生助)를 받는다(生我者). 木이 火를 생함으로써 木氣가 설기(泄氣)된다(我生者).

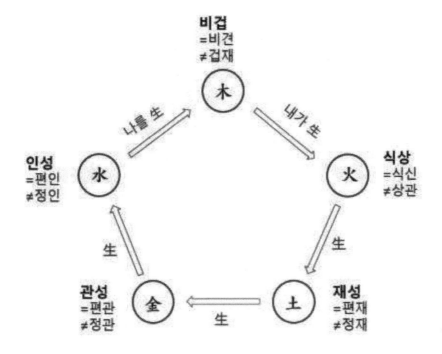

23.22.2. 극(克)

극(克)은 '억제하다, 제압하다, 이기다'의 의미가 있는 동시에 내 기운이 소모(消耗)되는 의미가 있다. 아극자(我克者)인 경우 我는 대상을 극제하면서 기운이 소모된다.

(예) 水는 火를 극함으로써 기운이 소모되고, 火는 水에게 제압당한다.
　　木은 金에게 수동적으로 억제당하고(克我者), 土를 능동적으로 극제한다(我克者).

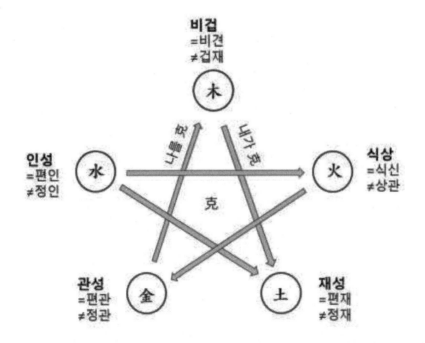

나에게 길(吉)한 오행을 극하는 경우 극해(克害)라 하고, 나에게 흉(凶)한 오행을 극하는 경우 극제(克制)라 한다.

23.22.3. 제(制)

제(制)는 극하는 오행을 극함으로써 극을 제어하는 의미가 있다. 金克木의 경우 火氣를 써서 金氣를 극제함으로써 木氣가 생(生)을 순환시킬 수 있도록 한다.

▷(예-1) 金克木 ≫ 木生火 ≫ 火克金

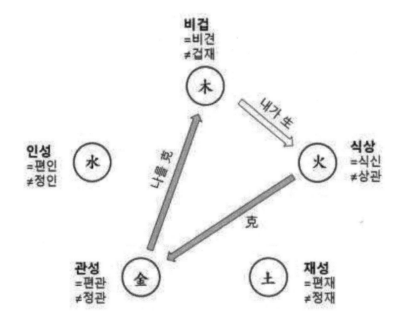

金이 七殺(편관)로 나(일간)를 극해(克害)하는 경우, 내가 生하는 식신으로 하여금 칠살을 극제(克制)하게 하여 제살(制殺)함으로써 나(木)를 보호한다. 이때 편인(효신)이 식신을 극해(剋害)한다면 칠살을 제어하지 못하게 되어 흉이 된다.

▷ (예-2) 水克火 ≫ 火克金 ≫ 金克木

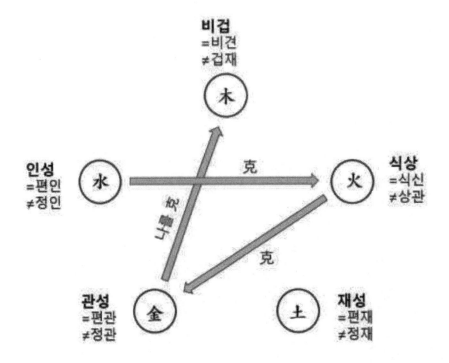

정관은 나를 규정해주는 신으로서 나를 통제하여 바르고 안정되게 한
다. 상관이 정관을 극해(克害)하는 경우, 정인이 상관을 극제(克制)함으로
써 정관을 보호한다. 이때 정재가 정인을 극해한다면 상관을 제어하지
못하게 되어 흉이 된다.

23.22.4. 화(化)

화(化)는 극하는 오행 사이에 끼어들어 克의 기운을 生으로 바꿔준다. 金克木의 경우 水氣를 써서 金氣를 설기(泄氣)시키고 木氣를 생하게 한다.

▷(예) 金克木: 金生水 ≫ 水生木

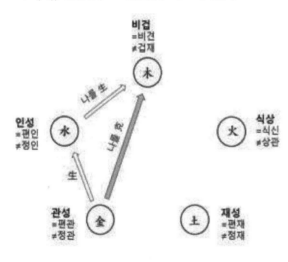

金氣가 과다하여 七殺(편관)이 되어 나를 克害하는 경우, 水氣인 印星을 써서 통관시킴으로써 克을 生으로 바꿔 상생하도록 한다 (官印相生). 이때 재성이 인성을 극해한다면 칠살의 기운을 통제하지 못해 흉하게 된다.

오행이 과다하거나 기운이 태왕하면 생이든 극이든 오행의 순환이 균형을 잃어 해(害)가 된다. 생극제화를 적절하게 사용한다면 균형과 조화를 이루어 기운의 흐름을 원활하게 할 수 있다. 인간은 자연의 일부로서 자연의 변화의 흐름 속에서 균형과 조화를 이룰 때 가장 길한 삶을 영위할 수 있다. 사주명국의 오행은 균형있게 배분되어야 생과 극이 적절하게 이루어져 건강한 삶의 흐름이 된다. 그러므로 현재 자신의 삶에서 어떤 기운이 태과한지 아니면 부족한지를 살펴 균형과 조화를 잃지 않는 것이 삶의 지혜라 할 수 있다.

오행은 생극제화를 통하여 균형과 불균형을 오가며 순환한다. 불균형과 모순은 조화를 이루기 위한 필수적인 요소이다. 에너지의 불균형이 역동적인 에너지 이동을 불러옴으로써 만물의 생장과 성쇠를 일으키는 화육의 원리가 되듯이, 음양과 오행의 불균형은 균형을 이루기 위한 중화작용의 원리가 된다. 그러므로 생극제화는 길흉을 일으키는 본질이 아니라 중화를 지향함으로써 우주만물이 생장수장(生長收藏)의 이치로 순환하는 생명의 성장성쇠 원리라 할 수 있다. 막히면 뚫어주고 휑하면 막아주며, 기운이 태과하면 제어하고 설기(泄氣)시켜주며, 신약하면 생조(生助)하여 준다. 그러나 시의적절한 음양과 오행의 편재와 편중은 오히려 삶의 활력소가 됨을 또한 잊지 말아야 한다.

사주 여덟 글자를 가지고 인생 전체를 모순없이 조망할 수는 없다. 우주의 창조원리가 바로 모순과 불균형을 바탕으로 하고 있기 때문이다. 모순과 불균형이 에너지의 이동을 야기함으로써 균형과 조화를 이루어가는 과정에서 사물은 길흉득실의 발생을 경험한다.

송대의 기본체론자(氣本體論者)인 장재가 "고립되어 존재하는 사물이란 없다"라고 했듯이, 우주만물은 상호관계망 속에서 서로 연결되어 대립과 화해라는 상호작용을 통해 중화를 찾아가면서 생로병사의 쳇바퀴를 돌린다. 개인을 규정하는 우주 좌표인 四柱八字도 생극제화라는 상호작용의 원리로써 중화(中和)를 찾아가며 최종 지향점인 우주적 대조화, 보합대화(保合大和) [19]에 참여한다.

우주와 인생을 통찰하는 인문학적 소양 없이는 완전한 간명이란 있을 수 없다. 그러므로 우주의 한구석, 우주의 티끌만도 못한 존재가 완전하지 못한 지식과 지혜로써 인간과 사물의 생명을 함부로 예단하는 우를

---

[19] 『주역』, 重天乾괘 「象傳」, "保合大和 乃利貞" 중화(中和)를 보전하여 대화(大和)를 이룸이 바르고 이롭다."

범해서도 안된다. 사주팔자는 완전성이 아니라 변화의 확률적 가능태를 품고 있는 우주부호이기 때문이다.

-역(易)은 (그 도리가) 천지와 똑같으니, 그러므로 천지의 도를 두루 다스릴 수 있다.[20]

-한번 음하면 한번 양하는 것이 도다.[21]

-강(剛)과 유(柔)가 서로 밀고 당기면서 변화를 만들어낸다.[22]

-강과 유가 서로 작용하니 변화는 그 중화에 있다.[23]

-강과 유가 서로 부딪히니 팔괘가 서로 섞인다.[24]

-육효(六爻)의 움직임은 천지인 삼극의 도이다.[25]

-천지의 화육을 도울 수 있다면 천지와 더불어 삼신일체(三神一體)로다.[26]

역(易)이란 "천지가 드러내 주면 성인이 이를 근거해서 완성한 것"[27]이니 "변화의 도를 아는 자는 신(神)의 하는 바를 안다"[28]고 할 수 있다. 또한 "만물은 음을 지고 양을 안으며 충기(沖氣)로써 조화를 이루는 것"[29]이니, "만물은 음양 양자가 서로를 낳으며 제삼자(中)를 드러내는 것"[30]으로서 인사만사(人事萬事)는 중화(中和)를 이루는 것이 최선이다.

---

[20] 『주역』, 「계사전」, "易與天地準 故能彌綸天地之道"

[21] 『주역』, 「계사전」, "一陰一陽之謂道"

[22] 『주역』, 「계사전」, "剛柔相推而生變化"

[23] 『주역』, 「계사전」, "剛柔相推 變在其中矣"

[24] 『주역』, 「계사전」, "剛柔相摩 八卦相盪"

[25] 『주역』, 「계사전」, "六爻之動 三極之道也)"

[26] 『中庸』, "可以贊天地之化育 則可以與天地參矣"

[27] 『國語』, 「越語下」, "天地形之 成人因而成之"

[28] 『주역』, 「계사전」, "知變化之道者 其知神之所爲乎"

[29] 『노자』, "萬物 負陰而抱陽 沖氣而爲和"

[30] 『관자』, "凡萬物陰陽 兩生而參視"

[참고문헌]

『주역』,「계사전」,「문언전」,「설괘전」

『노자』,『관자』,『순자』

심효첨,『자평진전』

장남,『명리정종』

유백온,『적천수』

여춘대,『궁통보감』

진소암,『명리약언』

장재,『정몽』

박규선,『주역원리강해』 상·하, 부크크, 2024.

박규선,『양자물리학과 주역』, 부크크, 2024.

박규선,『간지역학 비결강의』, 부크크, 2024.

김용혁,『천부명리학』, 내하출판사, 2020.

서락오, 박영창 역,『자평진전 평주』, 도서출판 도가, 1997.

장남, 김찬동 역,『명리정종』, 삼한출판사, 2016.

최정준 외 3 공저,『주역전의』원·형·이·정, (사)전통문화연구회, 2021.

주백곤, 김학권 외 4 공역,『역학철학사』1-8, 소망출판, 2012.